VOORTVLUCHTIG

Phillip Margolin bij Boekerij:

Kroongetuige
De laatste onschuldige
Verdwenen, maar niet vergeten
Als de duisternis valt
De brandende man
Het complot
Vals recht
De firma
Web van verraad
De dode slaapster
Het verloren meer
Hard bewijs
Recht van spreken
Voortvluchtig

www.boekerij.nl

PHILLIP MARGOLIN
VOORTVLUCHTIG

ISBN 978-90-225-5307-7
NUR 332

Oorspronkelijke titel: *Fugitive* (HarperCollins)
Vertaling: Willem Verhulst
Omslagontwerp: Wil Immink Design
Omslagbeeld: Plainpicture Hollandse Hoogte
Zetwerk: Mat-Zet BV, Soest

Voor de vertaling van het citaat 'If you can't do the time, don't do the crime', oorspronkelijk uit de tv-serie *Baretta*, is gebruik gemaakt van Erik Bindervoet en Robbert-Jan Henkes' vertaling van Bob Dylans 'Heart of Mine', waarin dit citaat voorkomt ('Wie nooit heeft gevaren krijgt nooit averij', in: Bob Dylan, *Liedteksten 1974-2001:'Voor altijd jong'.* Amsterdam: Nijgh & Van Ditmar, 2007).

Voor Marissa, het jongste lid van de familie Margolin.

Welkom op de wereld.

PROLOOG

'Waar is Charlie?'

1997

'Laat me even weten als u een beslissing hebt genomen, meneer Burdett,' zei de edelachtbare Dagmar Hansen. 'De zitting wordt verdaagd tot ik iets van u hoor.'

Amanda Jaffe stond, net als de rest van de toeschouwers in de rechtszaal, op toen rechter Hansen de zaal verliet, maar haar ogen waren niet op de rechter gericht. Ze keek naar haar vader, die druk in gesprek was met zijn cliënt. Frank Jaffe hield zijn lippen vlak bij Sally Popes oor. Hij praatte snel. Mevrouw Pope hield haar hand op de onderarm van haar vader en ze fronste haar voorhoofd terwijl ze zich concentreerde op wat hij zei. Amanda keek bedenkelijk, want ze had de indruk dat het er intiemer aan toeging dan bij een overleg tussen een advocaat en diens cliënt gebruikelijk was.

Karl Burdett, de openbare aanklager van Washington County, keek woedend terwijl hij de rechtszaal uit stormde, met zijn twee medewerkers in zijn kielzog. Frank Jaffe en mevrouw Pope volgden een paar tellen later. Vlak voordat de deur van de rechtszaal achter hem dichtging, stak Frank nog snel zijn duim omhoog in de richting van Amanda. Die ochtend had Frank, voordat hij naar de rechtszaal vertrok, laten doorschemeren dat zich een belangrijke ontwikkeling in de zaak had voorgedaan. Amanda wilde dolgraag weten wat zich in de raadkamer had afgespeeld, maar ze wist dat ze haar vader beter niet lastig kon vallen als hij midden in een proces zat.

Amanda besloot de trap naar de hal te nemen. Die korte wandeling zou vandaag waarschijnlijk haar enige training zijn. Ze voelde zich een beetje schuldig. Tijdens de zomervakantie had Amanda steeds fanatiek getraind. Als jeugdzwemster had ze bij de 'Pacific-10'-kampioenschappen voor Berkeley de 200 meter vrije slag gewonnen en bij de nationale kampioenschappen was ze als zesde geëindigd. Als het haar zou lukken om een paar seconden van haar beste tijd af te knabbelen zou ze bij de senioren bij de bovenste drie kunnen eindigen en een kleine kans maken om in 2000 deel uit te maken van het olympische team. Als je te veel trainingen oversloeg, was een dergelijke doorbraak uitgesloten, maar ze kon de kans om te zien hoe haar vader de verdediging voerde bij de geruchtmakendste moordzaak die het land ooit had gekend, niet voorbij laten gaan.

Frank Jaffe was een van de beste strafpleiters in Oregon en Amanda wilde al sinds de lagere school in zijn voetsporen treden. Terwijl andere meisjes modetijdschriften lazen, las zij Perry Mason. En terwijl andere meisjes ervan droomden om naar het schoolbal te gaan, droomde zij ervan dat ze moordzaken te behandelen kreeg, en in de afgelopen jaren had zich in Oregon geen zaak voorgedaan die zo geruchtmakend was geweest als het proces van Sally Pope wegens de moord op haar man, het Amerikaanse congreslid Arnold Pope Junior. Daar kwam nog de uitstraling bij die van Sally Popes medeverdachte uitging: Charlie Marsh, alias de goeroe Gabriel Sun, had het van kleine misdadiger tot nationale held en newagegoeroe geschopt. Hij sprak in het hele land tot de verbeelding.

Amanda had een exemplaar bij zich van *Het licht in jezelf*, de autobiografie van Marsh, waarin hij zijn ziel blootlegde over het feit dat hij als kind misbruikt was en uitlegde hoe die psychische beschadiging tot een leven vol geweld had geleid. Wat het boek zo bijzonder maakte, was Marsh' verslag van zijn opzienbarende godsdienstige bekering, die plaats had gevonden op het ogenblik dat hij zijn leven op het spel zette om een cipier te beschermen, die door een krankzinnige gevangene werd aangevallen.

Amanda keek naar de foto van Marsh op de achterkant van het boek. Het was wel duidelijk waarom vrouwen in groten getale de cursussen van de goeroe bijwoonden, waarin hij zijn kudde leerde hoe ze het innerlijke licht konden vinden dat hem tijdens zijn bijna-doodervaring had overgoten. Marsh had het blonde haar en de blauwe ogen van een filmster, maar zijn gewelddadige verleden deed vermoeden dat er een duivel in hem schuilde. Sally Pope was een van de mooiste en zelfverzekerdste vrouwen die Amanda ooit had ontmoet, maar als je de roddelbladen mocht geloven was zelfs zij voor Marsh' charmes bezweken.

Bij Sally Popes proces ging het om seks, beroemdheid en gewelddadige dood. Het enige wat ontbrak was Charlie. WAAR IS DE GOEROE? schreeuwden de krantenkoppen in de nationale pers op de dag dat het proces begon. Met die vraag begon ook elke nieuwsuitzending op televisie. Charlie Marsh was bij de Westmont-sociëteit verdwenen op het moment dat Arnold Pope Junior werd neergeschoten. Net als iedereen in Amerika vroeg Amanda zich af waar hij was en wat hij nu deed.

DEEL I

De vrolijke vechter

2009

1

'Het komt zo, het komt zo!' zei Jean-Claude Baptiste, president voor het leven van de volksrepubliek Batanga, tegen Charlie Marsh. Hij sprak het zangerige Engels dat door Afrikanen wordt gebruikt die zijn opgegroeid met het dialect van hun stam. Charlie was, net als de meeste andere mannen die bij het staatsbanket aanwezig waren, in smoking gekleed. President Baptiste, die nooit een hogere rang dan sergeant had bekleed, was opperbevelhebber van het Batangese leger. Hij droeg het uniform van een vijfsterrengeneraal.

'Goed kijken!' zei de president, zich bij voorbaat verkneukelend terwijl hij met een vinger naar een van de vele enorme flatscreentelevisies wees, die langs de muren van de eetzaal van het presidentiële paleis hingen. De enorme zaal was langer dan een voetbalveld. Het casino in Las Vegas waar Baptiste zijn belangrijkste gevecht had gewonnen, had er model voor gestaan. Het gebruik van flatscreentelevisies als wandbedekking zou in Versailles hebben misstaan, maar ze leken volkomen op hun plaats te midden van de met spiegelglas bedekte muren, de heldere verlichting en de zachte tinten van de schilderijen die de eetzaal de ambiance verleenden van een bar bij een sportcentrum.

'Nu komt het! Let op!' zei de president opgewonden. Op al de schermen die langs de muren hingen, was een jongere, lachende Baptiste te zien, die Vladimir Topalov, de nummer twee op de wereldlijst van zwaargewichtboksers, in een hoek van de ring dreef. De Baptiste op het scherm was één meter vijfennegentig lang en woog bijna honderdtwintig kilo. Zijn huid was inktzwart en het licht in de arena weerkaatste op zijn gladgeschoren schedel. De huidige versie van Jean-Claude leek vaag op de bokser op het scherm, maar met een gewicht van om en nabij de honderdveertig kilo maakte hij de indruk dat hij uit twee grote mannen bestond die aan elkaar zaten vastgelijmd.

'Kijken, Charlie, nu komt het!' zei Baptiste tegen de blonde man met blauwe ogen en de gebruinde, verweerde huid, die aan zijn linkerkant aan het eind van een teakhouten eettafel zat die gemakkelijk plaats zou kunnen bieden aan vijftig gasten. Charlie veinsde overmatige belangstelling, net als de dertig andere aanwezigen. Iedereen die niet de indruk maakte dat hij diep onder de indruk was van Baptistes bokskunst liep het risico dat zijn gedrag in de kelder van het paleis gecorrigeerd werd. Weinigen hadden deze lessen overleefd.

Op het scherm wankelde Baptistes tegenstander een paar passen achteruit. Hij werd verblind door het bloed uit een diepe wond boven zijn rechteroog. De toekomstige president van Batanga maakte een schijnbeweging voordat hij een verpletterende hoekstoot op de slaap van zijn tegenstander deed belanden. Terwijl Topalov in elkaar zakte, wierp zowel de boksende als de presidentiële Baptiste zijn hoofd achterover en lachte uitbundig. Hoewel het geluid was uitgeschakeld wist iedereen die bij het banket aanwezig was dat de vele fans van Baptiste 'ho, ho, ho' scandeerden. Dat deden ze altijd als 'De Vrolijke Vechter' een tegenstander vloerde. Baptiste had zijn bijnaam te danken aan het feit dat hij altijd opgetogen lachte als hij een tegenstander een vreselijk pak slaag gaf.

Na de partij werd Topalov in het ziekenhuis opgenomen. De man die vóór Baptiste over Batanga had geregeerd was minder gelukkig geweest. Na zijn knock-outoverwinning op de Rus keerde Baptiste terug naar Batanga voor een overwinningsoptocht gevolgd door een diner te zijner ere, dat door de vorige president van de republiek werd gegeven. Tijdens het diner bestormde een groep legerofficieren, die waren omgekocht met het geld dat Baptiste met boksen had verdiend, de eetzaal en pleegde een staatsgreep. Het gerucht wilde dat Baptiste een aantal uitstekende grappen had verteld terwijl hij tijdens een voodooceremonie het hart van de ex-president zat te eten. Dit ritueel werd verondersteld hem de geestkracht van de overledene te schenken.

Baptiste glimlachte, waarbij hij zijn volmaakte parelwitte tanden liet zien. 'Was dat geen prachtige klap, Charlie?'

'Heel indrukwekkend, meneer de president,' antwoordde Marsh. Charlie was zo'n dertig centimeter kleiner en woog ongeveer tachtig kilo minder dan zijn gastheer. Omdat hij niet over de moed en het wrede temperament van Baptiste beschikte, had hij zich tijdens het diner tot het uiterste moeten inspannen om zijn afschuw te verbergen.

Nu raapte hij het kleine beetje moed waarover hij beschikte bij elkaar en bracht het onderwerp ter sprake dat zijn nieuwsgierigheid hem had gedwongen te onderzoeken sinds Jean-Claude hem had uitgenodigd om plaats te nemen op de stoel die doorgaans door Bernadette Baptiste werd bezet. Zij was de enige van Baptistes vrouwen die de president een kind had geschonken.

'Mevrouw Bernadette zou van uw vertoon van mannelijkheid hebben genoten, meneer de president.'

Baptiste knikte instemmend. 'Vrouwen willen een sterke man, Charlie. Ze weten dat je kracht hun groot genot in bed kan verschaffen. Zo is het toch?'

Charlie keek naar de overkant van de tafel, waar Bernadettes zoontje, de vijfjarige Alfonse, naast zijn kinderjuffrouw zat.

'Ik zie dat uw alleraardigste zoon er is, maar waar is uw lieftallige echtgenote?'

De glimlach verdween van Baptistes gezicht. 'Jammer genoeg kon ze er vanavond niet bij zijn, maar ik moest je de groeten van haar doen als je naar haar informeerde.'

Charlies hart sloeg over en hij had al zijn energie nodig om te voorkomen dat hij moest overgeven.

'Aha, het dessert,' verzuchtte Baptiste toen een bediende een serveerwagentje met gebak naast zijn sierlijke stoel met hoge rugleuning zette. Batanga's rechtvaardige, almachtige heerser hield bijna net zo veel van eten als van het toebrengen van pijn. Hij liet zijn begerige blik over de inhoud van het wagentje glijden. Het stond vol met al de lievelingsdesserts van de president. De meeste ervan had hij voor het eerst gegeten in de fastfoodrestaurants en de overdadige buffetten in de casino's van Las Vegas.

'Ik denk dat ik die neem… en die,' zei hij, wijzend naar een enorm stuk Duits chocoladegebak en een ijscoupe met drie bolletjes ijs en een hoge berg slagroom, bestrooid met nootjes, gegarneerd met cocktailkersen en overgoten met karamel-, aardbeien- en chocoladesaus.

De president wendde zich tot Charlie. Hij had een brede glimlach op zijn gezicht. 'Eet eens door, beste vriend.'

Charlie had geen trek maar hij wist dat hij er goed aan deed om elk presidentieel bevel op te volgen, ook al ging het in dit geval alleen maar om een op minzame toon uitgesproken bevel om zijn toetje op te eten.

Zodra de ober een enorme schijf kersenkwarktaart op Charlies bord schepte, boog Baptiste zich dicht naar Charlies oor en fluisterde op samenzweerderige toon: 'Ik zal je een geheim vertellen, maar praat er met niemand over, anders is het geen verrassing meer. Voor na het diner heb ik nog een interessant stukje amusement op het programma staan.'

'O?'

'Ja, ja,' reageerde Baptiste enthousiast. 'Nathan en ik zijn de enigen die weten wat er gaat gebeuren.'

Charlie wierp een nerveuze blik in de richting van Nathan Tuazama, die halverwege de eettafel naast de vrouw van de ambassadeur van Syrië zat. Tuazama was hoofd van het Nationale Bureau voor Opvoeding, Baptistes geheime politie. Het ingevallen gezicht van de zwarte man draaide langzaam in Charlies richting op hetzelfde moment dat Charlie zich naar hem toe draaide. Het was of Tuazama zijn gedachten had gelezen. Er gingen geruchten dat Tuazama over bovennatuurlijke krachten beschikte en Charlie had die geruchten niet helemaal met een korrel zout genomen. Tuazama's bloedeloze dunne lippen vertoonden niet de vreugde die de president uitstraalde. In tegenstelling tot zijn heer en meester had Tuazama geen gevoel voor humor. Charlie wist niet eens zeker of hij wel over emoties beschikte.

'Na het diner ben je uitgenodigd om samen met mij deel te nemen aan wat voor jou een hoogst ongebruikelijke, onvergetelijke ervaring zal zijn,' zei Baptiste met een brede glimlach. 'Maar genoeg gepraat nu. Vooruit, Charlie, geniet maar van je kwarktaart.'

Het banket ging nog een uur door, waarin Baptiste zijn gasten tot vervelens toe onderwierp aan hervertoningen van zijn favoriete gevechten. Even na één uur in de ochtend nam hij genadig afscheid van alle gasten, met uitzondering van een select gezelschap, dat opdracht had gekregen te blijven. Charlie keek het groepje uitverkorenen rond en zag dat het onder meer bestond uit Nathan Tuazama, Alfonse (die zijn ogen amper open kon houden), Madam O'Doulou, zijn kinderjuffrouw, een rechter van het Batangese hooggerechtshof, die zo onverstandig was geweest om in een zaak die Baptiste op een bepaalde manier beslist wilde zien een afwijkende mening te laten horen, en een legergeneraal over wie het gerucht ging dat hij kritiek had uitgeoefend op zijn opperbevelhebber.

'Kom nu, vrienden,' zei Baptiste op vrolijke toon. 'Ik ga jullie iets heel opwindends laten zien. Iets erg leuks.'

Baptiste grinnikte. Zijn enorme buik schudde. 'Héél erg leuk, reken maar!' verzekerde hij iedereen.

Niet lachen als de president iets zei wat hij zelf leuk vond, kwam neer op hoogverraad, zodat iedereen behalve de uitgeputte Alfonse begon te glimlachen. Alfonse hoefde, als troonopvolger van Batanga, niet bang te zijn voor Baptistes moordzuchtige grillen – althans niet in de nabije toekomst. Toen een aantal soldaten van de Batangese commandotroepen om het groepje heen ging staan, moest Charlie alle moeite doen om te blijven glimlachen en het vergde het uiterste van zijn wilskracht om er gelukkig uit te zien toen Baptiste het groepje voorging naar de speciale lift die niet verder ging dan de kelder. De muren van de lift glommen omdat ze iedere dag werden schoongemaakt om het bloed en het vuil waarmee ze vaak waren bedekt te verwijderen. Niemand zei iets terwijl de lift daalde. Charlie stond te bidden terwijl de lift naar beneden ging en hij vermoedde dat hij niet de enige was die God smeekte hen weer heelhuids naar de begane grond te laten terugkeren of dat althans hun lijden, voorafgaande aan de dood, tot een minimum zou worden beperkt.

Het casino-achtige decor van de eetzaal was waanzinnig vrolijk geweest. De liftdeuren gingen nu open. Er werd een donkere, vreugdeloze wereld zichtbaar. Flikkerende lampen met een laag wattage wierpen een zwak geel schijnsel op delen van de vochtige, grijze gang, terwijl andere delen in schaduwen gehuld bleven. Aan de muren groeide schimmel en er hing een flauwe geur van uitwerpselen en ontsmettingsmiddel in de lucht. De eentonigheid van de gang werd onderbroken door de massief stalen deuren die op gelijke afstand van elkaar in de muren zaten gemonteerd. Op het moment dat het gezelschap de lift verliet, werd de stilte verbroken door een luide schreeuw. Alfonse sperde zijn ogen open en Baptiste pakte zijn hand beet.

'Niet bang zijn, lieve jongen. Je bent helemaal veilig. Papa is bij je. Niemand zal je kwaad doen.'

Baptiste ging het gezelschap voor naar een deur halverwege de nauwe gang. Daar knielde hij, zodat hij zijn gezicht vlak bij dat van zijn zoon kon houden.

'Weet je wat er met stoute jongens en meisjes gebeurt?' vroeg Baptiste.

Alfonse, die erg moe was, leek volkomen verward.

'Zeg het maar, lieverd. Je weet best wat het antwoord op die simpele vraag is.'

'Krijgen ze straf?' antwoordde Alfonse aarzelend.

Baptiste glimlachte breed. 'Is hij niet een uiterst pienter kind?' vroeg hij.

Charlie knikte. Bij het noemen van 'straf' ging zijn hart sneller slaan.

'Luister goed, Alfonse,' zei Baptiste, 'je moeder is stout geweest. Ze heeft me bedrogen en je weet dat het helemaal verkeerd is om mensen te bedriegen. Het is niet eerlijk, of vind jij van wel?'

Alfonse schudde zijn hoofd, maar geen van de volwassenen verroerde zich. Iedereen hield zijn adem in.

'Wil je zien hoe we een mama straffen die je papa heeft bedrogen?' vroeg Baptiste aan Alfonse.

Zijn zoon keek hem angstig aan, maar Baptiste wachtte het antwoord niet af. Hij ging staan en knikte naar Tuazama, die een sleutel in het slot stak. Toen de deur openging, staarde Charlie in een diepe duisternis. Op hetzelfde moment voelde hij een automatisch wapen in zijn rug. Hij werd verder de ruimte binnen geduwd.

'Verrassing!' schreeuwde Baptiste op het moment dat Tuazama een lichtschakelaar bediende.

De kinderjuffrouw viel flauw. De rechter van het hooggerechtshof begon over te geven. De generaal was zo volkomen verbijsterd dat hij alleen maar stond te staren. Alfonse krijste. Doordat Baptiste stond te bulderen van het lachen, was het gillen van het kind bijna niet te horen.

Toen het licht aan ging, werd Charlies aandacht getrokken door een lange metalen tafel. De ruimte bevatte verder geen meubilair. Op de tafel lag Bernadette. Ze lag op haar buik. Ze was naakt, en haar lange, gladde benen waren gespreid, zodat iedereen haar geslachtsdelen kon zien. Het duurde even voordat Charlies verlamde geest erachter kwam wat er – behalve het feit dat zijn minnares dood was – niet klopte aan dit tafereel. Toen het tot hem doordrong dat de tenen van Bernadettes voeten omhoog wezen en dat ze hem, hoewel ze op haar buik lag, aanstaarde, voelde Charlie zijn knieën knikken. Hij raakte bijna buiten bewustzijn.

'Rustig maar, goede vriend,' zei Baptiste, terwijl hij een van zijn enorme armen om zijn gast heen sloeg om te voorkomen dat deze op de vloer zou zakken.

Charlie wilde dat hij zijn bewustzijn kon verliezen, maar het enige wat hij kon doen was Bernadette in haar dode ogen staren; dit was mogelijk doordat haar afgehouwen hoofd achterstevoren aan haar lichaam was vastgenaaid en op een kussen lag. Ze hadden ook haar benen geamputeerd en omgedraaid.

Alfonses bewusteloze kinderjuffrouw kon niet helpen om het hysterische kind tot bedaren te brengen. Baptiste lette niet op hem, maar richtte al zijn aandacht op Charlie.

'Gaat het een beetje, goede vriend?' vroeg hij.

De doodsbenauwde Charlie kon geen woord uitbrengen.

'Laat ik je vertellen dat het me pijn deed dat ik dit heb moeten doen,' ging de president verder, 'maar ik had iets vreselijks ontdekt.' Baptistes enorme arm trok Charlie zo dicht tegen zich aan dat Charlie het zweet van de president kon ruiken. 'Je zult het niet geloven van mijn lieve Bernadette, maar Alfonses moeder had een verhouding.' Baptiste schudde droevig zijn hoofd. 'Wat vind jij daarvan?'

'Dat kan toch niet, meneer de president,' zei Charlie met schorre stem. 'Welke vrouw zou u ooit kunnen bedriegen?'

'Ja, ja, ik weet dat het nergens op slaat, maar het is helaas waar. Maar er is ook iets vreemds. Ik ben er nog niet achter wie de boosdoener is die haar heeft verleid. Heb jij een idee wie het zou kunnen zijn?'

Charlie deed het bijna in zijn broek. Het was onmogelijk dat Bernadette het tijdens de martelingen niet verteld zou hebben.

'Nee, meneer de president, ik heb niemand ooit een kwaad woord over Bernadette horen zeggen.'

Baptiste schudde langzaam zijn hoofd. 'Zij en haar minnaar waren heel voorzichtig. Ze waren heel slim. Maar Nathan werkt aan dit probleem en ik heb er alle vertrouwen in dat hij de identiteit van de schurk die mijn geliefde Bernadette ertoe heeft gebracht haar huwelijksgeloften te breken boven water krijgt.'

Er verscheen een glimlach op het gezicht van de president. 'Kom, mensen. Het is al laat.'

Hij liet Charlie los en boog zich voorover om zijn doodsbange zoon op te tillen. 'Kalm maar, Alfonse. Je moet een man zijn. Een man huilt niet als hij met de dood in aanraking komt. Genoeg nu.'

Baptiste stapte over het lichaam van de kinderjuffrouw heen. 'Breng mevrouw O'Doulou weer bij en breng haar naar de kamer van Alfonse,' zei hij tegen de soldaat die de leiding over de commando's had.

'En die daar?' vroeg de soldaat, naar de rechter wijzend, die na nog een keer te hebben overgegeven in elkaar was gezakt.

'Laat hem hier maar bij Bernadette. Ik zal later wel beslissen wat we met hem gaan doen.'

2

Het presidentiële paleis was een zes verdiepingen hoge, holle monstruositeit. Het leek nog het meest op een stereoluidspreker. Aan de buitenkant was het bedekt met ronde gouden schijven, die overdag het zonlicht weerkaatsten en op elk uur van de dag kogels deden afketsen. Baptistes paleis lag een eind van de weg, achter een smeedijzeren geëlektrificeerd hek met scherpe punten. Een oprijlaan liep langs de ingang aan de voorzijde, die bereikt kon worden via een steile marmeren trap. Hierdoor konden de soldaten die voor de ingang stonden naar beneden schieten op iedereen die het paleis aan de voorkant probeerde te bestormen.

Charlie wankelde half verdoofd de trappen van het paleis af. Hij deed zijn vlinderdas af, trok de kraag van zijn overhemd los en ademde onder het lopen met volle teugen de frisse lucht in. Hij kneep zijn ogen dicht en schudde zijn hoofd heen en weer, maar wat hij ook probeerde, het lukte Charlie niet om het beeld van Bernadettes voetzolen uit zijn hoofd te zetten. Zoals ze daar lag, had ze zo kwetsbaar geleken.

Charlie was door een limousine naar het presidentiële paleis gebracht. Baptiste had daarvoor gezorgd, maar aan de voet van de trap stond geen auto om hem terug naar zijn appartement te brengen.

'Waar is mijn auto?' vroeg Charlie aan een van de soldaten die op wacht stonden.

'Alle auto's weg,' antwoordde de soldaat kortaf.

'Zorg dan dat ik er een krijg.'

De glimlach van de soldaat had iets kils. 'President Baptiste zegt vanavond geen auto's meer.'

Normaal zou Charlie de soldaat wegens brutaliteit gerapporteerd hebben en een auto hebben geëist, maar na wat zich die avond had afgespeeld was hij te ontdaan en te bang om ruzie te maken. Er was een kleine mogelijkheid dat hij een lage functionaris zou kunnen vinden die een auto voor hem zou kunnen regelen, maar niets ter wereld kon hem ertoe brengen terug het paleis binnen te gaan om zo iemand te vinden. De afwezigheid van zijn auto en de brutaliteit van de soldaat waren duidelijke bewijzen dat Baptiste wist dat hij de minnaar van Bernadette was. De laatste keer dat hij zo bang was geweest was twaalf jaar geleden, op de avond dat hij van het parkeerterrein van de Westmontsociëteit was weggevlucht nadat het congreslid was doodgeschoten. Hij was tot een paar weken na zijn aankomst in Batanga doodsbang gebleven. Charlie kon zich nog het moment herinneren waarop de vrees was verdwenen. Dat was toen hij over het witte zand achter zijn huis liep en naar de aanrollende golven keek. Smaragdgroene palmbomen wuifden zachtjes in de bries en er stond geen wolkje aan de hemel. Charlie ademde de heldere schone lucht in en ademde weer uit. Toen glimlachte hij en zei hardop: 'Ik ben veilig.' Het duurde niet lang voordat hij erachter kwam dat wat hij voor veiligheid aanzag niet meer dan een illusie was.

Charlies angst dreef hem voort, de lange oprijlaan af. Hij liep naar het wachthuisje. Meteen nadat de bewaker het hek had geopend sjokte hij via de Baptiste-boulevard in de richting van de stad. Er reden taxi's langs, en ook 'betaalbussen', die voor een paar stuivers passagiers meenamen op een vaste route door de stad, maar Charlies appartement lag maar een paar kilometer bij het paleis vandaan en hij moest lopen om zijn hoofd helder te krijgen.

Het paleis grensde aan de achterkant aan de oceaan en de koele bries die 's nachts landinwaarts blies, verjoeg de klamme, drukkende hitte waaronder de inwoners van tropisch West-Afrika overdag meestal gebukt gingen. Charlie hield van die hitte. Toen hij erover nadacht, besefte hij dat het strandweer een van de weinige goede dingen was die Batanga te bieden had. Bijna al het andere was klote. De president was een gevaarlijke gek en de meeste burgers leefden in angst en troosteloze armoede. Zelfs de rijke Batangezen waren afhankelijk van de nukken van hun waanzinnige leider en de regentijd duurde lang en werkte deprimerend.

Vanuit Charlies standpunt gezien had Batanga nog een voordeel: de afwezigheid van een uitleveringsverdrag met de Verenigde Staten en alle andere landen. Batanga was een geliefd toevluchtsoord voor afgezette dictators, voortvluchtige terroristen en gezochte misdadigers. Baptiste reikte hun allemaal vriendschappelijk de hand, maar daar moest wel iets tegenover staan. Twaalf jaar geleden was Charlie naar Batanga gevlucht, nadat hij was aangeklaagd wegens de moord op het Amerikaanse congreslid Arnold Pope Junior. Bij zijn aankomst was hij rijk geweest dankzij de royalty's die hij met zijn goed verkopende autobiografie, *Het licht in jezelf*, had verdiend en het geld dat hij bij de bv Innerlijk Licht had verduisterd. In het begin had alles rozengeur en maneschijn geleken en werd hij als een vorst behandeld. De mensen met wie Charlie in aanraking kwam, waren rijk. Ze speelden de baas in Batanga, woonden in grote huizen, aten goed en gaven fantastische feesten. En de vrouwen...! Als rijpe vruchten hadden ze zich aange- diend, klaar om geplukt te worden en ze hadden maar al te graag het bed met hem gedeeld, want hij was immers de gunsteling van de pre- sident. Het enige contact dat Charlie met de armen van Batanga on- derhield, was met zijn huisknecht en zijn kok, die zo verstandig waren om niets negatiefs over hun land of hun president te zeggen, want in Batanga kon iedereen een spion zijn. De geheime politie liet regelma- tig mensen vanwege het minste of geringste, of gewoon zonder opgaaf van redenen verdwijnen.

De veranderingen waren zo geleidelijk gekomen dat hij niet in de gaten had dat er iets mis was, totdat het te laat was. De eerste vier jaar had Charlie in een prachtig huis met uitzicht op de oceaan gewoond, dat eigendom was van de president. De huur was erg hoog, maar Charlie had een paar miljoen dollar op zijn Zwitserse bankrekening staan, zodat het maar een schijntje leek, net als de belasting die hij moest betalen voor het voorrecht in een land te wonen dat hem niet zou uitleveren. Charlie gaf grote bedragen uit, omdat van hem ver- wacht werd dat hij hetzelfde soort feesten gaf als waarvoor hij werd uitgenodigd. En dan waren er nog de geschenken voor de dames. Al die kosten stelden weinig voor zolang zijn boek boven aan de bestsel- lerlijsten stond, iets waaraan de publiciteit rondom het feit dat hij van moord werd beschuldigd in niet geringe mate bijdroeg. Toen pleegde een andere Amerikaanse beroemdheid een moord en was Charlie niet langer een spraakmakend onderwerp. Zijn royalty's werden twee keer per jaar met tussenpozen van zes maanden betaald, zodat het bijna een jaar duurde voordat hij in de gaten kreeg dat er iets niet in orde was. De eerste keer dat hij tot de ontdekking kwam dat zijn inkomen dalende was, baarde dat hem geen al te grote zorgen, maar toen het bedrag op de volgende specificatie nog verder bleek te zijn gedaald raakte Charlie in paniek.

Mensen manipuleren was een hobby van president Baptiste en hij bewerkstelligde Charlies langzame neergang van gewaardeerde gast tot schoothond als een waar genie. Toen een afgezette Afrikaanse dictator, na miljoenen uit de schatkist van zijn land te hebben gestolen, naar Batanga was gevlucht, had Baptiste aan Charlie gevraagd of hij er bezwaar tegen had een kleiner huis, dat niet aan het strand lag, te betrekken. Charlie, die dacht dat hij onkwetsbaar was, had het voorstel genegeerd. De president had Charlie kunnen laten vermoorden of arresteren, maar hij hield van langzame martelingen. De dag daarop kwamen Charlies bedienden, kok en tuinlieden niet opdagen. Ze waren nooit meer teruggekomen. Toen Charlie zijn beklag deed, stelde Baptiste opnieuw voor dat het beter zou zijn als Charlie zijn uitgaven in de gaten hield en in een kleiner huis ging wonen. Charlie hield koppig vol dat hij de kosten van de villa op kon brengen. De volgende dag werd Charlies elektriciteit afgesloten en kreeg hij van een regeringsfunctionaris te horen dat zijn huur was verhoogd. Plotseling begreep Charlie wat er aan de hand was. Een week later woonde hij in een kleiner huis, met alleen maar een huisknecht die ook als kok fungeerde. Twaalf jaar na zijn ontsnapping uit de Verenigde Staten woonde Charlie in een smerig appartement en reed hij rond in een aftandse Volkswagen Kever.

Charlie wist dat hij nog in leven was omdat Baptiste hem amusant vond. De president nam hem mee naar feesten, waar hij vaak het doelwit was van diens practical jokes. Soms vertoonde Baptiste zijn favoriete Amerikaan op Batanga's enige televisiestation of tijdens banketten voor buitenlandse hoogwaardigheidsbekleders uit landen met een anti-Amerikaans beleid. Meestal negeerde Baptiste Charlie, en dat was misschien nog het beste.

De weg van het paleis naar Charlies appartement leidde door het centrum van Baptisteville. De winkels waren gesloten. 's Nachts zaten er luiken voor de ramen. In de bars begon het minder druk te worden. Op omgekeerde houten kratten zaten oudere bewakers, die de hekken van Libanese kooplieden bewaakten. Troepen uitgemergelde wilde honden die op zoek naar voedsel door de straten zwierven, gromden naar toevallige voorbijgangers. En overal zag je militairen. Charlie wist dat zijn blanke huid geen bescherming bood tegen de gestoorde tieners die Baptistes doodseskaders vormden, maar voor de soldaten was hij niet bang omdat hij over een presidentiële pas beschikte. Degenen die geen pas hadden, liepen in een grote boog om de altijd onvoorspelbare jonge mannen met hun automatische wapens heen.

Charlies angst was niet afgenomen terwijl hij heuvelafwaarts naar Waterside liep. Terwijl hij haastig door de uitgestorven straten liep, was hij alleen nog maar banger geworden. Hij stelde zich voor dat plotseling een van de zwarte Mercedessen waar de geheime politie bij voorkeur in rondreed, met gierende banden naast hem zou stoppen. Gewapende lieden zouden hem bij de armen grijpen, er zou een zwarte kap over zijn hoofd worden gegooid en hij zou teruggebracht worden naar het paleis om daar het lot – wat dat ook mocht zijn – te ondergaan dat Baptiste voor hem in petto had.

Toen hij aan de voet van de heuvel kwam, hoorde Charlie het geluid van de aanrollende golven langs de kust achter de boerenmarkt. Het kalmerende geluid begeleidde hem nog zo'n vierhonderd meter, tot hij bij de Kamal S. Dean-steenfabriek aankwam, die de hele benedenverdieping van zijn drie verdiepingen hoge appartementencomplex in beslag nam. Charlie liep door een poort aan de zijkant. Terwijl hij de deels afgesloten trap beklom, blies de wind de zilte zeelucht zijn richting uit, en hij kon nog net de witte schuimkoppen van de golven onderscheiden, die op het smalle strand beneden op de kust sloegen. Charlie wilde net de galerij naar zijn voordeur betreden toen er uit de schaduwen een man opdook. Charlie sprong achteruit en stak zijn handen omhoog om een klap af te weren.

'Ik ben het, Pierre,' fluisterde de man. Pierre Girard, de broer van Bernadette, droeg een *tie-dye*-tuniek en een geelbruine pantalon. Hij was slank, en met zijn verdrietige bruine ogen – die groter leken door de dikke glazen van zijn bril met schildpadmontuur – maakte hij de indruk een kamergeleerde te zijn.

Charlie zakte van opluchting bijna in elkaar. 'Ach, Pierre,' zei hij op een toon die het midden hield tussen een snik en een zucht. 'Heb je het gehoord?'

Bernadettes broer knikte, maar zijn gezicht vertoonde geen emotie.

'Het is vreselijk,' zei Charlie.

'Er is geen tijd voor verdriet. Baptiste weet dat jij en Bernadette een relatie hadden. Hij speelt nu nog een spelletje met je, maar onze president kan zich niet lang op iets concentreren. Als het getreiter hem gaat vervelen, stuurt hij Nathan op je af. Je moet weg uit Batanga.'

Pierre legde een hand op Charlies schouder. 'Bernadette heeft me verteld hoe aardig je voor haar was. Ze hield van je, Charlie.'

'Bedankt. Ik ben blij dat te horen.'

'Er is nog iets wat je moet weten. Ze hebben Bernadette niet vermoord omdat ze Baptiste bedroog, al moet dat ertoe hebben bijgedragen dat de klootzak nog meer van haar pijn genoot. Ze is gemarteld omdat ze informatie van haar wilden.'

'Dat begrijp ik niet.'

'Er zijn lieden in Batanga die willen dat Baptiste sterft of verdwijnt. Ze hielp ons.'

Pierre kneep Charlie in zijn schouder. 'Wil je de dood van mijn zuster wreken?'

'Natuurlijk, maar hoe? Ik kan mezelf amper redden.'

'Ken je Rebecca, dat barmeisje bij de Mauna Loa?'

Charlie knikte.

'Ze kan je in contact brengen met iemand die je het land uit kan smokkelen. Het is een huurling, en het gaat een heleboel kosten.'

Charlie wist dat hem waarschijnlijk een vreselijke dood te wachten stond als hij in Batanga bleef. Zelfs als Baptiste hem in leven liet, kon hij hooguit hopen op een leven vol angst, waarin iedere ademtocht afhankelijk was van de grillen van een sadistische, moordzuchtige maniak. Als hij naar de vs terugging, zou hij wegens moord terecht moeten staan, maar er was ondertussen twaalf jaar verstreken. Zou de staat na al die tijd nog wel een proces kunnen beginnen? Maar het belangrijkste voor Charlie was dat, zelfs als hij veroordeeld werd, hij nog beter in de dodencel kon zitten dan hier in Batanga. In Oregon zorgde een dodelijke injectie ervoor dat veroordeelden een snelle dood stierven. In Batanga hoorde de president je graag zo lang mogelijk schreeuwen.

'Ik denk dat ik wel een manier weet om dat te regelen,' zei hij tegen Pierre.

'Mooi. Als alles geregeld is, neemt Rebecca contact met je op. Ze zal je ook iets geven om mee te nemen. Het gaat om iets wat Bernadette aan mij heeft toevertrouwd.'

'Wat is dat voor iets?' vroeg Charlie, die begrijpelijkerwijs achterdochtig was. Hij was doodsbang dat hij betrapt zou worden bij het steunen van de opstandelingen.

'Diamanten, Charlie, een heleboel diamanten. Je moet ze voor ons meenemen naar Amerika. Daar nemen we ze van je over en kopen er wapens mee voor onze mensen.'

'Ik weet niet of...'

'Hield je van mijn zuster?'

Charlies ogen werden wazig. Hij knikte, want zijn stem werd zo verstikt door emoties dat hij niets kon zeggen.

'Laat haar dan niet vergeefs gestorven zijn.'

Charlie keek langs Pierre naar de zee. De kans was groot dat hij dood zou zijn voordat hij iemand zou kunnen helpen, maar als hij het overleefde zou hij door Pierre te helpen uiteindelijk toch iets nuttigs met zijn leven kunnen doen.

'Goed. Mij heb je.'

Pierre glimlachte. 'Bernadette wist dat we op je konden rekenen. Bedankt, Charlie.'

Ze bleven nog een paar minuten staan praten, waarna Pierre Charlie omhelsde en zich langs de zijkant van het gebouw naar beneden liet zakken langs het touw dat hij eerder had gebruikt om naar de galerij te klimmen.

Charlies voordeur bood toegang tot een smalle gang, met aan de ene kant een keuken en een slaapkamer, en aan de andere kant, die uitzicht bood op de oceaan, een woonkamer en de extra kamer die hij als studeerkamer gebruikte. Hij deed een lamp aan die op een goedkoop houten bureau in zijn studeerkamer stond. Gelukkig was er die avond licht. Charlie startte zijn laptop op en logde in bij zijn e-mailprovider. Hij nam aan dat de politie iedere e-mail las die hij verstuurde, dus koos hij zijn woorden voor dit bericht met grote zorg. Het was geadresseerd aan Martha Brice, de hoofdredacteur van *World News*, een extreem conservatief tijdschrift waarvan het hoofdkantoor in New York was gevestigd.

Geachte mevrouw Brice,

Mijn naam is Charlie Marsh. U kent me waarschijnlijk als de goeroe Gabriel Sun, de auteur van *Het licht in jezelf*, de autobiografie die voor velen een bron van inspiratie is geweest en hoog op de internationale bestsellerlijsten heeft gestaan. Twaalf jaar geleden werd ik ten onrechte beschuldigd van de moord op het congreslid Arnold Pope Junior, waardoor ik gedwongen was uit de Verenigde Staten te vluchten. Sinds mijn vertrek uit Amerika woon ik in het prachtige land Batanga, waar ik de bescherming geniet van de rechtvaardige heerser, president Jean-Claude Baptiste. President Baptiste is een bron van verlichting en een ware vader voor zijn volk. De pers in het Westen heeft hem ten onrechte afgeschilderd als een dictator. Ik heb al enige tijd geen interviews meer gegeven, maar ik wil dat nu doen om de feiten omtrent deze moedige leider, over wie volkomen ten onrechte kwaad wordt gesproken, recht te zetten.

Ik heb interviews met u op televisie gezien en ik heb uw carrière gevolgd. Ik ben van mening dat de artikelen in *World News* een onbevooroordeelde blik op de toestand in de wereld bieden.

Zou uw uitstekende blad erin geïnteresseerd zijn een verslaggever te sturen om een artikel te schrijven waarin het Amerikaanse volk kan lezen over al het moois dat president Baptiste voor het Batangese volk doet? Als zulks het geval is, neem dan s.v.p. contact met mij op zodat we de details kunnen regelen.

Charlie las de e-mail twee keer door voordat hij hem verstuurde. Als Baptiste hem te zien kreeg, zou hij een eventuele moord op Charlie misschien achterwege laten, in de hoop dat het interview gepubliceerd zou worden. Hierdoor zou Charlie wat extra tijd krijgen, en tijd was zijn belangrijkste bondgenoot. Tijd zou Charlie een kans op overleving kunnen bieden; een kleine kans, maar niettemin een kans, en Charlie was altijd iemand geweest die een kans greep zodra hij die zag.

Charlie had tijdens het banket heel wat gedronken, maar de verschrikkelijke dingen die hij in de kelder had gezien hadden hem ontnuchterd. Hij betwijfelde of hij in slaap zou kunnen komen, hoewel het ondertussen bijna drie uur in de ochtend was. Hij schonk een glas whisky in en liep ermee naar het balkon. Het balkon was nog het beste aan zijn armoedige appartement. Vóór zonsondergang kon hij naar de plaatselijke vissers kijken, die met hun kano's de golven trotseerden om hun vangst binnen te brengen. Als het donker was, stonden de sterren helder aan de Afrikaanse hemel en hij zat dan vaak naar de flikkerende lichtjes van de schepen te staren die in de vrijhaven voor anker lagen. Tijdens de regentijd werd hij getrakteerd op onweersstormen die net zo spectaculair waren als een vuurwerkshow.

Charlie nam een flinke slok en probeerde zich voor te stellen hoe erg Bernadette had moeten lijden voordat de dood haar genade had geschonken. Er liep een traan langs zijn wang en hij veegde hem weg. Die traan was evenzeer voor hemzelf bedoeld als voor zijn dode minnares.

Charlie werd wakker door de hitte van de zon. Hij deed zijn ogen open en staarde naar de zee, zich afvragend waarom hij buiten was. Er stond een stoel naast die van Charlie. Meteen nadat hij wakker was geworden, dacht hij dat hij vanuit zijn ooghoek Bernadette naast hem zag zitten. Ze lachte op die speciale manier van haar, die elke ruimte waar ze zich bevond, veranderde in een zee van licht. Toen herinnerde Charlie zich wat er in het paleis was gebeurd. Hij onderdrukte een snik.

Zes jaar geleden had Baptiste zijn vierde vrouw aan de elite van Batanga voorgesteld. Charlie was onder de indruk geweest van haar elegante schoonheid en haar warme glimlach, maar hij wist dat ze voor hem onbereikbaar was en hij was haar al snel weer vergeten. Tijdens de daarop volgende jaren zag hij Bernadette van een afstand bij staatsbanketten en een paar feesten. Hij herinnerde zich de manier waarop haar zwangerschap haar gelaatstrekken had doen baden in de warme gloed van het moederschap. Hij herinnerde zich ook de manier waarop ze glimlachte als ze naar Alfonse keek. Maar toen hij de eerste keer met haar alleen was, glimlachte ze niet.

Iets meer dan een jaar geleden had de minister van Buitenlandse Zaken een feest gegeven voor een hoogwaardigheidsbekleder uit Ghana, die een officieel bezoek aan Batanga bracht. Charlie vond de gasten vervelend en hij ergerde zich aan het lawaai. Hij was zowat alles wat zich op het feest afspeelde spuugzat. Vanaf het terras van het huis van de minister liep een trap naar het strand. Charlie wandelde langs de kust en trof daar Bernadette aan, die op een grote boomstronk zat die met hoogwater was aangespoeld. Het was donker en de maneschijn, noch het licht vanaf het huis was sterk genoeg om de schaduwen op Bernadettes gezicht te doen verdwijnen. Toen hij dichterbij kwam, zag hij niet alleen tranen op haar donkere wangen, maar ook een gebarsten lip en een opgezwollen oog. Door de duisternis en de beschadigingen aan haar gezicht herkende Charlie haar niet meteen, anders was hij er zeker vandoor gegaan. God mocht weten wat Baptiste met een man zou doen die samen met zijn vrouw werd aangetroffen. Hij besefte pas wie ze was toen Bernadettes hoofd op zijn schouder lag en zijn overhemd vochtig werd van haar tranen.

Bernadette had alle hoop op vriendschap verloren en ze had nu iemand ontmoet die teder en meelevend was. Toen ze ophield met huilen en helder begon te denken, besefte Bernadette wat voor bedreiging ze voor Charlie vormde. Ze bedankte hem, kneep in zijn hand en liet hem alleen op het strand achter. Maar toen de president een maand later in Las Vegas was, waar hij gokte en prostituees bezocht, kwam Charlie Bernadette tegen bij een bal in het Batanga Palace, het enige luxehotel in het land. Bij die gelegenheid had ze haar hart aan hem verloren.

In het begin bood Charlie weerstand aan zijn verlangen om bij Bernadette te zijn. Hij wilde niet dankzij een kettingzaag in kleine stukjes eindigen of langzaam met een vlammenwerper worden geroosterd, wat twee van de geliefde executiemethoden van de president waren. Maar Charlie was nog nooit eerder verliefd geweest en hij werd overrompeld door de diepe gevoelens die hij voor de schoonheid van deze verloren ziel koesterde. Hun eerste ontmoetingen vonden plaats in een hotelkamer die Charlie onder een andere naam had gehuurd. Tijdens hun eerste rendez-vous vertrouwde Bernadette hem toe dat de almachtige leider van het Batangese volk in bed waardeloos was. Ze vertelde Charlie dat Baptiste Bernadette de schuld gaf van het feit dat hij in bed niets presteerde en dat hij haar sloeg als hij niet in staat was de daad te volbrengen. De afranselingen waren zo erg geworden dat ze voor haar leven was gaan vrezen.

Bernadette en Charlie praatten over een ontsnapping en een leven samen, ook al hadden ze moeten weten dat hun relatie en hun dromen op waanzin berustten. Maar verliefden raken het contact met de werkelijkheid kwijt. Charlie vroeg zich nooit af hoe het mogelijk was dat hun samenzijn onontdekt bleef in een land waar iedereen een spion was. Hij stond er ook niet bij stil dat de vrouw van de Opperste Leider hoogstwaarschijnlijk voortdurend in de gaten werd gehouden. Maar nu wist Charlie dat Baptiste de hele tijd op de hoogte was geweest van elke stap die ze zetten.

Charlie begon stilletjes te huilen. Hij vroeg zich af hoe het mogelijk was dat een prachtige vrouw als Bernadette niet meer leefde. Toen hij geen tranen meer had, leunde hij met zijn hoofd achterover en voelde de zon en de koestering van een briesje uit zee op zijn gezicht. De golven spoelden over het rotsachtige strand onder zijn appartement, zoals ze dat elk moment van elke dag deden. De wereld draaide gewoon verder en Charlie was nog in leven om ervan te genieten. En zolang hij in leven was, bestond de kans dat hij het er levend af kon brengen en zijn verloren geliefde op een of andere manier zou kunnen wreken.

3

Vier dagen na zijn ontsnapping uit het paleis liep Charlie in Waterside door de krioelende menigten. Het was even na acht uur 's avonds, en in de schemering weerklonken de concurrerende ritmes van de plaatselijke trommelaars. Uit radio's klonk hiphop en Afrikaanse *highlife-muziek*. De rook van de vuren waarop eten werd gekookt kringelde in de avondlucht. De vuren waren aangelegd vlak voor de vervallen krotten die van golfplaat en andere rommel waren gemaakt. Ze stonden vlak naast elkaar in de buurt van open riolen. In alle kleuren van de regenboog geklede vrouwen verkochten vis, die vers uit de kano's van de vissers kwam. Andere verkopers zaten op lage krukjes gehurkt naast kleine barbecues en verkochten geroosterde yams.

Charlie liep langs groepjes jongens met blote bovenlijven. Ze droegen alleen maar versleten korte broeken en speelden op het onverharde terrein in de buurt van winkels waar je overdag zo binnen kon lopen, maar die nu waren afgesloten met zware metalen hekken. Deze kinderen geloofden dat alle blanken rijk waren, en dus benaderden ze Charlie met uitgestoken handen, onder het roepen van 'papa, papa, hebbu een stuiver voor me?' Veel van de kinderen hadden opgezwollen buiken. Een jongen sleepte een afschuwelijk verminkte voet achter zich aan. Een andere had een grote bult in zijn maagstreek en zat midden op de weg met doffe ogen voor zich uit te staren. Oude bedelaars, die een arm of een been misten of blind waren, vroegen op rustiger toon om een aalmoes. Terwijl hij langsliep, staken ze hun roestige blikken bekers naar hem uit.

Charlie negeerde de kinderen en de bedelaars terwijl hij moeizaam heuvelopwaarts in de richting van het centrum van Baptisteville liep. Aan de top van de heuvel lag Main Street, die door een door bomen overschaduwde middenberm die door de hele stad liep in tweeën werd gedeeld. Aan weerszijden bevonden zich op westerse leest geschoeide drugstores, bioscopen, restaurants en souvenirwinkels die voornamelijk bezocht werden door rijke Batangezen, immigranten en de zeldzame toerist. Hier liepen 's avonds minder mensen rond, omdat de eigenaars, van wie de meesten uit Europa of het Midden-Oosten afkomstig waren, hun winkels hadden gesloten, maar er waren nog steeds drommen taxi's en betaalbussen op straat. Charlie stak de weg over en sloeg Lafayette Street in, die het centrum van het Batangese nachtleven vormde. Hier bevonden zich de Cave, de Peacock, de Mauna Loa en andere felgekleurde bars annex bordelen, waar de barmeisjes de overwegend blanke klanten lokten op de onophoudelijke dreun van rock en hiphop.

Charlie baande zich een weg langs een aantal Batangese mannen in korte broek en gescheurde T-shirts, die op de stoep voor de Mauna Loa grappen zaten te vertellen, ruziemaakten en warm bier uit flesjes dronken. Een sigarettenverkoper probeerde Charlie een van de pakjes sigaretten aan te smeren, die op een dienblad lagen dat hij op een houten stelling in evenwicht hield. Een aantal mooie Afrikaanse meisjes in strakke, opzichtige en laag uitgesneden jurken stond buiten tegen de muur van de bar geleund. Charlie groette de vrouwen, die wisten wie hij was en hoe hij heette. Een van de meisjes beloofde hem een nacht vol opwinding die geen sterveling ooit had meegemaakt. Charlie bedankte ervoor, met als excuus dat een nacht van genot met een van de meisjes zijn dood zou betekenen. De vrouwen stonden te lachen toen Charlie het bordeel betrad.

Langs een houten bar en aan een paar kleine tafels, die het grootste deel van de ruimte in beslag namen, zaten blanke immigranten en Afrikaanse vrouwen. Charlie baande zich een weg langs twee Batangese meisjes die met elkaar dansten op 'Brown Sugar' van de Rolling Stones en ging op de enige vrije barkruk zitten.

'Hé, Charlie, waarom kom je niet vaker hier?' vroeg het meisje achter de bar.

'Rebecca, je weet toch dat ik veel te veel van je houd,' antwoordde hij. 'Als ik hier te vaak kom, vraag ik misschien of je met me wilt trouwen.'

'En misschien zeg ik dan wel ja,' antwoordde ze quasi-verlegen.

Charlie schudde zijn hoofd. Hij deed alsof hij verdrietig was. 'Dat kan ik hopen, maar ik weet dat je mijn hart zult breken.'

Rebecca lachte schor. 'Charlie, je bent een grote ouwehoer.'

Charlie glimlachte. 'Kun je ergens een koud flesje Heineken voor me vandaan halen?'

Bijna iedereen in Batanga leefde van de ene dag op de andere. Baptistes geheime politie buitte hun armoede uit door te betalen voor inlichtingen. Charlie had geleerd dat het verstandig was om niemand te vertrouwen, maar Pierre had tegen Charlie gezegd dat Rebecca te vertrouwen was. Rebecca was een mooie Batangese, die ooit de minnares van de minister was geweest die de eigenaar was van de Mauna Loa. Charlie kwam vaak in de bars aan Lafayette Street. Hij kende Rebecca. Hij had haar nog nooit een subversieve gedachte horen uiten of over politiek horen praten. Toen hij hoorde dat ze deel uitmaakte van het ondergrondse verzet had hem dat geschokt.

Barkeepers komen met een breed scala van mensen in aanraking en Rebecca's kennissenkring, die zowel uit Batangezen als andere nationaliteiten bestond, besloeg de hele maatschappelijke ladder. Pierre had tegen Charlie gezegd dat Rebecca bereid was om iemand te vinden die hem uit Batanga kon helpen ontsnappen. Die ochtend had een jongetje hem om geld gesmeekt en daarbij een paar codewoorden gebruikt. Terwijl Charlie hem een kwartje gaf, zei de jongen tegen Charlie dat hij om half negen naar de Mauna Loa moest komen.

Rebecca zette een met ijs bedekt groen flesje op de bar. Ondertussen keek Charlie terloops de ruimte rond. De mannen aan de bar zaten in groepjes bij elkaar. Anderen probeerden vrouwen te versieren. Niemand toonde enige belangstelling voor hem. Toen hij zich weer omdraaide, boog een blanke man, die twee krukken bij hem vandaan zat, zich voorover langs het animeermeisje dat tussen hen in zat.

'Ik ken jou,' zei hij zo hard dat je het boven de muziek uit kon horen.

'Dat denk ik niet,' zei Charlie, die zijn dranklucht twee krukken verderop kon ruiken.

De man had forse schouders en een brede borstkas en sprak met een zuidelijk accent. Charlie schatte hem op één meter vijfentachtig en ongeveer negentig kilo. Hij was kaal en had een rode huidkleur. Op zijn gezicht waren vaag de sporen van jeugdpuistjes te zien. Het leek iemand die bij een vechtpartij zijn mannetje zou kunnen staan.

'Nee, nee, niets zeggen! Ik kom er wel op,' hield de dronkaard vol.

Hij staarde even in de ruimte en knipte toen met zijn vingers. 'Van de tv! Ik heb jou op de televisie gezien!'

Charlie hield zijn adem in.

'Jij bent die goeroe. Zeg maar als het niet zo is.'

'Nee, dat heb je goed.' Charlie zuchtte.

'Hé, schattebout, wil je met mij van plaats wisselen?' zei de man tegen het animeermeisje dat tussen hem en Charlie in zat. 'Dan krijg je wat van me voor de moeite.'

Het animeermeisje stond haar kruk af en de man ging naast Charlie zitten.

'Ik hoop dat je het me niet kwalijk neemt, maar ik kom hier niet elke dag een beroemdheid tegen. Brad en Angelina komen hier niet vaak,' zei hij met een schallende lach die Charlie door merg en been ging.

'Chauncey Evers,' zei de man, Charlie een grote hand toestekend. Charlie schudde hem met tegenzin de hand.

'Charlie Marsh,' antwoordde Charlie, terwijl hij een manier probeerde te bedenken om van de man af te komen. Zijn contactpersoon zou hem nooit benaderen zolang hij hier met die hansworst zat.

'Ik moet meteen mijn verontschuldigingen aanbieden. Ik heb je boek niet gelezen. Ik was het wel van plan, maar het is er nooit van gekomen. Maar ik heb je wel op tv gezien, met die gijzeling in de gevangenis, toen je die bewaker het leven hebt gered. Dat was me wat!'

Twee mannen en twee vrouwen maakten een tafeltje vrij. Evers pakte zijn glas op.

'Laten we aan die tafel gaan zitten, dan kun je me alles over dat drama in de gevangenis vertellen.'

'Nu liever niet,' zei Charlie, wanhopig naar een excuus zoekend. 'Ik heb een afspraak met iemand.'

'Je kunt hier met mij wat drinken tot de dame in kwestie opduikt,' zei Evers met een overdreven knipoog. 'Ik betaal. Ik kom niet vaak een echte held tegen, eentje die op televisie is geweest en een boek heeft geschreven.' Evers voegde er op gedempte toon aan toe: 'En uit dit afschuwelijke oord wil ontsnappen.'

'Ben jij…' begon Charlie, maar Evers had zich afgewend en baande zich met onvaste tred een weg tussen de dicht op elkaar staande tafeltjes. Zodra hij zat, stak hij Charlie een pen en een servetje toe.

'Mag ik je handtekening? Voor mijn vriendin, hoor,' vroeg hij op luide toon.

'Kun je me hier weg krijgen?' vroeg Charlie terwijl hij zich over het servet boog.

'Dat is geen probleem,' verzekerde Evers hem.

'Hoe gauw?'

'Zo gauw je me vijfenzeventigduizend dollar betaalt.'

'Vijfenzeventig?' herhaalde Charlie op bezorgde toon.

'En alleen contant. Ik neem geen cheques aan. Is dat een probleem?'

'Nee,' zei Charlie.

World News had ingestemd met het interview, zodat Charlie aan Rebecca kon vragen om via Pierre Girard en de rebellen een boodschap naar Martha Brice te sturen, waarin om een honorarium van vijfenzeventigduizend dollar werd gevraagd.

'Wat ik wil weten is hoe je dat gaat regelen zonder dat Baptistes geheime politie het in de gaten krijgt,' zei Charlie.

'Bedoel je die vent daar tegen de muur?' zei Evers terwijl hij breed glimlachend zijn blik op Charlie gericht hield. 'Ik had die klojo al meteen door toen hij binnenkwam.'

'Dat zal best, maar daar hoef je niet echt slim voor te zijn. Ik had hem ook in de gaten. Hij heeft me vanaf mijn appartement achtervolgd en duidelijk laten merken dat hij me schaduwde. Als ik thuis ben, staan er elk moment van de dag mensen voor mijn deur en elke keer dat ik naar buiten ga, loopt er iemand achter me aan. Baptiste wil me duidelijk laten merken dat hij me laat schaduwen. Zijn geheime politie is daar erg goed in. Ze kunnen zich onzichtbaar maken als ze dat willen. Dit is Baptistes manier om me te laten weten dat ik niet veel bewegingsvrijheid heb. Wat ik wil weten is hoe je dat gaat doen zonder dat die lui het in de gaten krijgen.'

'Maak je daar maar geen zorgen over,' zei Evers op vertrouwelijke toon. 'Zorg dat ik het geld krijg, dan zorg ik dat je hier weg komt.'

'Waarom zou ik jou moeten geloven?'

Evers haalde zijn schouders op. 'Geen idee. Maar jij bent degene die me hiernaartoe heeft laten komen. Vertel me eens wat je gedaan hebt om Baptiste tegen je in het harnas te jagen?' vroeg de huurling.

Charlie aarzelde. Als Evers erachter kwam dat de president een persoonlijke wrok tegen hem koesterde, zou hij misschien van gedachten veranderen en zou hij ervan afzien hem naar huis te brengen. Een Amerikaans paspoort bood in Batanga maar tot op zekere hoogte bescherming.

'Kom nou, Charlie. Als ik mijn leven riskeer om je hier vandaan te krijgen, wil ik wel weten waar ik mee te maken heb.'

Charlie keek omlaag naar het tafelblad. 'Ik had een verhouding met een van Baptistes vrouwen.'

Evers floot tussen zijn tanden. 'Hij heeft haar doodgemarteld en me de gevolgen daarvan laten zien. Toen deed hij net of hij niet wist wie haar minnaar was, maar dat weet hij wel degelijk,' zei Charlie verbitterd.

'Dan zit je diep in de problemen, joh. Maar heb geen angst, want Chauncey Evers brengt redding.'

'Wat moet ik nu doen?' vroeg Charlie, terwijl hij Evers het servet met zijn handtekening toestak.

'Zorg dat je het geld krijgt. Laat Rebecca weten als je het hebt, dan hoor ik dat van haar. En dan doe je precies wat ik zeg dat je moet doen, en voor je het weet ben je weer terug in die goeie ouwe Verenigde Staten van Amerika.'

4

Sommige mensen zeiden dat God goed en genadig was, maar Dennis Levy wist dat dat niet zo was. Je hoefde alleen maar het nieuws op de televisie aan te zetten om de bewijzen van grove onrechtvaardigheid in de wereld te zien. Eén procent van de wereldbevolking skiede in Gstaad en lag in Nevis aan het strand, terwijl er in Afrika miljoenen mensen van de honger omkwamen. En wat dacht je van aids en Katrina en de armen in India, die op straat woonden en de vuilnisbelten afstroopten om aan eten te komen? Dichter bij huis waren er mensen die, omdat ze met een rijk iemand waren getrouwd, ten onrechte machtsposities bekleedden en in luxe kantoren met uitzicht op Central Park werkten, terwijl degenen die echt talent hadden – zoals Dennis Levy – zich in kantoorhokjes moesten afbeulen en de hielen van deze lieden moesten likken.

Dat waren een paar van de dingen waar Dennis over nadacht terwijl hij van zijn kantoorhokje naar het luxueuze kantoor van Martha Brice, zijn baas bij *World News*, sjokte. Levy was op Long Island opgegroeid in de lagere regionen van de middenklasse. Op de middelbare school had hij keihard gewerkt om een beurs voor een van de gerenommeerde universiteiten te kunnen bemachtigen. Hij ruimde in de kantine van Princeton de tafels af, terwijl de rijke klootzakken uit zijn klas een wekelijkse toelage van hun ouweheer kregen. Terwijl Levy tot in de kleine uurtjes zat te studeren en op zijn eindlijst nota bene gemiddeld een negen scoorde, waren de zoons en dochters van de rijken bezig zich te bezatten, stoned te raken en alles te neuken wat bewoog, in de wetenschap dat ze, ongeacht hun studieresultaten, op een vette baan bij de firma's of de bedrijven van hun ouders konden rekenen. Wat was daar rechtvaardig aan, en wat hadden al zijn geploeter en zijn uitstekende academische loopbaan hem opgeleverd? Zijn rijke klasgenoten verdienden goud geld als effectenmakelaars en advocaten; lieden die amper hun eigen naam konden spellen kregen de beste baantjes bij *World News* terwijl hij een habbekrats verdiende met reportages over onderwerpen die hem nooit de reputatie zouden opleveren die hij verdiende.

Levy dwong zichzelf te glimlachen toen hij zijn aanwezigheid kenbaar maakte aan Brice' zogenaamde secretaresse, Daphne St. John, al zou hij erom hebben durven wedden dat dat niet haar echte naam was. Daphne was een verwaand kreng, die kort nadat ze was aangenomen Dennis' aanbod om ergens iets te gaan drinken had afgeslagen. De herinnering aan haar ongelooflijk botte weigering stak nog steeds, maar dat zou hij die veredelde receptioniste toch mooi niet laten merken.

'Mevrouw Brice zit midden in een belángrijk telefoongesprek,' zei Daphne tegen hem, duidelijk insinuerend dat Brice' gesprek met hem niet belangrijk was. 'Ga maar even zitten, dan laat ik je wel weten als ze je kan ontvangen.'

Dennis liet zich op een bank zakken en kookte inwendig van woede terwijl hij de nieuwste editie van *World News* doorbladerde. Hij had net in gedachten het zoveelste artikel over het Midden-Oosten geredigeerd, dat in erbarmelijke stijl geschreven was door een van de oudere journalisten bij het blad, toen Daphne tegen hem zei dat hij Brice' heiligdom kon betreden.

Dennis was lang en slungelig en had de fletse gelaatskleur van een laagbetaalde verslaggever die zo weinig verdient dat hij van fastfood moet leven. Zijn zwarte haar krulde en hij had een doordringende blik in zijn blauwe ogen. Het leek of hij altijd gespannen was. Hoewel hij duidelijk erg pienter was, duurde het vaak lang voordat hij een grap doorhad, omdat hij niet over gevoel voor humor beschikte. Dennis was ook in de omgang met anderen nogal onbeholpen. Hij had geen gevoel voor stijl en voelde zich nooit op zijn gemak in een sterrenrestaurant of bij een gelegenheid waar hij in smoking moest verschijnen.

Martha Brice voelde zich volkomen thuis bij Le Bernardin, een van de betere driesterrenrestaurants in New York, of bij een chique feest in de hogere kringen. Dennis moest met tegenzin toegeven dat ze over een uitstekend stel hersens beschikte, wat nog eens bewezen werd door de diploma's van Yale en de School voor Journalistiek aan de Columbia-universiteit aan haar muur, maar ze kon niet meer dan tien jaar ouder zijn dan hij en had het al tot hoofdredacteur van een van de belangrijkste opiniebladen geschopt. Wat Dennis nog het meeste dwars zat, was dat ze haar positie had gekregen door met Harvey Brice, de eigenaar van *World News*, te trouwen. Harvey was minstens twintig jaar ouder dan zij. Dennis kon niet echt ontkennen dat ze geen goede leidinggevende was, maar hij had het gevoel dat hij minstens net zo geschikt was om leiding te geven aan een belangrijk tijdschrift als zij. Als hij het geluk had gehad als zoon van rijke ouders te zijn geboren en niet als kind van de eigenaar van een stomerij en een onderwijzeres aan een lagere school, had hij misschien op haar stoel kunnen zitten.

Dennis moest ook toegeven dat Martha Brice aantrekkelijk was, al vond hij haar wel een beetje aan de corpulente kant. Haar hartvormige gezicht werd omgeven door een kortgeknipt, ravenzwart kapsel, en op haar dikke, tuitende lippen had ze helderrode lippenstift aangebracht. Haar glanzende haar en vuurrode mond vormden een scherpe tegenstelling met haar bleke huid. Ze droeg vandaag een zwart Armani-broekpak en een crèmekleurig maatoverhemd. Smaakvolle oorbellen met zwarte teardrop-parels en een bijpassende halsketting maakten duidelijk dat ze steenrijk was, maar dat niet aan de grote klok hoefde te hangen.

'Fijn dat je er bent, Dennis,' zei Brice terwijl ze gebaarde dat hij moest gaan zitten. 'Hoe gaat het ermee?'

Dennis had geen idee waar ze naar informeerde. Wilde ze weten hoe het met zijn privéleven ging, of hoe het hem op het werk beviel? Hij besloot om op safe te spelen.

'Prima,' zei hij.

'Ik heb je een beetje in de gaten gehouden en ik moet zeggen dat ik erg onder de indruk van je werk ben.'

Dennis bloosde. Hij was niet gewend aan complimentjes.

'Ik weet dat we je niet de meest uitdagende opdrachten hebben gegeven,' ging Brice verder, 'maar een van de manieren waarop ik beoordeel hoe toegewijd en bekwaam mijn verslaggevers zijn, is kijken hoe ze met opdrachten omgaan waarvan ik weet dat ze er niet per se in zijn geïnteresseerd. Het is tijd dat je een stapje hoger komt. Heb je daar belangstelling voor?'

'Zeker,' antwoordde Dennis, terwijl hij zonder het zelf te merken rechtop ging zitten.

'Hoe oud ben je, Dennis?'

'Vijfentwintig.'

'Dan was je twaalf jaar geleden dus dertien,' zei Brice, meer tegen zichzelf dan tegen Dennis. 'Zeggen de namen Charlie Marsh of Gabriel Sun je iets?'

Dennis fronste zijn voorhoofd. 'Was dat niet degene die een of andere newagebeweging begon en toen van moord werd beschuldigd?'

De hoofdredacteur knikte. 'In de pers werd hij "goeroe van de dui vel" genoemd. De zaak heeft in Amerika breeduit op alle voorpagina's gestaan. Marsh werd voor het eerst bekend bij een gijzeling in de staatsgevangenis, waarbij hij het leven van een bewaker heeft gered. Als beloning kwam hij vervroegd vrij. Daarna heeft hij een autobiografie geschreven, *Het licht in jezelf*, een bestseller waarin zijn wonderbaarlijke bekering van kleine misdadiger tot held en, naar men zegt, idealist werd toegeschreven aan de ontdekking van Gods innerlijke licht. De praatprogramma's op televisie slikten het voor zoete koek.

Marsh begon zich Gabriel Sun te noemen en zelfonthulling en redding te verkondigen via zijn Innerlijk Licht-cursussen, die hij in het hele land hield. Twaalf jaar geleden werd het congreslid Arnold Pope Junior bij een van die cursussen doodgeschoten. Marsh en de vrouw van het congreslid werden van de moord beschuldigd en Marsh vluchtte het land uit.'

Brice schoof een dikke map over haar bureau.

'Dit is achtergrondinformatie over de goeroe. Er staat genoeg in om als basis voor een interview met hem te gebruiken.'

Dennis bladerde de map door, die stampvol krantenknipsels en computeruitdraaien zat.

'Marsh houdt zich toch in Afrika schuil?' vroeg hij, terwijl hij zich de feiten over het onderwerp van zijn verhaal begon te herinneren.

Brice knikte. 'Hij zit in Batanga.'

Dennis keek bedenkelijk. 'Is dat niet dat land dat door een kannibaal wordt geregeerd?'

'Die geruchten dat president Baptiste het hart van de ex-president heeft opgegeten zijn nooit bevestigd. Ik vermoed dat hij ze zelf heeft rondgestrooid om iedereen die het ook maar in zijn hoofd mocht halen zich tegen hem te verzetten de stuipen op het lijf te jagen. Maar daar kun je zelf bij Marsh naar informeren. Ik heb gehoord dat hij de president heel goed kent.'

'Hoe ga ik dat interview afnemen? Via de telefoon?'

Brice glimlachte vriendelijk. 'Je weet toch dat we dat bij *World News* nooit op die manier doen. Ik heb een vlucht naar Lagos voor je geboekt, die vanavond om zeven uur vertrekt vanaf JFK.'

'Vanavond?'

'Dat is toch geen probleem, of wel?'

'Nee, nee. Ik kan vanavond vertrekken.'

'Goed. Van Lagos naar Baptisteville is het maar een klein eindje vliegen.'

Dennis kon niet geloven dat hij zo geboft had. Hij zou naar Afrika vliegen om daar in een land dat door een kannibaal werd bestuurd een internationale beroemdheid te interviewen. Dat was nog eens geweldig! Hij wist bijna niets over Charlie Marsh, maar hij kon snel dingen in zich opnemen. Tegen de tijd dat hij in Baptisteville landde, zou hij er helemaal klaar voor zijn.

'Is er nog iets bijzonders waarvan u wilt dat ik het in het interview ter sprake breng?' vroeg Dennis.

'Maak je over het interview maar geen zorgen. Marsh komt samen met jou terug naar de Verenigde Staten. Je hebt dus ruim de tijd om met hem te praten.'

Dennis fronste zijn voorhoofd. 'Loopt er niet nog een aanklacht wegens moord tegen hem?'

'Ja. Daarom komt hij ook terug. Hij heeft altijd beweerd dat hij onschuldig is en hij wil nu zijn naam zuiveren.'

'Jemig! Dat zou dus echt een groot verhaal kunnen worden!'

'Het wórdt ook een groot verhaal, en het wordt ook jóúw verhaal. Denk je dat je het aankunt?'

'Beslist!'

'Er zou ook een boek in kunnen zitten. Als je die map doorleest, begrijp je wel wat ik bedoel.'

Een boek! Een groot verhaal en een boek! Dennis had moeite met ademhalen.

'Er is nog iets,' zei Martha. Ze tastte achter haar bureau en haalde een tot op de draad versleten koffer tevoorschijn. 'Als je je bagage inpakt, wil ik dat je daar deze koffer voor gebruikt.'

'Ik heb thuis een mooie koffer.'

'Ik neem onmiddellijk aan dat die veel mooier is dan deze, maar in die van jou zit geen vijfenzeventigduizend dollar verstopt, of wel?'

'Vijfenzeventig...'

'Marsh loopt groot gevaar. Hij kan tegen de tijd dat jij morgen aankomt misschien al dood zijn. Maar hopelijk is hij nog in leven en kun je hem dit geld geven, dat gebruikt wordt om hem bij zijn ontsnapping te helpen.'

'Dat klinkt gevaarlijk,' zei Dennis behoedzaam.

'Dat is het ook, maar dat is oorlogsverslaggeving of door het oog van een orkaan vliegen ook. Topverslaggevers gaan gevaar niet uit de weg. Ik dacht dat jij iemand was die blij zou zijn met de kans om risico's te lopen om een verhaal binnen te brengen waarmee je kans maakt op de Pulitzer-prijs. Of zie ik dat verkeerd? Als je denkt dat je dit niet aankunt...'

'Nee, nee, ik kan het best aan, maar wordt Marsh niet gearresteerd als hij in de Verenigde Staten aankomt? Controleren ze niet op de computers bij de immigratiedienst of je geen gezochte misdadiger bent als je vanuit het buitenland arriveert?'

Brice knikte. 'Daarom gebruikt hij ook een paspoort met een andere naam.'

'Maar dat is in strijd met de wet.'

'Dat zou kunnen.'

'Dan word ik gearresteerd als ik hem help om illegaal het land binnen te komen.'

'Misschien wel, maar we zorgen dat je de beste advocaten krijgt. Ik vermoed trouwens dat je beschermd wordt door het Eerste Amendement.'

'Is dat zo? Hebt u daar bij een advocaat naar geïnformeerd?'

'Daar was geen tijd voor. Marsh' leven hangt aan een zijden draad. Wil jij het risico lopen dat hij gearresteerd, gemarteld en vermoord wordt terwijl wij juridisch advies aan het inwinnen zijn?'

'Natuurlijk niet.'

'Kan ik op je rekenen, Dennis, of kan ik deze opdracht beter aan Shelby Pike geven?'

Shelby en Dennis waren tegelijk bij *World News* begonnen. Dennis was van mening dat Pike een talentloze hielenlikker was. Hij dacht er niet over om deze kans op roem en rijkdom te laten schieten en Shelby Pike met de eer te gaan laten strijken.

'Ik doe het, mevrouw Brice.'

'Dan kun je beter snel naar huis gaan en je spullen pakken,' zei Brice.

5

BARBARA WALTERS: Waarom hebt u na uw vrijlating uw naam veranderd in Gabriel Sun?

CHARLIE MARSH: In de Bijbel is Gabriël een engel die als Gods boodschapper dient en ik had het gevoel dat een grotere macht, God of Allah of wie dan ook, mij had uitverkoren om Zijn boodschapper te zijn toen Crazy Freddy de gijzelaars probeerde te vermoorden. En de zon staat natuurlijk symbool voor het innerlijke licht dat mij op het moment van de waarheid geopenbaard werd.

WALTERS: Wat voelde u op het moment dat Freddy u neerstak? Was u bang dat u zou sterven?

MARSH: Integendeel. Toen Freddy me neerstak, voelde ik alleen maar mijn innerlijke licht en had ik een gevoel van volkomen vrede. Er was geen angst, alleen maar liefde. En dat is de ervaring die ik ook aan anderen wil schenken, zodat ze kunnen ontdekken dat ze over de kracht beschikken om hun leven te verbeteren.

WALTERS: Veel van de gijzelaars hebben gezegd dat je Clayton, één van de meest gewelddadige gevangenen in de penitentiaire inrichting, hebt kunnen overreden om zijn aanval op de bewaker te staken door hem te vertellen dat u van hem hield.

MARSH: Dat klopt, Barbara. Toen ik door mijn innerlijke licht werd bezield, kwam ik tot het inzicht dat Liefde de grootste kracht in het heelal is, en dat Liefde geweld kan overwinnen. En het is niet alleen geweld dat overwonnen kan worden als we eenmaal geleerd hebben hoe we ons innerlijke licht kunnen inschakelen en gebruiken, Barbara. Zoals ik bij mijn cursussen uitleg: als ons innerlijke licht schijnt, versterkt dat het zelfvertrouwen dat ons succes brengt in ons werk, in onze persoonlijke relaties en alle andere aspecten van ons leven. En ik vind het erg opwindend als ik zie wat voor kansen mijn cursussen me bieden om zo veel mensen te leren hoe ze die kracht, die in ieder van ons aanwezig is, kunnen gebruiken.

De lampjes 'riemen vastmaken' lichtten op en een stewardess kondigde de landing op Baptisteville International Airport aan. Dennis stopte de tekst van het twaalf jaar oude interview uit de reeks *Barbara Walters Specials* terug in de map met Marsh' gegevens en deed de map in zijn tas met handbagage. Hij keek uit het raampje. Flarden mist verdichtten zich tot ondoorzichtige stapelwolken en onttrokken de oceaan aan het zicht. Even later was het vliegtuig tot onder de wolken gedaald. Ze vlogen nu boven een uitgestrekt helderblauw wateroppervlak, een wit zandstrand en dicht opeenstaande smaragdgroene palmbomen. Na een aantal harde schokken kwam het vliegtuig voor een lange, één verdieping hoge aankomsthal tot stilstand.

De drukkende, verzengende hitte overviel Dennis toen hij uit het vliegtuig stapte en de verrijdbare trap naar de landingsbaan afdaalde. Tijdens de korte wandeling naar de aankomsthal bleven zijn schoenen aan het asfalt plakken en door de hoge vochtigheidsgraad kleefde zijn overhemd aan zijn lijf. Je in de Afrikaanse hitte bewegen was net zoiets als zwemmen in een bak met lijm. Hij hoopte vurig dat de aankomsthal van airconditioning was voorzien.

Het zonlicht was zo fel dat Dennis zijn ogen moest afschermen. Toen hij weer wat kon zien, was hij meteen diep onder de indruk van de grote kleurenpracht. Hij had nog nooit zo veel groen of zo'n blauwe lucht gezien, en iedereen was zwart. De luchtvaarttechnici, de piloten en de stewardessen, en ook de meeste passagiers. Dat gold ook voor de soldaten met hun automatische wapens en de overgrote meerderheid van de mensen die achter de grote ramen in de aankomsthal stonden te wachten. Dennis was hier de enige met een afwijkende huidkleur, iets waardoor hij zich niet helemaal op zijn gemak voelde.

De aankomsthal was aan de buitenkant matbruin geverfd en het middengedeelte van een muur werd in beslag genomen door een meer dan levensgrote afbeelding van Jean-Claude Baptistes glimlachende gezicht, met daarboven de begroeting WELKOM IN BATANGA. Toen Dennis het gebouw naderde, leek het of de president zijn ogen op hem gericht hield, alsof de president wist dat hij geld binnensmokkelde en een vals paspoort bij zich had om Charlie Marsh aan zijn greep te helpen ontsnappen. Dennis had verhalen gelezen over de gruwelen die in

Batanga werden begaan, en hij voelde zich misselijk en een beetje ge-
desoriënteerd terwijl hij stond te wachten om door de douane te gaan.
Hij stelde zich voor dat hij uit de rij zou worden gehaald en naar een
geluiddichte kamer zonder ramen werd gebracht, waar hij door angstaanjagende ondervragers met een ijskoude blik in hun ogen op een
ongemakkelijke houten stoel werd vastgebonden en geconfronteerd
werd met het geld dat ze in de voering van zijn koffer hadden gevonden. Maar toen hij aan de beurt was, stelde een verveelde douane-
beambte hem een paar routinevragen, zette een stempel in zijn paspoort en gebaarde dat hij door kon lopen.

Dennis haastte zich om zijn koffer op te halen. Hij probeerde kalm
te blijven terwijl hij wachtte tot het bagagepersoneel de koffer uit het
vliegtuig had gehaald, maar hij vond het moeilijk om niet steeds van
het ene been op het andere te gaan staan. Hij kon ook zijn hoofd niet
stilhouden en keek nu weer hier, dan weer daar of hij nergens de politieagenten zag die, zo wist hij zeker, bezig waren hem te omsingelen.
Hij zocht in de menigte in de afhaalruimte naar Charlie Marsh, die
hem, zoals was afgesproken, van het vliegveld op zou halen om hem
naar zijn hotel te brengen, maar hij zag niemand die op de glimlachende, dromerige swami leek die hij op de foto's in de map had gezien.

Dennis zag zijn koffer en hij pakte hem op. Hij verwachtte dat hij nu
elk moment in zijn kraag kon worden gegrepen. Toen dat niet gebeurde, liep hij met zijn koffer naar de voorkant van de aankomsthal, waar
groepjes Batangezen en een paar immigranten zijn medereizigers begroetten. Een man maakte zich los van de muur en kwam Dennis'
richting uit. Hij droeg een donkere bril, een kaki broek, een bezweet
T-shirt met een Guinness-reclame, sandalen en een honkbalpet.

'Ben jij van *World News*?' vroeg hij.

'Dennis Levy,' antwoordde Dennis, opgelucht glimlachend. Hij stak
zijn hand uit. Charlie aarzelde. Terwijl hij Dennis' hand schudde, keek
hij ongerust om zich heen. Charlies handdruk was slap en ongeïnteresseerd. Zijn hand was klam van het zweet.

'Laten we maken dat we wegkomen,' zei hij, in de richting van de
deur lopend.

Dennis haalde Charlie in toen deze bij een roestige, gedeukte, onder
de aangekoekte aarde zittende Volkswagen stopte, die langs het trottoir geparkeerd stond op een plek waar parkeren verboden was. Naast
de auto stonden twee politieagenten. Dennis bleef verlamd van schrik

staan. Hij wist zeker dat ze op het punt stonden gearresteerd te worden. Maar toen Charlie elk van de agenten wat geld gaf, drong het tot Dennis door dat ze betaald werden om op de auto te letten. Charlie deed de kofferbak open, zodat Dennis zijn koffer erin kon zetten.

'Heb je het geld bij je?' vroeg Charlie zodra ze in de auto zaten.

'Ja. Het zit in de voering van mijn koffer.'

'Alle vijfenzeventig?'

'Het hele bedrag.'

'Goddank,' zei Charlie op vlakke toon. Hij deed zijn ogen even dicht.

Even later reden ze met grote snelheid over een tweebaansweg. Achter een rij lage groene heuvels begon de zon onder te gaan. Dennis wachtte tot Charlie misschien nog iets zou zeggen, maar het onderwerp van zijn toekomstige bestseller hield zijn aandacht op de weg gericht en leek te zijn vergeten dat er een passagier bij hem in de auto zat.

'Gaan we naar mijn hotel, meneer Sun?' vroeg Dennis, in een poging een gesprek op gang te brengen.

'Marsh, Charles Marsh. Dat is mijn echte naam. Noem me maar gewoon Charlie.'

'Dus je noemt jezelf geen Gabriel Sun meer, Charlie?'

Charlie keek hem heel even geërgerd aan en richtte zijn blik toen weer op de weg, net op tijd om een rondzwervende geit te ontwijken.

'Je moet al die onzin met Sun gewoon vergeten,' zei hij toen het gevaar geweken was. 'Dat is allemaal verleden tijd.'

'Goed.'

De Volkswagen reed langs een paar marktkraampjes die op een braakliggend terrein langs de kant van de weg waren opgezet. Dennis draaide zich in zijn stoel om het tafereel in zich op te nemen. Zwarte, in veelkleurige stoffen geklede vrouwen droegen baby's op hun rug terwijl ze manden fruit, rijst en vis op hun hoofd in evenwicht hielden. Mannen in korte kaki broeken en uit elkaar vallende t-shirts die in flarden aan hun gespierde rug hingen, liepen langs houten stalletjes waar rode, gele en blauwe blikjes en dozen verkocht werden. Vreemd genoeg leek het of elk kraampje dezelfde goederen verkocht. Tussen de kraampjes waren kinderen aan het spelen. Een paar mensen langs de kant van de weg glimlachten en zwaaiden toen de auto in volle vaart langsreed. Dennis zwaaide terug. Marsh negeerde hen en sloeg met de onderkant van zijn hand op de claxon als er iemand te dichtbij kwam, maar minderde geen moment vaart.

'Moet je die stomme klootzakken zien,' mompelde hij.

Dennis keek Charlie vreemd aan. Het liep allemaal anders dan hij verwacht had. Marsh bleek een boosaardige, gefrustreerde man te zijn. Dennis vroeg zich af of hij de reden voor Marsh' woede en frustratie als het centrale thema voor zijn interview moest gebruiken. Als Charlie Marsh tijdens zijn jaren in Afrika een geestelijke metamorfose had ondergaan, zou dat Dennis' boek alleen nog maar interessanter maken. Hij had de artikelen gelezen die Martha Brice in de map had gestopt, over de spannende gijzeling in de gevangenis, Charlies verhouding met de vrouw van het congreslid en de moordzaak, dus hij wist dat het boek seks, politiek en geweld zou bevatten, maar dit gegeven kon een heel nieuwe intellectuele dimensie aan de biografie geven. Het zou de critici en degenen die hun stem uitbrachten bij de toekenning van literaire prijzen in elk geval volop bezighouden.

Toen ze Baptisteville naderden, begonnen er met onregelmatige tussenpozen groepjes uit modder en blik opgetrokken hutten in zicht te komen. Nu en dan zag Dennis een huis dat van betonblokken was gebouwd, dat een beetje op de huizen leek waarmee hij in de voorsteden was opgegroeid. Achter de gebouwen strekte het grasland zich uit tot de horizon. Het ongewone landschap trok Dennis' aandacht en hij begon Charlie vragen te stellen over wat hij zag. Charlie beantwoordde zijn vragen met tegenzin en hij weerde alle vragen over onderwerpen die Dennis voor het interview kon gebruiken af.

Dennis vermoedde dat ze de buitenwijken van de stad hadden bereikt toen ze langs het presidentiële paleis reden, dat hem deed denken aan een casino dat hij in Atlantic City had bezocht. Een paar minuten later zat de Volkswagen vast in een verkeersopstopping in een smalle straat met eenrichtingsverkeer. Aan weerszijden stonden gebouwen van twee verdiepingen. De winkels op de begane grond lagen in de schaduw van de balkons op de eerste etage. Doordat de winkels helemaal open waren, kon Dennis planken en toonbanken zien die vol lagen met rollen stof en etenswaren in blik.

Dicht opeengepakte menigten bevolkten de trottoirs, maar je zag maar zelden een blank gezicht. Er werd geclaxonneerd en bedelaars op houten krukken hinkten langs. Het verkeer kwam in beweging en de auto reed de winkelwijk uit en een weg langs de kust op, die over steile rotsen liep. Boven aan de rotsen lag in de verte het vijftien verdiepingen tellende Batanga Palace-hotel, een strak, modern bouwwerk, dat het hoogste gebouw van de stad was.

'Ik zal je vertellen hoe het er hier aan toegaat,' zei Charlie toen de oprijlaan van het hotel in zicht kwam. 'In Batanga is iedereen een spion. Je kunt niemand vertrouwen. De gemiddelde Batangees is in staat om zijn eigen moeder voor een paar dollar aan de geheime politie te verkopen. Praat dus met niemand ergens over. Niet met de piccolo of met de receptionist, maar met helemaal niemand. We zijn vanaf het vliegveld achtervolgd. Nee, niet omkijken. Je kunt toch niet zien wie het zijn. Als we bij het hotel stoppen, moet je je volkomen normaal gedragen. Je zult je koffer geen moment uit het oog willen verliezen, maar dat is hetzelfde als met een groot bord rondlopen waarop staat IK HEB HIER IETS IN VERSTOPT. Laat dus de piccolo de koffer naar je kamer brengen. Dan haal je het geld eruit en stopt dat in de tas van je handbagage. Als je dat gedaan hebt, neem je een douche, wat trouwens het eerste is wat een blanke die nog nooit in Afrika is geweest zou doen zodra hij in zijn hotel aankomt. Maar hou je tas bij je in de badkamer. Zo gauw je je hebt omgekleed, ga je naar de bar. Neem je tas mee. Als je hem in je kamer laat liggen, gaan ze erin snuffelen.'

'Zie ik u dan in de bar?'

'Nee. Zo gauw ik je af heb gezet, maak ik dat ik wegkom. Luister even goed. Je wordt aangesproken door een blanke man met een kaal hoofd en een fors postuur. Hij heet Evers. Je geeft hem het geld. Hij zorgt dat wij hier vannacht vandaan kunnen vliegen.'

'Vannacht? Maar ik ben hier net.'

'En je gaat ook zo weer weg. Evers is een huurling. Hij heeft geregeld dat er een vliegtuig gaat landen op een landingsstrook in de bush, een paar kilometer buiten de stad. Zodra je hem het geld hebt gegeven neemt hij contact op met zijn compagnon en dan zien we elkaar bij de landingsstrip.'

'Gaat Evers me daar naartoe brengen?'

'Jezus, nee! Baptistes mannen mogen jullie twee niet samen zien. Hij neemt alleen maar het geld aan.'

'Hoe kom ik daar dan?' vroeg Dennis bezorgd.

'Je vraagt aan de portier van het hotel waar het nachtleven is en laat hem dan een taxi voor je bestellen.'

'Moet ik mijn koffer meenemen?'

'Doe niet zo stom! Wie neemt er nou een koffer mee naar een bar? Nee, je komt zonder koffer. Die laat je in je kamer staan, zodat niemand op het idee komt dat je ertussenuit knijpt.'

'Hé, Charlie, doe even normaal. Al dat geheimzinnige gedoe is nieuw voor me.'

'Dan kun je het beter snel leren, want één stommiteit kan je het leven kosten. Let nu goed op. Zo gauw je bij het hotel uit de buurt bent, zeg je tegen de chauffeur dat je van gedachten bent veranderd en een oude vriend wilt gaan bezoeken. Geef hem deze aanwijzingen,' zei Charlie, terwijl hij Dennis een stuk papier gaf. 'Daarmee kom je in een besloten immigrantenwijk, zodat het net lijkt of je bij een blanke kennis op bezoek gaat. Als je bij de poort bent, zeg je tegen de chauffeur dat hij nog een paar kilometer door moet rijden. Als hij tegensputtert, geef je hem vijf dollar. Voor zo'n fooi brengt hij je desnoods naar de maan. Hou de kilometerteller in de gaten. Vlak voordat hij op drie springt, zie je rechts een onverharde weg. Laat hem anderhalve kilometer die weg op rijden, dan zien we je daar.'

'Ik weet niet of ik dit wel...' begon Dennis zenuwachtig.

'Je kunt uit twee dingen kiezen. Of je doet wat ik net tegen je gezegd heb en maakt dat je vannacht uit dit godvergeten oord wegkomt, óf je gebruikt je retourticket en vertrekt morgen. Het probleem met die tweede keus is dat je morgenochtend in Batanga zult moeten zijn, en tegen die tijd weet Baptiste al lang dat ik hem gesmeerd ben.

Stel jezelf de volgende vragen: wie is de laatste met wie ik samen gezien ben en wie denk je dat er ondervraagd gaat worden over waar ik naartoe ben? Terwijl de geheime politie het voltage van de elektroden die ze aan je testikels hebben gehangen aan het bijstellen is, zit ik in een vliegtuig op weg naar de vrijheid en zit jij je af te vragen waarom je niet met mij mee bent gegaan.'

'Elektroden aan mijn... Kan dat zomaar? Ik ben Amerikaans burger.'

'Denk je dat dat Baptiste ene moer kan schelen? Als hij erachter komt dat ik ontsnapt ben, zal hij willen dat iemand daarvoor gaat bloeden, en jij bent de enige die daarvoor in aanmerking komt.'

6

De douche was heerlijk. Het koude water spoelde de vermoeidheid van de reis en de laag zweet weg, die sinds het moment dat Dennis uit het vliegtuig in de Afrikaanse zon was gestapt aan zijn lichaam zat gekoekt. Alleen al het feit dat hij in Afrika was, was voor iemand die nooit verder dan de oostkust van de Verenigde Staten was geweest een reden tot verwondering. Terwijl Dennis zich af stond te drogen, dacht hij na over alles wat er gebeurd was sinds hij in Batanga was geland. De gebeurtenissen van het afgelopen uur bezorgden hem zowel doodsangst als opwinding. Het opwindende had te maken met huurlingen, geheime politie en de mogelijkheid van een spannende ontsnapping in het holst van de nacht. Het angstaanjagende was de mogelijkheid dat de geheime politie de ontsnapping zou verijdelen en aan het eind van het liedje elektroden aan zijn testikels zou hangen. Dennis werd doodsbang bij het idee dat ze hem zouden martelen, maar hij was nog veel banger dat hij het belangrijkste verhaal uit zijn carrière en de grootste kans van zijn leven mis zou lopen.

Nadat Dennis schone kleren had aangetrokken, liep hij met zijn tas vol geld naar de bar, die vol zat met immigranten en rijke Batangezen. Charlie had gezegd dat hij een pina colada moest bestellen, wat voor Evers het teken zou zijn dat hij degene was met het geld. Dennis liep naar een tafeltje en zette zijn tas tussen zijn voeten, zodat hij kon voelen waar hij stond. Hij had zijn drankje half op toen er een prachtige zwarte vrouw in een korte rode jurk naast hem kwam zitten.

'Dat is een interessant drankje dat je daar hebt. Wat is het?' vroeg ze.

'Pina colada.'

'Vind je dat lekker?'

'Ja, het smaakt prima.'

'Is het zoet?'

'Een beetje.'

Plotseling voelde hij een lichte druk op zijn linkerknie. Toen hij besefte dat dat kwam door de hand van de vrouw, steeg het bloed naar zijn wangen.

'Ik ben ook lekker, en veel zoeter dan je drankje. Wil je me proeven?' Het zweet parelde op Dennis' voorhoofd, hoewel de airconditioning in het hotel op volle toeren draaide. Hij had heel weinig seksuele ervaring en een situatie als deze had zich nooit eerder voorgedaan. Elke zenuw in zijn lichaam drong aan op een bevestigend antwoord en zei hem dat hij deze ongelooflijk mooie vrouw snel mee naar zijn kamer moest zien te krijgen. Maar toen dacht hij aan zijn Pulitzer-prijs en de reden dat hij hier zat.

'Ik zou uw aanbod graag aannemen, maar ik heb een afspraak met iemand. Een andere avond misschien?'

Rebecca boog zich dicht naar hem toe en sprak op gedempte toon. 'Meneer Evers wil dat je naar de tuin bij het zwembad komt als je je drankje op hebt. Volg het pad dat naar de bar met het rieten dak loopt.'

Dennis wilde iets zeggen, maar de vrouw drukte zachtjes haar vingers tegen zijn lippen.

'Misschien dat we elkaar morgenavond hier weer ontmoeten, ja?' zei ze zo hard dat iedereen die meeluisterde het kon horen. Vervolgens ging Rebecca ervandoor, waarbij ze op zo'n berekenende manier met haar heupen zwaaide dat ze de aandacht trok van alle mannen in de bar. Terwijl aller ogen op Rebecca's achterste waren gericht, dronk Dennis zijn pina colada op, in de hoop dat de alcohol hem zou helpen kalmeren. Toen hij zijn glas had leeggedronken, verliet hij de bar via de uitgang die naar het zwembad leidde.

De temperatuur was een graad of zesentwintig, maar de lucht leek koel in vergelijking met de bijna veertig graden die Dennis op het vliegveld hadden begroet. Achter het hotel bevond zich een tropisch paradijs. Schijnwerpers verlichtten reusachtige varens, palmbomen, een indrukwekkende hoeveelheid bloemen en verschillende paden die van het zwembad naar een tuin leidden. Aan het begin van een daarvan stond een bordje dat naar een hut zonder muren wees. De hut had een rieten dak. In het midden van de hut bevond zich een bar. Dennis was halverwege het pad toen hij iemand achter zich hoorde. Voordat hij zich om kon draaien, pakte een hand zijn arm beet waaraan hij de tas droeg. Dennis' bloeddruk schoot omhoog.

'Ik ben Evers. Niets zeggen. Geef me de tas en loop door. Ga iets drinken aan de bar daar en ga daarna naar de afgesproken plek.' Dennis liet de tas los. Een grote, kale man liep langs hem heen en verdween in de tuin. Toen Dennis aan de bar zat, beefde hij nog steeds. Een stevige whisky hielp hem een beetje ontspannen. Toen hij zijn glas had leeggedronken, liep hij naar de voorkant van het hotel en vroeg de portier wat er in de stad te doen was. Zodra hij de namen van een paar bars en hun adressen had gekregen, vroeg Dennis de portier of hij een taxi voor hem wilde bestellen. De portier blies op een fluit. Er reed een taxi voor. De taxichauffeur was een grote vent. Hij droeg een *dashiki* met daarop de beeltenis van Jean-Claude Baptiste. Toen Dennis in de taxi stapte, draaide hij zijn hoofd naar de achterbank.

'Waar gaan we heen, beste vriend?' vroeg hij met een joviale grijns.

'Lafayette Street.'

'Aha, u bent op zoek naar mooie Batangese vrouwen,' zei de taxichauffeur met een veelbetekenend hoofdgebaar.

'Zou kunnen,' antwoordde Dennis zenuwachtig.

'Ik zal u de beste bars laten zien.'

'Prima.'

'Bent u Amerikaan?'

'Ja,' antwoordde Dennis kortaf, zich Charlies waarschuwing herinnerend dat hij met niemand moest praten.

'Je ziet niet veel Amerikanen in Batanga.'

Toen Dennis niet reageerde, zei de chauffeur: 'Ik mag Amerikanen graag. Geven altijd grote fooi.' Vervolgens schoot hij in de lach.

Dennis wierp een paar keer een heimelijke blik door de achterruit van de taxi, die op hoge snelheid de stad in reed. Hij zag geen auto's die hem achtervolgden.

'Ik heb me bedacht,' zei Dennis. 'Ik wil naar het Idi Amin-strand.'

'Die rit wat duurder,' zei de taxichauffeur.

'Geeft niet.'

Het strand was oorspronkelijk naar de eerste president van Batanga genoemd, maar president Baptiste had het herdoopt en naar het idool uit zijn jeugd genoemd. De ommuurde wijk waar veel van de immigranten woonden, grensde er aan de achterkant aan. De chauffeur sloeg een paar zijstraten in en draaide toen de Baptiste-boulevard op, de hoofdweg die naar buiten de stad leidde.

'Wat doet u in Amerika voor werk?' vroeg de chauffeur.

'Ik schrijf voor een blad.'

'Aha… *Penthouse, Playboy*, dat zijn mooie bladen.'

'Het is eigenlijk meer een opinieblad. Wij schrijven over wat er in de wereld gebeurt.'

De taxichauffeur knikte instemmend. 'Dat is heel mooi. Het is goed om wat van de wereld te weten. Bent u naar Batanga gekomen om over ons prachtige land te schrijven?'

'Eh… ja. Het Amerikaanse volk wil heel graag wat over Batanga weten.'

'Dat is fijn. Batangezen weten veel over Amerika. We zien de films. Heleboel vuurgevechten en achtervolgingen met auto's. Hebt u wel eens een vuurgevecht of een achtervolging meegemaakt?'

'In werkelijkheid gebeuren die dingen niet. Ik bedoel, niet vaak. Ze stoppen ze alleen in die films om ze wat spannender te maken. In Amerika is het leven doorgaans nogal saai. Amerikanen staan gewoon op, gaan naar hun werk, kijken televisie en gaan dan naar bed. Veel opwindends gebeurt er niet.'

'Ik zou graag televisie hebben. Dat zou mooi zijn. Ze laten ons geweldige voetbalelftal vaak op de televisie zien.'

Een paar kilometer voorbij het presidentiële paleis hield de straatverlichting op. De koplampen van de taxi waren het enige licht in de donkere nacht. Tegen de tijd dat ze in de buurt van de besloten immigrantenwijk kwamen, begon Dennis er vertrouwen in te krijgen dat hij uit Batanga zou kunnen ontsnappen. De taxichauffeur was de hele tijd aan het woord en Dennis zei zo nu en dan ook wat, omdat dat hielp om de spanning te verminderen. Toen Dennis de muur zag die de immigrantenwijk van de buitenwereld afsloot, zei hij tegen de taxichauffeur dat hij nog een paar kilometer door moest rijden. De chauffeur vroeg om meer geld en Dennis gaf hem vijf dollar, zoals Charlie hem had opgedragen. De chauffeur reageerde met een brede grijns en reed verder. Hij miste bijna de zijweg, maar Dennis zag hem net op tijd. De taxi moest eerst een stukje achteruit rijden, en Dennis merkte dat de auto schokte toen hij langzaam de onverharde weg af reed.

Dennis begon zich zorgen te maken toen hij niets zag wat op een landingsstrook leek. Even later waren de bomen verdwenen en zag Dennis een landrover en Charlies Volkswagen, die midden op een open terrein stonden geparkeerd.

'Hier stoppen,' zei Dennis.

De taxi stopte en Dennis overhandigde de chauffeur de ritprijs en een flinke fooi.

'Wilt u dat ik hier op u wacht?' vroeg de chauffeur.

'Nee, dat hoeft niet. Ik krijg een lift terug naar de stad.'

Dennis stapte uit en Charlie kwam uit de schaduw tevoorschijn.

'Je hebt dus besloten om met ons avontuurtje mee te doen,' zei hij tegen Dennis.

'Ik heb nog nooit een verhaal laten schieten,' zei Dennis, die probeerde als een keiharde, door de wol geverfde verslaggever te klinken.

Charlie wilde nog iets zeggen toen hij merkte dat de taxi er nog steeds stond.

'Heb je gezegd dat hij terug naar de stad moest rijden?' vroeg hij op het moment dat de chauffeur met een geweer in zijn hand uit de taxi stapte.

'Liggen,' beval de chauffeur.

'Wie...?' begon Dennis te vragen. Op hetzelfde moment gaf de chauffeur hem een klap met het geweer.

'Op de grond!' blafte de taxichauffeur. Charlie liet zich op de grond zakken en Dennis zakte verdoofd van de klap in elkaar.

'Zijn er nog meer mensen hier?' vroeg de chauffeur terwijl hij in het duister tuurde. Voordat Charlie kon antwoorden spatte het hoofd van de taxichauffeur uit elkaar. Achter hem verspreidde zich een wolk van kleine rode druppeltjes.

'Godver!' zei Charlie toen Chauncey Evers verscheen, die een hogedrukgeweer met een nachtkijker in zijn armen hield.

Evers greep Dennis bij zijn arm. Terwijl de huurling hem overeind hees, keek Dennis met open mond naar de dode taxichauffeur. Hij moest braken.

'Hou je verdomme een beetje in,' zei Evers, Dennis' bovenarm steviger beetpakkend. 'Baptistes mensen kunnen elk moment hier zijn.'

'Laat de autolampen branden en steek de fakkels aan,' zei Evers tegen Charlie. 'We weten niet of die andere klootzakken al in de buurt zijn en ons vliegtuig komt eraan.'

Evers liet Dennis' arm los. Dennis wankelde een paar stappen. Hij had een licht gevoel in zijn hoofd van de klap. Er druppelde iets langs zijn wang. Toen hij zijn hand weghaalde, zat deze onder het bloed.

'Ik bloed.'

'Jezus, doe toch eens normaal, man. Wil je hier doodgaan?'

Dennis staarde Evers aan.

'Dat gaat namelijk gebeuren als je niet als de sodemieter aan de slag gaat. Aan weerszijden van de landingsstrook staat een rij fakkels en we moeten zorgen dat die branden.' Charlie had de koplampen van de Volkswagen en de landrover al aangezet. Hij was bezig om zijn tweede fakkel aan een kant van een smalle onverharde landingsstrook aan te steken toen Dennis zijn eerste aanstak. Dennis was nog steeds misselijk van de klap op zijn hoofd, maar hij zette door ondanks de pijn en bleef in beweging. Net toen hij zijn volgende fakkel had aangestoken hoorde hij in de verte het geluid van een naderend vliegtuig. Een paar tellen nadat alle fakkels waren aangestoken kwam er een klein vliegtuig uit de lucht zakken. Het leek niet veel groter dan een kleine bestelwagen en Dennis, die niet vaak had gevlogen en dan alleen nog in een groot passagiersvliegtuig, kon maar moeilijk geloven dat dit stuk speelgoed vier volwassen mannen uit de jungle kon vliegen.

De geïmproviseerde landingsbaan was ongeveer zeshonderd meter lang en het vliegtuig stuiterde een paar keer toen het de onverharde baan raakte. Zodra het het eind van de landingsstrook had bereikt, draaide het om.

Vanuit de richting van de hoofdweg doken koplampen op en Dennis hoorde het geraas van automotoren.

'Schiet op!' brulde Evers. Dennis sprong naast Charlie in een van de twee stoelen achterin. Een paar tellen later zat Evers naast de piloot en taxieden ze de vrijheid tegemoet.

Twee zwarte Mercedessen raasden de onverharde landingsstrook op en zetten de achtervolging in. Uit het achterraampje van de voorste auto stak een geweer. Dennis zag een flits.

'Omhoog!' riep Evers.

De neus van het vliegtuig schoot omhoog en ze begonnen aan een steile klim. Dennis zat vastgeklemd in zijn stoel. Hij dacht dat hij weer over moest geven. Even later zaten ze tussen de wolken. Charlie lachte hysterisch.

'Bedankt, bedankt,' schreeuwde hij, 'en God zegene Amerika.'

7

Op het toppunt van haar foltering riep Rebecca Jezus aan. Jean-Claude Baptiste knikte goedkeurend. De president praktiseerde niet alleen een animistisch stammengeloof, maar nam het zekere voor het onzekere door ook regelmatig de rooms-katholieke mis bij te wonen, en hij vond het prettig als een vrouw onder moeilijke omstandigheden haar geloof wist te behouden. De ondervrager stelde het barmeisje uit de Mauna Loa nog een vraag. Toen hij niet tevreden was met haar antwoord deed hij iets waardoor ze het opnieuw uitgilde.

Er werd aan de deur van zijn kantoor geklopt en Baptiste zette het geluid van de intercom waarmee hij de ondervraging in de kelder had zitten volgen zachter. Als het enigszins kon, speelde Baptiste het liefst zelf zijn vraag-en-antwoordspelletjes, maar als president beschikte hij niet over veel vrije tijd, dus had hij geleerd hoe hij moest delegeren en er genoegen mee te nemen via de intercom naar belangrijke ondervragingen te luisteren.

De deur ging open en Nathan Tuazama kwam binnen. Hij was gekleed in een donkerbruin kostuum en een lichtblauw zijden overhemd met donkergroene stropdas. De meeste mannen stonden te trillen als Baptiste in de buurt was, maar Tuazama was iemand die Baptiste angst aanjoeg. Dat was te wijten aan een droom die Baptiste lang geleden had gehad, waarin hij en Tuazama de hoofdrol speelden. In de droom werden beide mannen op een open terrein in het oerwoud bedreigd door een leeuw, die echter geen keus tussen hen leek te kunnen maken. Iedere keer dat de leeuw op Baptiste af kwam, raakte hij in verwarring, veranderde van richting en liep de kant van Tuazama uit. Precies op het moment dat hij Nathan wilde bespringen, raakte hij weer in verwarring en kwam hij op de president af. In de droom kon de leeuw geen besluit nemen welke Batangees hem als avondmaaltijd zou dienen.

Baptiste had Nathan over de droom verteld. Daarna had hij een oude tovenaar uit zijn dorp geraadpleegd. De dag voordat Baptiste naar hem toe ging, had Tuazama de oude man twintig dollar betaald. De voodootovenaar had aandachtig geluisterd toen de president hem zijn droom vertelde. Daarna had hij de ingewanden van een geit gelezen en onthuld dat het lot van Baptiste onlosmakelijk met dat van Tuazama was verbonden. Sinds die tijd was Baptiste erg begaan met het welzijn van Tuazama en Tuazama had gedaan wat hij kon om Baptiste te sterken in zijn overtuiging dat hij in leven zou blijven zolang er goed voor het hoofd van zijn geheime politie werd gezorgd.

'Ga zitten en luister even, Nathan.'

Er klonk weer een schreeuw, gevolgd door weer een verzoek aan Jezus om genade.

'Ze is sterk,' zei Baptiste.

Tuazama haalde zijn schouders op. 'Dat is zo, maar uiteindelijk gaat ze ons toch vertellen wat we willen weten. Hoe dan ook, die hele ondervraging is misschien overbodig. Ik geloof dat ik erachter ben gekomen wat er gebeurd is en waar Charlie naartoe is.'

Baptiste boog zich voorover. Hij wilde het maar al te graag weten.

'Op de avond van het banket in het paleis heeft Charlie een e-mail naar *World News* gestuurd, een Amerikaans tijdschrift, waarin hij hun een interview aanbood. Een paar dagen later heeft Charlie in de Mauna Loa, waar dat barmeisje werkt, met een huurling gesproken, een zekere Chauncey Evers. De man die daarvan getuige was, dacht dat Evers een ongevaarlijke dronkaard was en heeft niet de moeite genomen om dat gesprek te rapporteren. We hebben ondertussen met hem afgerekend.

Gisteren heeft Charlie op het vliegveld een Amerikaanse journalist opgehaald. Hij heet Dennis Levy en werkt voor *World News*. Hij zat ook in het vliegtuig waarmee Charlie het land uit is gevlucht. Nadat ze van het vliegveld naar de stad waren gereden, heeft Charlie Levy bij het Batanga Palace afgezet, waar Evers op dat moment verbleef. Ik vermoed dat het barmeisje Charlie in contact met Evers heeft gebracht en dat Charlie heeft geregeld dat Evers hem naar de Verenigde Staten zou brengen.'

'Maar Charlie wordt in Amerika gezocht.'

'Hij is niet dom, meneer de president. Hij moet geweten hebben dat u er vroeg of laat achter zou komen dat hij Bernadettes minnaar was.

Hij weet ook wat hem te wachten staat als u mocht besluiten hem te straffen voor zijn zonden. Ik vermoed dat hij de Amerikaanse rechtspraak heeft verkozen boven die van u. En dan is er natuurlijk nog de kwestie van de diamanten. Gisteren was er een kind bij Marsh' appartement. Ik vermoed dat Rebecca uiteindelijk zal bekennen dat zij het kind met de diamanten naar Charlie heeft gestuurd.'

'Wat heeft die Levy ermee te maken?'

'Charlie zit bijna zonder geld. Dat heb ik gecontroleerd. Evers is niet goedkoop. Ik vermoed dat *World News* Charlie voor het interview heeft betaald en dat hij het honorarium heeft gebruikt om Evers te betalen. Levy heeft vermoedelijk het geld het land binnengesmokkeld.'

Baptiste staarde recht voor zich uit. Tuazama wachtte geduldig.

'Ik heb Charlie onderschat,' zei de president. 'Ik had hem eerder aan jou moeten overdragen. Ik wil dat je je persoonlijk met deze kwestie bezighoudt. Ga naar Amerika en breng die diamanten terug.'

'En Charlie?'

'Charlie is niet belangrijk. Hij betekent niets meer voor me. Het gaat nu om het principe, Nathan. Als ik niets tegen Charlie onderneem, denkt iedereen dat ik zwak ben. Probeer er dus achter te komen wat hij heeft meegenomen en stel hem dan tot voorbeeld van de volgende verrader die het in zijn hoofd haalt mij te dwarsbomen.'

8

Amanda Jaffes telefoon deed haar uit een diepe slaap ontwaken. Toen hij drie keer was overgegaan, nam ze op.

'Hallo?' mompelde ze slaapdronken toen ze de hoorn eenmaal had gevonden.

'Met Amanda Jaffe?'

'Met wie spreek ik?'

'Met Martha Brice. Ik ben hoofdredacteur van *World News*.'

Verdomme, een verslaggever, dacht Amanda terwijl ze haar benen over de zijkant van het bed sloeg en haar lange zwarte haar uit haar gezicht wreef. Amanda's vriend, Mike Greene, de hoofdaanklager bij het bureau van de officier van justitie van Multnomah County, was die nacht bij haar blijven slapen in haar appartement, omdat ze geen van beiden tot twaalf uur een vergadering hadden of in de rechtszaal moesten verschijnen. Amanda had zich er op verheugd dat ze, bij wijze van uitzondering, een keer kon uitslapen.

'Weet u wel hoe laat het is, juffrouw Brice?'

'Het is *mevrouw* Brice, en als het hier in New York zeven uur in de ochtend is, moet het bij u vier uur zijn,' antwoordde de vrouw op kalme toon.

'Hebt u er een bepaalde reden voor dat u me niet op een beschaafd tijdstip op mijn kantoor kunt bellen?'

'Die heb ik zeker. Ik zit op dit moment in het vliegtuig van ons bedrijf, op weg naar Oregon. Als alles goed gaat, kom ik over vier uur op het vliegveld aan. Ik wil zo snel mogelijk na de landing met u spreken.'

Brice' gebiedende toon had dezelfde uitwerking als een dubbele espresso.

'Luister eens, mevrouw Brice,' snauwde Amanda haar toe, 'ik behandel mijn zaken niet in de pers, en als u denkt dat de beste manier om een interview met mij te krijgen is om mij in het holst van de nacht wakker te maken, moet u eens een opfriscursus gaan volgen bij die school voor journalistiek waar u op hebt gezeten.'

'U hebt me kennelijk niet begrepen, mevrouw Jaffe. Dat zal wel komen doordat ik u wakker heb gemaakt. Ik ben geen verslaggever. Ik ben de hóófdredacteur van *World News*. Ik ben de báás van ons blad. Ik neem geen interviews af. Ik vlieg naar Portland om u in te schakelen bij een rechtszaak. Het gaat om een zaak waarvan ik zeker weet dat u hem in behandeling wilt nemen.'

'Wat voor zaak?'

'Ik wil de bijzonderheden niet via de telefoon bespreken.'

Amanda was even stil. Brice' houding stond haar niet aan, maar ze was wel nieuwsgierig geworden.

'Tegen de tijd dat u aankomt, ben ik op kantoor,' zei ze.

'Ik heb geen tijd om naar de stad te rijden. Ik heb later vandaag nog een belangrijke vergadering in New York. Ik wil in het vliegtuig met u spreken. Er is een vergaderruimte aan boord. Er is ook een keukentje, zodat ik voor ontbijt kan zorgen. Heb ik het juist dat u van pannenkoekjes met bosbessen houdt?'

Amanda's mond viel van verbazing open. 'Als u daarmee de bedoeling had om indruk op me te maken, bent u daar zeker in geslaagd.'

'Ik ben toch bang dat u wat al te gemakkelijk onder de indruk raakt. Een van mijn medewerkers heeft u gegoogeld. Dat stukje informatie ben ik te weten gekomen uit een interview dat u na de zaak-Cardoni aan een van mijn concurrenten hebt afgestaan.'

'Dat is een paar jaar geleden.'

'Ga me nou niet vertellen dat u op dieet bent.'

Amanda schoot in de lach. 'Nee, mevrouw Brice, en uw aanbod van bosbessenpannenkoeken heeft zijn nut gehad. Ik heb die koolhydraten nodig om de dag door te komen, want ik ga last krijgen van slaaptekort.'

'Kom dan om acht uur naar de terminal van Flightcraft.'

'Flightcraft?'

'Dat is een servicebedrijf waar we zaken mee doen. Ze regelen VIP-lounges voor ons en zo. Jennifer Gates, mijn assistente, zal u in de aankomsthal opwachten en met u naar het vliegtuig lopen. O ja, en nog iets. Praat met niemand over ons gesprek.'

'Wilt u niet dat ze erachter komen dat u naar Portland komt?'

'Precies. Als ik u over de zaak vertel, begrijpt u wel waarom,' antwoordde Brice vlak voordat ze de verbinding verbrak.

Amanda ging even op haar rug liggen om de kracht te verzamelen om op te staan en zich aan te kleden. Ze zag dat Mike op zijn zij lag en naar haar lag te kijken. Als hoofdaanklager bij het bureau van de officier van justitie van Multnomah County had Mike veel van de spraakmakende moordzaken in de county behandeld. Ze hadden elkaar leren kennen toen hij als aanklager betrokken was bij de zaak-Cardoni, die Amanda bijna het leven had gekost. Sinds die tijd hadden ze een los-vaste relatie. Als ze het niet zo druk hadden, zouden zij en Mike misschien tijd hebben om erachter te komen waar het met hun relatie heen ging.

Mike had blauwe ogen, zwart krulhaar en een borstelige snor. Omdat hij een fors postuur had en bijna twee meter lang was, werd hij vaak aangezien voor iemand die American football of basketbal speelde voor een van de universiteitsteams, maar dat waren sporten die de pientere officier nooit had beoefend. In plaats daarvan nam Amanda's vriend deel aan schaaktoernooien en speelde zo goed tenorsax dat hij voor een beroepsmusicus kon doorgaan.

'Dat wordt niet samen ontbijten,' zei Mike.

'Jammer,' zei Amanda, 'maar de plicht roept.'

'Een nieuwe zaak?'

'Ja.'

'Wat voor een?'

'Geen idee, en ik kan je niet vertellen wie de cliënt is, dus vraag er niet naar.'

'Die *mevrouw Brice* moet wel erg rijk zijn,' zei Mike met een grijns.

'Vergeet alsjeblieft dat je die naam hebt gehoord, anders ga ik voor het volgende millennium niet meer met je naar bed.'

Mike lachte.

'En hoe wist je dat ze rijk was?'

'Ik weet wat Flightcraft is. Je moet niet vergeten dat ik advocaat in Los Angeles ben geweest. Ze komt dus met een privévliegtuig aan, hè?'

'Mike!' waarschuwde Amanda.

Greene lachte weer. Toen keek hij naar de klok op het nachtkastje. 'Hoe laat moet je op het vliegveld zijn?'

'Om acht uur.'

Mike sloeg zijn arm om Amanda's buik. 'Ik denk niet dat ik nog in slaap kan komen,' zei hij terwijl zijn hand langzaam naar Amanda's borsten gleed.

Amanda draaide zich naar Mike toe. Als ze wakker gemaakt werd, werkte dat altijd op haar zenuwen en ze had nog voldoende tijd om te douchen en zich aan te kleden.

'Mannen zijn allemaal varkens. Ze denken maar aan één ding,' zei ze.

Mike grijnsde en reageerde met de meest waardevolle zinsnede die hij tijdens zijn rechtenstudie had geleerd: 'Aangenomen dat dat waar is, wat is er dan verkeerd aan?'

Het was ongewoon warm voor een Portlandse zomer. Amanda had de airconditioning hoog gezet terwijl ze over de snelweg naar Airport Way reed, de weg die naar Portland International Airport liep. Vlak voor de weg afboog naar de parkeergarage bij het hoofdgebouw en de aankomst- en vertrekhallen, zag ze een bord BUSINESS FLIGHTS. Ze reed een parkeerterrein tegenover het gebouw van Flightcraft op. Het servicebedrijf was gevestigd in een gebouw van glas en staal. Het gebouw deed dienst als terminal voor privévliegtuigen. Binnen stonden een paar rijen stoelen en een incheckbalie. Toen Amanda naar binnen ging, stond er een aantrekkelijke brunette met veerkrachtig, schouderlang haar op. Ze droeg een blauw broekpak met een krijtstreepje, een witzijden overhemd en een ketting van witte parels. Ze zag er zowel zakelijk als heel elegant uit.

Amanda was knap, maar niemand zou haar elegant noemen. Aan het jarenlang wedstrijdzwemmen had ze brede schouders overgehouden. Ze had een gespierd gestel, dat ze in conditie hield door de trainingen te blijven volgen waar ze 'Pacific 10'-kampioen mee was geworden en een gooi had gedaan naar een plaats in het olympische team. Haar figuur leek in niets op dat van een mannequin, maar mannen vonden haar toch aantrekkelijk.

'Mevrouw Jaffe?'

Amanda knikte. De vrouw stak haar hand uit en ze begroetten elkaar.

'Ik ben Jennifer Gates, de assistente van mevrouw Brice. Mevrouw Brice verwacht u.'

'Aangenaam kennis te maken, Jennifer. Ga maar voor.'

Een gestroomlijnde witte Gulfstream G500 met het logo van *World*

News op de romp geschilderd stond vlak bij het gebouw op de landingsbaan te wachten. Amanda liep een trap op en betrad een interieur dat in niets leek op dat van een van de vliegtuigen waarin zij ooit had gevlogen. Op de vloer lag een hoogpolig beige tapijt dat je eerder in een penthouse in Manhattan zou verwachten en de wanden waren met donker hout betimmerd. Er stonden veertien ruime, met donkerbruin leer beklede stoelen, waarvan er één was omgebouwd tot een keurig opgemaakt bed. Halverwege de deur naar de cockpit stond een eiken vergadertafel, waaraan voor één persoon was gedekt. Er lag een linnen servet met het monogram van *World News* erop en er stonden een kristallen glas met ijskoud water en een glas voor de jus d'orange, die in een kristallen schenkkan klaarstond. Amanda zou erom hebben gewed dat het bestek van zuiver zilver was.

Amanda had in Bay op de universiteit gezeten en in Manhattan rechten gestudeerd, dus ze was niet helemaal onkundig als het om mode ging, maar de vrouw die tegenover de plaats zat waar voor één persoon was gedekt was duidelijk een deskundige op dat gebied. Ze droeg zwarte open Manolo Blahnik-pumps, een zwarte pantalon van crêpe de Chine en een met zwart afgezet Donna Karan-colbert van grijs tweed met een tailleriem. Een gouden halsketting sierde haar hals, aan haar oren hingen gouden oorbellen en ze kon de tijd aflezen op een groot Cartier-horloge. Op een lege stoel naast haar stond een grote zwartleren Prada-schoudertas. Brice' nagels waren gemanicuurd, ze was perfect opgemaakt en haar kapsel zag eruit alsof een kapper er zojuist de laatste hand aan had gelegd. Niemand zou ooit hebben vermoed dat ze net een vermoeiende nachtvlucht van de ene kant van het land naar de andere achter de rug had.

'Fijn dat u gekomen bent, mevrouw Jaffe,' zei Brice.

'Chique boel,' antwoordde Amanda toen ze het interieur van de Gulfstream helemaal had bekeken.

'Ik vind het zelf niet onaardig. Kan ik u jus d'orange aanbieden? Wilt u koffie?'

Amanda liet zich op de stoel zakken waar de tafel gedekt was. 'Jus d'orange graag, en ik neem aan dat uw kok voor een latte kan zorgen?'

'Enkel of dubbel?' vroeg Brice met een geamuseerde glimlach om haar lippen.

Amanda glimlachte terug. 'Dubbel, graag.'

Brice keek naar Jennifer Gates, die een groot glas jus d'orange voor

Amanda inschonk en vervolgens naar achteren liep om haar bestelling voor een latte door te geven.

'Ik ben behoorlijk onder de indruk geraakt. Kunt u me nu vertellen wat er aan de hand is?'

'Zeggen de namen Gabriel Sun en Charlie Marsh u iets?'

'De goeroe van de duivel! Natuurlijk weet ik wie dat is. Het proces van Sally Pope was mijn vaders grootste zaak.'

'Marsh komt terug naar Oregon om de aanklacht wegens de moord op het congreslid Arnold Pope Junior onder ogen te zien. Ik zou graag willen dat u hem vertegenwoordigt. U krijgt een voorschot van vijfhonderdduizend dollar. Als dat voorschot niet toereikend is voor de tijd die u eraan besteedt, wordt er een extra honorarium betaald.'

Amanda had in het verleden een paar keer een hoog voorschot gekregen, maar dat was niets vergeleken bij dit. Ze had er al haar ervaring in de rechtszaal voor nodig om haar opwinding niet te laten merken.

'Waarom is *World News* bereid de verdediging van Gabriel Sun te financieren?' vroeg ze.

'Dat zijn we niet. Herinnert u zich de bestseller die hij geschreven heeft?'

'*Het licht in jezelf?* Natuurlijk. Ik studeerde nog toen mijn vader Sally Pope verdedigde. Ik wed dat iedere student op Berkeley dat boek heeft gelezen.'

'Ik heb namens Charlie met zijn oorspronkelijke uitgever onderhandeld over een contract voor een nieuw boek. Het gaat om een autobiografie die aansluit op zijn eerste boek. Charlie gaat daarin alles vertellen over de schietpartij bij de Westmont-sociëteit, zijn vlucht naar Afrika, zijn leven in Batanga en zijn proces – het proces dat u namens hem gaat voeren.'

Brice boog licht voorover en keek Amanda recht in de ogen.

'Het staat buiten kijf dat Charlies nieuwe boek een bestseller wordt. Iedereen in Amerika zal het lezen, en daarmee wordt u de bekendste strafpleiter van het hele land. Bent u erin geïnteresseerd, mevrouw Jaffe?'

Brice leunde achterover om haar woorden te laten bezinken.

'Natuurlijk ben ik geïnteresseerd,' zei Amanda. Op dat moment verscheen Brice' kok met haar pannenkoekjes. Jennifer Gates liep een paar passen achter hem aan met Amanda's latte.

Haar vader had naam gemaakt met de zaak-Pope. Het proces van

Sally Pope en de voortdurende verhalen over Charlie Marsh' vlucht naar Afrika hadden meer dan een jaar lang alle radio- en televisie-uitzendingen gedomineerd. Amanda was al beroemd in Oregon – en men kende ook haar naam in juridische kringen daarbuiten – maar als ze de goeroe van de duivel zou verdedigen, zou ze in elke Amerikaanse staat bekend worden.

'Wat voor relatie hebt u met Charlie Marsh?' vroeg Amanda terwijl ze warme ahornsiroop over de stapel pannenkoeken goot.

'Een zuiver beroepsmatige.'

'Wat levert het u dan op?' vroeg Amanda voordat ze haar eerste hap nam.

'Exclusiviteit. Hij gaat ermee akkoord dat hij alleen met *World News* praat, en hij heeft toestemming gegeven dat we tijdens het proces een van onze verslaggevers bij uw team kunnen detacheren.'

Amanda liet haar vork zakken. 'Ho ho, wacht even. Wat gaat die verslaggever doen?'

'Hij heet Dennis Levy. Hij is jong en heel bekwaam. Ik denk dat u hem wel aardig zult vinden.'

'U hebt mijn vraag niet beantwoord, mevrouw Brice. Wat stelt u zich voor dat Levy tijdens het proces gaat doen?'

'Ik stel me voor dat hij zich als luistervink opstelt. Hij zal natuurlijk in de rechtszaal aanwezig zijn, maar hij zal ook uw strategiegesprekken bijwonen en erbij zijn als u met Marsh overlegt en met getuigen beraadslaagt. Daarnaast interviewt hij u en de leden van uw team afzonderlijk. Op die manier hebben we een voorsprong op alle andere kranten, tijdschriften en televisiestations.'

'Dan hebben we misschien een probleem. Ik kan onmogelijk toestaan dat uw verslaggever in uw blad mijn strategie uiteenzet zodat iedereen op het bureau van de aanklager erover kan lezen.'

'Dat is natuurlijk niet de bedoeling. Dennis zal niets doen wat de zaak van de heer Marsh in moeilijkheden brengt.'

'En hij kan ook niet aanwezig zijn bij mijn overleg met de heer Marsh. Hij is geen advocaat, zodat de vertrouwensregel tussen advocaat en cliënt niet op hem van toepassing is. Als er tijdens een gesprek tussen de heer Marsh en mij een derde aanwezig is, komt die regel te vervallen. Uw verslaggever zou dan als getuige à charge kunnen worden opgeroepen en gedwongen worden verklaringen af te leggen over alles wat de heer Marsh mij in vertrouwen heeft meegedeeld.'

'Hoe zit het dan met de bescherming die het Eerste Amendement hem als persvertegenwoordiger biedt?'

'Ik ben geen deskundige op dat gebied, maar ik ben er vrijwel zeker van dat er jurisprudentie bestaat waarin het hof staande houdt dat het Eerste Amendement onder deze omstandigheden een verslaggever geen bescherming biedt.'

'Ik zal mijn juridische staf deze kwestie laten onderzoeken. Nogmaals, ik ben niet van plan om ook maar iets te doen wat Marsh' kans op vrijspraak kan schaden.'

'De heer Levy zal zich aan mijn instructies moeten houden. Ik wil zijn artikelen lezen voordat ze gepubliceerd worden om er zeker van te zijn dat hij niets schrijft waarmee ze ons in de kaart kunnen kijken of wat een vertrouwelijke mededeling in de openbaarheid brengt.'

'Daar worden we het wel over eens. Dus u doet mee?'

'Ik ben zeker geïnteresseerd, maar het kan zijn dat er sprake is van een belangenconflict. U weet toch dat mijn vader, Frank Jaffe, Sally Pope heeft verdedigd? Zij was Marsh' medeverdachte.'

Brice knikte.

'Zoals ik al zei, ik studeerde nog toen het proces plaatsvond, maar we zijn nu compagnons en ik moet me ervan overtuigen dat er geen belangenconflict is.'

'Mevrouw Pope is toch vrijgesproken?'

'De zaak werd halverwege het proces voorwaardelijk geseponeerd. Dat verandert niets aan de juridische gevolgen.'

'Wat is dan het probleem?'

'Misschien is er geen probleem, maar dat moet ik wel zeker weten. Als er geen probleem is, neem ik de zaak zeker aan. Dat wil zeggen, als de heer Marsh wil dat ik hem verdedig. U begrijpt dat niet u mijn cliënt bent, maar hij. Als hij mij wil, doe ik mee.'

'Prima.'

'Waar is de heer Marsh nu?'

'Onderweg naar New York. Hij logeert daar in een appartement dat eigendom is van *Worlds News*.'

'U gaat zijn terugkomst toch niet in de publiciteit brengen, hoop ik? Ik wil niet dat de officier van justitie weet waar hij is. Dan zou hij hem kunnen laten arresteren.'

'Ik ben niet van plan om ook maar aan iemand te vertellen dat de heer Marsh terug in de Verenigde Staten is tot u zegt dat het kan.'

'Prima. Het eerste wat ik ga doen, zodra ik zeker weet dat ik de zaak kan aannemen, is regelen dat de heer Marsh zich vrijwillig ter beschikking van justitie stelt. Dat geeft me tijd om een hoorzitting te regelen over vrijlating op borgtocht. Als het aan mij ligt, wil ik niet dat hij in de gevangenis zit terwijl wij het proces aan het voorbereiden zijn.'

Brice zocht in haar schoudertas en haalde er een enveloppe uit, die ze aan Amanda gaf. 'Dit is uw voorschot. Er zit een lijst met telefoonnummers bij waarop u me kunt bereiken. Laat me zo gauw mogelijk weten hoe het met dat belangenconflict zit.'

'Ik wil meteen als ik de zaak heb aangenomen met de heer Marsh spreken.'

'Als u wilt, kan ik u met ons vliegtuig op laten halen, dan kunt u in New York met hem praten.'

Amanda liet haar hand over de met leer beklede stoel glijden. 'Daar houd ik u misschien aan, als u er tenminste nog een gratis ontbijt tegenaan gooit. Die pannenkoeken zijn heerlijk!'

9

Tijdens de rit naar haar kantoor kon Amanda haar opwinding nauwelijks onderdrukken. Ze was betrokken geweest bij een aantal grote zaken die in het hele land de aandacht hadden getrokken, zoals de zaak-Cardoni – de seriemoordenaar – en de zaak-Dupre, die te maken had met de moord op een Amerikaanse senator. Maar de aandacht die 'de staat versus Charles Marsh' zou trekken was van een heel andere orde. Haar hele leven zou erdoor overhoop worden gehaald, maar de kans om deel van de geschiedenis uit te maken maakte het dubbel en dwars de moeite waard.

En ze had ook nog een persoonlijke reden om de zaak aan te nemen: wat een slag zou ze slaan als ze de naam van Marsh op dezelfde manier kon zuiveren als haar vader die van Sally Pope!

Amanda parkeerde op haar vaste plaats en liep door de golvende hitte naar het Stockman-gebouw, een kantoorgebouw van veertien verdiepingen midden in het centrum van Portland. Jaffe, Katz, Lehane & Brindisi huurden de hele zevende verdieping. Meteen nadat Amanda bij de receptie had gekeken of er nog boodschappen voor haar waren, liep ze naar het kantoor van haar vader.

Frank Jaffe was een forsgebouwde man van achter in de vijftig. Hij had een rossig gezicht en een krullende haardos, die meer grijs dan zwart begon te vertonen. In zijn jeugd had hij twee keer zijn neus gebroken bij vechtpartijen, en hij leek meer op een misdadiger dan op een jurist. Franks ruime hoekkantoor werd opgesierd door antiek. Een groot bureau, dat hij vlak nadat hij zijn praktijk had geopend op een veiling had gekocht, nam het grootste deel van de ruimte in beslag. In de loop der jaren was het bureaublad beschadigd door brandende sigaretten, krassen van paperclips en koffievlekken, maar dat was moeilijk te zien omdat bijna iedere centimeter bedekt was met wetboeken, stapels papier of dossiers.

Amanda maakte haar aanwezigheid kenbaar door op Franks deurpost te kloppen. Hij keek op van de kladversie van het juridische memorandum waaraan hij zat te werken. 'Wat heeft die vette glimlach op je bekkie te betekenen?' vroeg Frank.

Amanda plofte neer op een van de twee stoelen voor cliënten die tegenover Franks bureau stonden.

'Waarom denk je dat ik dit gekregen heb?' vroeg Amanda, de cheque van het voorschot naar Frank gooiend. Hij staarde even naar de cheque en floot toen tussen zijn tanden. Amanda's glimlach werd breder.

'Heb je de loterij gewonnen?' vroeg hij.

'Daar lijkt het op. Ik ben net aangenomen om de zaak van de eeuw te verdedigen.'

'Dat zegt me al genoeg,' zei Frank. Hij kon een grijns niet onderdrukken. 'Vertel op, wat is dat voor een zaak die zo groot is dat hij een dergelijk voorschot rechtvaardigt?'

'Charlie Marsh komt terug om terecht te staan voor de moord op Arnold Pope Junior.'

Frank glimlachte nu niet meer. 'Dat méén je niet!'

'Ik meen het wel degelijk. Hij is op dit moment vanuit Afrika onderweg terug naar Amerika. Het blad *World News* biedt hem in New York onderdak totdat ik zijn vrijwillige uitlevering heb kunnen regelen.'

'Hoe betaalt hij je?'

Amanda vertelde haar vader over de overeenkomst voor het boek en Martha Brice' verwachtingen omtrent de exclusiviteit van *World News* bij de verslaggeving over de zaak. Toen zijn dochter uitgepraat was, keek Frank bedenkelijk.

'Dat gedoe met die verslaggever staat me niet aan.'

'Mij ook niet, maar ik kan wel een oogje op hem houden, en Brice heeft ingestemd met de beperkingen die ik wil opleggen.'

'Dat zegt ze tenminste. Uit wat je me verteld hebt, maak ik op dat het iemand is die je gouden bergen belooft zonder er ook maar iets van te menen. Ze rekent erop dat jij geen half miljoen dollar gaat terugbetalen als het eenmaal op jouw rekening staat. Als ze je er eenmaal bij betrokken heeft, gaat ze kijken hoever ze kan gaan.'

'Dat kan ze wel proberen, maar ik heb duidelijk gemaakt dat Charlie mijn cliënt is en niet zij. En ik hoop dat je weet dat ik de Martha Brices van deze wereld heus wel aankan.'

'Dat weet ik, maar het zal niet gemakkelijk zijn, en je bent nog nooit betrokken geweest bij een mediacircus als dat waar je op het punt staat je in te storten. Het kan bedwelmend zijn. Hoeveel topadvocaten heb je niet in idioten zien veranderen zodra ze de kans kregen om hun mening op de nationale zenders te verkondigen?'

'Ik begrijp wat je bedoelt, maar je vergeet dat ik een wijze oude mentor heb die me op mijn weg naar de roem kan begeleiden. Ik weet zeker dat ik erop kan rekenen dat je een emmer koud water over me heen gooit als ik me als een ezel begin te gedragen.'

Frank glimlachte. Hij zou met de emmer klaarstaan, maar hij betwijfelde of hij die ooit zou hoeven te gebruiken, want hij kende zijn dochter maar al te goed.

'Ik heb twee verzoekjes, pap,' zei Amanda. 'Kun je me alles vertellen over de zaak-Pope? Ik heb wel de kranten gelezen en er ook iets van gevolgd toen jij ermee bezig was, en we hebben er ook een paar keer over gepraat, maar dat was twaalf jaar geleden en mijn geheugen moet nodig opgefrist worden.'

'Wil je dat ik dat nu doe?'

'Probeer maar.'

'Ik weet niet of me dat lukt, zo uit mijn hoofd. Kijk, ik moet echt eerst dit memorandum afmaken. Waarom bestellen we niet wat te eten, dan kunnen we in de lunchpauze in de vergaderzaal praten? Ik zal het dossier uit het archief laten halen. Dan heb ik ook tijd om erover na te denken.'

'Da's goed.'

'Je zei dat je twee verzoekjes had. Wat is het tweede?'

'Het drong tot me door dat we misschien een belangenconflict hebben. Ik heb nog niet bij de balie geïnformeerd, maar ik ga een medeverdachte vertegenwoordigen van iemand die jij hebt vertegenwoordigd. Ze kan niet opnieuw in staat van beschuldiging gesteld worden, maar ik kan me voorstellen dat zich problemen kunnen voordoen. Ik vroeg me af of jij Sally Pope een afstandsverklaring kunt laten tekenen.'

'Dat lijkt me geen probleem,' zei Frank. Zijn gezicht verried geen van de emoties die in hem opkwamen bij het idee dat hij Sally Pope weer zou ontmoeten.

Frank en Amanda praatten nog even door. Op een gegeven moment zei Frank dat hij verder moest met zijn memorandum en ging Amanda naar haar eigen kantoor. Frank moest het memorandum afmaken, maar in werkelijkheid wilde hij tijd voor zichzelf om de mogelijkheid dat hij Sally Pope weer zou ontmoeten tot zich door te laten dringen. Ze maakte al een hele tijd geen deel van zijn leven meer uit, maar de littekens waren nog niet verdwenen.

Frank leunde achterover in zijn stoel en staarde uit zijn raam naar de groene heuvels die zich boven het centrum van Portland verhieven. De hemel was helderblauw, met hier en daar witte wolken; een rustig beeld, dat haaks stond op de emoties die in hem opwelden. Aan Sally Pope denken was pijnlijk voor Frank, en dus richtte hij zijn aandacht op Charlie Marsh. Sally Pope was dan wel zijn cliënt geweest, maar het proces ging de hele tijd over Marsh. Het verhaal van Charlie begon met de gijzeling in de gevangenis.

DEEL II

De staat Oregon versus Sally Pope

1996-1997

10

Een paar minuten voordat Crazy Freddy Clinton met zijn onbezon-
nen ontsnappingspoging uit de staatsgevangenis begon, zaten hij en
Charlie Marsh tussen de gammele houten rekken, waar de jammerlijk
ontoereikende juridische collectie van de gevangenisbibliotheek
stond opgeslagen, aan een bevelschrift te werken. De celgenoten waren
beste maatjes, en een echt vreemd stel. Ze droegen dezelfde gevange-
niskleren – spijkerbroeken en blauwe werkoverhemden – en waren allebei bijna één meter tachtig lang, maar daar hielden de overeenkom-
sten op.

Charlie had blond haar en geen tatoeages. Freddy had zijn hoofd
kaalgeschoren en leek als hij naakt was op een kunstgalerij. Charlie
zou over een paar weken voorwaardelijk vrij komen na een gevangenisstraf van drie jaar wegens fraude met creditcards. Crazy Freddy zat
opeenvolgende straffen van twintig jaar uit wegens poging tot moord
en een gewapende overval. Tegen de tijd dat hij vrijkwam, zou hij een
looprek moeten gebruiken. Charlie had sinds het begin van zijn opsluiting een beetje getraind, maar de spierbundels die hij aan zijn slanke gestel had toegevoegd waren moeilijk te onderscheiden. Tijdens
zijn vele gevangenisstraffen had Freddy, door een aan het krankzinnige grenzend trainingsprogramma te volgen, uitpuilende en duidelijk
te onderscheiden rug-, buik-, borst- en bovenarmspieren ontwikkeld.
Maar Crazy Freddy wás krankzinnig, zodat dat hem niet veel moeite
had gekost.

Freddy leefde voor het geweld, maar Charlie was om praktische redenen pacifist; hij was een lafaard, en had bijna elk gevecht waar hij bij
betrokken was geweest verloren. Als het niet aan Freddy had gelegen,
zou Charlie op school een van de meest getreiterde jongens zijn geweest en in de gevangenis als iemands homohoer hebben moeten die-

nen. Maar Freddy was als buurjongen van Charlie opgegroeid en ze waren al sinds de lagere school dikke vrienden. Als Claytons dronken vader weer eens uitzinnig tekeerging, verstopte Charlie Freddy in zijn huis en hij had vanaf het begin Freddy, die niet al te pienter was, met zijn huiswerk geholpen. Als wederdienst sloeg Freddy iedereen die het op zijn vriend had gemunt in elkaar. Vreemd genoeg stelde Freddy – die volkomen paranoïde was – alle vertrouwen in Charlie. Toen hij erachter kwam dat Charlie naar de gevangenis was gestuurd, zorgde hij ervoor dat de gevangenen wisten dat ze zijn maat met rust moesten laten en hij had geregeld dat ze een cel konden delen.

Net als de meeste sociopaten was Freddy ervan overtuigd dat hij uiterst intelligent was en kwam hij voortdurend met 'geniale' ideeën op de proppen om zijn vonnissen nietig te laten verklaren. Het was het soort ideeën dat bij nauwkeurig onderzoek nooit overeind bleef, maar Freddy's ideeën werden maar zelden onderzocht, omdat niemand de moed had hem tegen te spreken. Dat was trouwens zinloos, omdat Freddy iedereen die kritiek op hem had tot moes sloeg als hij gefrustreerd raakte over zijn onvermogen om de logica van zijn opponent in te zien. Charlie liet nooit rechtstreeks merken dat hij de ideeën van zijn vriend dom vond. Freddy had hem gedurende al de jaren dat ze bevriend waren nooit uit woede aangeraakt, maar in de buurt van Freddy was het altijd beter om op safe te spelen.

'Ik kan niets vinden,' zei Charlie. Hij had zaken zitten doornemen waarin het hof een vonnis wegens onbekwaamheid van een advocaat nietig had verklaard.

'Beter kijken. Er moet toch ergens iets over in die boeken staan.'

'Ik weet het niet, Freddy,' zei Charlie voorzichtig. 'Ik kan me niet voorstellen dat de Hoge Raad je vonnis nietig verklaart omdat je advocaat steeds moest plassen.'

'Luister eens, moet jij wel eens erg nodig?'

'Natuurlijk.'

'Kun je goed nadenken als je hoognodig moet?'

'Nee, het leidt af.'

'Dat is nou precies wat ik bedoel. Die klootzak moest bij elke schorsing gaan zeiken, en die zittingen duurden erg lang. Hoe kan hij zich verdomme op mijn zaak concentreren als hij steeds moet gaan plassen? Toen die kloteverklikker Jermaine tegen me getuigde, zat mijn advocaat zo vreselijk op zijn stoel te wiebelen dat ik dacht dat hij er verdomme af zou vallen. Ik wed dat hij geen woord heeft gehoord van de leugens die die klootzak zat te verkondigen. Als dat godverdomme geen onbekwaamheid is, weet ik het niet meer.'

'Eh… ja, het is net zoiets als in slaap vallen. Er zijn wel zaken bekend waarin het hof stelde dat een verdachte geen behoorlijke verdediging had gekregen omdat zijn advocaat tijdens het proces in slaap was gevallen.'

'Goed geredeneerd. Zie je wel dat je het kunt?'

'Een verweer wegens incontinentie zou zeker opzienbarend zijn.'

'Wegens wát?'

'Incontinentie. Dat betekent dat iemand zijn plas niet kan ophouden en zich benat. Het zou ertoe kunnen leiden dat de Hoge Raad zegt dat alle advocaten een luier moeten dragen.'

Freddy glimlachte. 'Dat vind ik nou leuk.'

Precies op dat moment kwam de gevangenisdirecteur, Jeffrey Pulliams, de bibliotheek binnen. Hij was in gezelschap van een cipier, Larry Merritt, en drie bibliothecarissen van de regionale bibliotheekcentrale, Mabel Brooks, Ariel Pierce en Jackie Schwartz. Directeur Pulliams was een enigszins gezette, kalende optimist die geloofde in rehabilitatie. Gedurende zijn directeurschap had hij ernaar gestreefd om een band te leggen tussen de gevangenis en de gemeenschap, om zo de overgang van ex-gevangenen van opsluiting naar een productief bestaan in de maatschappij te bevorderen. Deze rondleiding was een onderdeel van het welzijnsprogramma van de directeur. Hij hoopte dat de bibliotheekcentrale niet alleen boeken ter beschikking zou stellen, maar ook zou helpen bij het alfabetiseringsproject en de cursussen creatief schrijven die hij in het lesprogramma van de gevangenis had opgenomen.

Freddy Clayton was geen onbekende van de directeur. Elke keer dat de gevangene uit de isoleercel werd vrijgelaten hadden ze een goed gesprek gevoerd. De directeur geloofde in het goede in de mens, en hij liet de mensen die hem waren toevertrouwd nooit in de steek. Het deed hem genoegen Freddy Clayton in de bibliotheek aan te treffen. Uiteraard was Crazy Freddy niet geïnteresseerd in lesprogramma's of het verruimen van zijn geest. Zijn voornaamste interesse was hoe hij uit de gevangenis kon komen, ongeacht op welke manier. Hij geloofde dat de onverwachte verschijning van deze drie vrouwelijke bibliothecaressen hem een snellere manier bood om zijn doel te bereiken dan het indienen van een verzoekschrift bij de rechtbank.

'Dames,' zei directeur Pulliams, 'mag ik u voorstellen aan Frederick Clayton en…?'

'Charles Marsh, meneer,' zei Charlie toen het duidelijk was dat de directeur geen idee had wie hij voor zich had.

'Natuurlijk, meneer Marsh. Deze dames zijn bibliothecarissen en ik geef ze een rondleiding door ons gebouw. Zou u uit willen leggen hoe belangrijk deze bibliotheek voor u is?'

Charlie ging staan, maar Freddy bleef zitten.

'Een goed voorziene bibliotheek is voor een gevangenis van groot belang,' zei Charlie. 'Zoals u zich kunt voorstellen, dames, hebben gevangenen een heleboel vrije tijd, en ledigheid is des duivels oorkussen. Deze bibliotheek stelt ons in staat onze vrije tijd nuttig te besteden.'

De directeur was zo ingenomen met Charlies geouwehoer dat hij niet merkte dat Freddy vooroverboog en een mes uit zijn sok trok.

'Ik had het zelf niet beter kunnen zeggen, meneer Marsh,' zei de directeur met een brede glimlach, die meteen verdween toen Freddy Jackie Schwartz bij het groepje vandaan sleurde en het vlijmscherpe lemmet van zijn in de gevangenis gemaakte mes tegen haar halsslagader drukte.

'Wat doe je nu?' gilde Charlie.

'Maken dat ik hier godverdomme wegkom,' zei Freddy tegen zijn vriend. Vervolgens richtte hij zijn aandacht op de directeur.

'Als je niet precies doet wat ik zeg, snijd ik dit kreng aan stukken. Heb je dat begrepen, klootzak?'

'Meneer Clayton…' begon de directeur.

'Hou je bek. Ik bepaal wat hier gebeurt. Als iemand een woord zegt, gaat ze eraan. En nu als de sodemieter naar de opslagruimte.'

Freddy knikte in de richting van de verste muur, waar een deur toegang bood tot een opslagruimte waar schoonmaakmiddelen, extra boeken en allerlei andere spullen werden bewaard.

De bewaker ging met zijn hand in de richting van zijn knuppel.

'Dat zag ik,' zei Freddy en duwde het lemmet een paar centimeter naar rechts. Langs de keel van de gijzelaar liep een dun straaltje bloed. Mabel Brooks hapte naar lucht.

'Hou je bek, kreng, en jij daar, laat die knuppel vallen en loop door. Als je weer een vreemde beweging maakt, gaat ze eraan. Ik begin gewoon te steken totdat iemand me neerschiet.'

De directeur had Claytons dossier meerdere malen gelezen en wist dat hij in staat was om meedogenloos te doden.

'Doe wat hij zegt,' beval Pulliams met bevende stem. Hij begon in de richting van de opslagruimte te lopen.

De andere gevangenen die gebruikmaakten van de bibliotheek hadden het rumoer gehoord en kwamen dichterbij toen Freddy zijn gijzelaars langs de rekken leidde.

'Oprotten!' beval Freddy. 'Jullie hebben hier niets te zoeken.'

De mannen hoefden zich niet te bedenken. Charlie wilde hen achterna lopen, maar Freddy hield hem tegen.

'Jij niet, Charlie. Ik heb je hier nodig, maat.'

Het hart zonk Charlie in de schoenen. Hij zou over een paar weken voorwaardelijk vrijkomen. Nu maakte Freddy hem medeplichtig aan misdrijven die hem voor de rest van zijn leven achter de tralies zouden kunnen doen belanden.

Zodra de gijzelaars in de opslagruimte waren, keek Freddy om zich heen. Hij liet zijn blik rusten op een grote klos touw.

'Bind ze vast, Charlie.'

'Misschien moeten we…'

'Nee, we moeten ze vastbinden, dan kunnen ze geen moeilijkheden maken.'

Freddy gebruikte het mes om een aantal stukken touw af te snijden. Terwijl Charlie de gijzelaars vastbond, keek Freddy de opslagruimte rond. Toen iedereen behalve Jackie Schwartz stevig was vastgebonden en op de vloer zat, gaf Freddy de bevende vrouw over aan Charlie en bekeek een aantal blikken verf die in een hoek van de ruimte stonden opgeslagen. Naast de verfblikken stond een aantal blikken verfverdunner. De etiketten op de blikken waarschuwden dat het product gevaarlijk en ontvlambaar was.

Freddy fouilleerde de directeur en de cipier, maar hij vond niet wat hij zocht. Vervolgens verzamelde hij de handtassen van de vrouwen en doorzocht ze. Hij glimlachte toen hij in de tas van Mabel Brooks een pakje sigaretten vond en grijnsde breed toen hij haar aansteker ontdekte.

'Precies wat ik nodig heb,' zei Freddy. Hij ging naar de voorraad verfspullen en liep met een van de blikken thinner naar de plek bij de muur waar Charlie de gijzelaars had opgesteld.

'Dit is mijn garantie,' zei Freddy tegen Charlie. Vervolgens wendde hij zich tot de gijzelaars. 'Jullie gaan allemaal in bad. Als ik zie dat er iemand probeert te ontsnappen…'

Freddy knipte de aansteker aan. Mabel Brooks staarde naar het vlammetje en begon te huilen. Jackie Schwartz was lijkbleek van de schrik.

Freddy trok het blik open en goot de thinner over de vrouw heen. Daarna ging hij verder met de volgende gijzelaar. Toen hij klaar was, trok Charlie hem naar zich toe en fluisterde, zodat de gijzelaars niet zouden kunnen horen wat hij zei.

'Freddy, dit is niet goed. Misschien moet je nu ophouden. Er is nog niemand ernstig gewond. Als je iedereen nu laat gaan kunnen we de directeur misschien zover krijgen dat hij het verder laat rusten.'

'Directeurtje gaat niet vergeven en vergeten, of wel?' vroeg Freddy aan Pulliams. De directeur reageerde niet.

'Dat dacht ik al. Nee, Charlie, we zitten hier tot het bittere einde aan vast. Het wordt vrijheid of de dood.'

'Ik kom binnenkort vrij, Freddy. Ze laten me voorwaardelijk gaan. Kun je me laten gaan?'

'Dat kan niet, maat. Je weet toch dat ik me moeilijk uit kan drukken.'

'Dat gaat je prima af. Je bent een pientere kerel.'

'Niet zo pienter als jij, Charlie. Ik ken de juiste woorden niet. Ik heb je nodig om namens mij het woord te voeren.'

Charlie keek naar de vrouwen. Ze waren doodsbang. De cipier probeerde uit alle macht kalm te blijven, maar directeur Pulliams zat vreselijk te zweten. Charlie had medelijden met hen. Hij had ook medelijden met zichzelf en was woedend op Freddy omdat die hem bij deze janboel had betrokken.

Charlies verhouding met Freddy was ingewikkeld. Ze waren goede vrienden, maar Charlie keurde bijna alles wat Freddy deed af. Als ze in hun jeugd niet zo'n sterke band hadden opgebouwd, zou Charlie mijlenver bij Clayton uit de buurt zijn gebleven. Maar hij kon niet ontkennen dat hij meerdere keren zwaargewond zou zijn geraakt als Freddy hem niet had beschermd, en daardoor stond hij bij Freddy in het krijt. Als Freddy hem zou laten gaan om te onderhandelen zou hij kunnen vluchten, maar dat zou waarschijnlijk betekenen dat de gijzelaars zouden sterven of dat er een arrestatieteam al schietend naar binnen zou stormen en Freddy zou doden, en dat wilde hij niet op zijn geweten hebben.

'Oké, maatje. Ik ga je helpen, maar je moet me beloven dat je niemand pijn doet.'

'Dat bepaal ik zelf. Als ze niet doen wat ik zeg...'

'Dat is zo, maar het zal me een heleboel moeite kosten om je eisen over te brengen als ik de onderhandelaars er niet van kan overtuigen dat alle gijzelaars ongedeerd zijn.'

'Ik begrijp wat je bedoelt.'

'Mooi. Wat heb je voor plan?'

Dat was een moeilijke vraag voor Freddy, omdat hij uit een opwelling had gehandeld zonder een strategie voor ogen te hebben.

'We zeggen tegen die klootzakken dat ze ons vrij moeten laten, anders vermoorden we déze klootzakken.'

'Dat is iets om mee te beginnen, maar waar wil je heen als je eenmaal vrij bent?'

Dat was een nog veel moeilijkere vraag. Behalve de gevangenis kende Freddy niet veel plaatsen. Toen herinnerde hij zich een televisieprogramma waarin een gijzelingsactie voorkwam.

'Een tropisch eiland! Ik wil naar een tropisch eiland. En ik wil een vliegtuig en een miljoen... nee, maak er maar twee miljoen dollar van.'

Charlie knikte een paar keer. 'Dat lijkt haalbaar,' loog hij.

Een aarzelende klop op de deur van de opslagruimte deed iedereen opschrikken.

'Maak dat je wegkomt, klootzak, anders snijd ik die wijven hier aan stukken,' gilde Freddy.

'Ik ben het, Jack Collins,' antwoordde de man die belast was met het beheer van de gevangenisbibliotheek met bevende stem. Collins was zeventig jaar en zat een levenslange gevangenisstraf uit. Tot zijn tweeenvijftigste was hij eigenaar van een boekhandel geweest en had toen zijn nieuwe, twintigjarige vrouw en haar minnaar vermoord. 'Ze zeiden dat ik met jou moest praten, Freddy.'

'Wat willen ze?' vroeg Freddy.

'Dat je iedereen laat gaan. Ze zullen je niets doen als iedereen ongedeerd blijft.'

'Je kunt tegen ze zeggen dat ik niemand laat gaan totdat mijn eisen zijn ingewilligd. Als ze niet op mijn eisen ingaan, vallen er doden. Ik heb ze allemaal met verfverdunner begoten. Als ik niet krijg wat ik wil, maken we er hier een ouderwetse barbecue van.'

'Wat... wat wil je dan?'

'Mijn helper, Charlie, weet wat mijn eisen zijn. Wie is er bij je?'

'Niemand. Ik ben hier alleen.'

'Ik hoop dat je de waarheid spreekt, anders eten we vanavond krokant gebakken bibliothecaris.'

'Maak geen gewonden, Freddy. Beloof je dat? Ik ben de enige in de bibliotheek.'

'Ik stuur Charlie naar buiten. Hij zal ze vertellen wat we willen. En ze kunnen maar beter zorgen dat ik het krijg.'

'Is Freddy krankzinnig?' vroeg Collins toen hij en Charlie ver genoeg van de opslagruimte verwijderd waren, zodat Freddy hen niet door de deur zou kunnen horen.

'Heb je het over zijn geestesgesteldheid of over zijn plan?' antwoordde Charlie verbitterd.

'Het was een retorische vraag,' zei Collins, die wist dat Freddy gestoord was en dat Charlie wist wat 'retorisch' betekende.

'Ik weet niet waarom Freddy dit soort klotestreken uithaalt,' jammerde Charlie. 'Maar dat weet hij meestal zelf ook niet.'

'Je kunt er beter iets aan doen. McDermott heeft de leiding. Hij heeft de hele gevangenis af laten sluiten en er is een arrestatieteam onderweg.'

Michael McDermott, de adjunct-directeur, was een diepgelovig iemand. Hij was begonnen als cipier en had zich opgewerkt tot zijn huidige positie als tweede man. McDermott had een diepe minachting voor directeur Pulliams en haatte de gevangenen. Hij geloofde niet in rehabilitatie en zag opsluiting als straf voor iemands zonden. De adjunct-directeur verlangde terug naar de goede oude tijd, toen lijfstraffen, dwangarbeid en zweetkamertjes nog gewoon waren.

McDermott stond achter de deur van de bibliotheek te wachten. Hij hield een geweer in zijn forse onderarmen en keek Charlie vanaf een hoogte van ruim één meter negentig woedend aan. Achter hem stond een aantal gewapende cipiers, maar geen van hen was zo lang als hij. McDermott had met zijn dikke nek en brede schouders iets van een stier. Zijn romp en benen leken op boomstammen.

'Wie is dat?' vroeg McDermott aan Collins.

'Charlie Marsh, meneer,' antwoordde de gevangenisbibliothecaris met bevende stem. 'De celgenoot van Clayton.'

'Oké, Marsh. Wat is hier aan de hand?'

'Meneer McDermott, ik wil alleen maar zeggen dat ik hier niets mee te maken heb. Ik kom over een paar weken voorwaardelijk v...'

'Heb ik je gevraagd om je levensverhaal?' zei McDermott op een toon die nog het meest op het angstaanjagende gegrom van een rottweiler leek.

'Nee, meneer. Ik wilde u alleen maar duidelijk maken dat het allemaal Freddy's idee was. Hij heeft soms moeite met nadenken, begrijpt u, en dit is een van die momenten. We zaten aan een verzoekschrift te werken toen directeur Pulliams met die drie dames bij onze tafel bleef staan. Voor ik het wist had Freddy een mes en dreigde hij een van de vrouwen te zullen vermoorden als de directeur niet precies deed wat hij zei. De directeur, de vrouwen en een cipier zitten nu vastgebonden in de opslagruimte.'

'Zullen we naar binnen gaan en hem uitschakelen?' stelde een cipier met kortgeknipt haar voor. Hij was bijna even groot als McDermott.

'Met alle respect, meneer, maar dat is misschien geen goed idee,' zei Charlie. 'Freddy heeft iedereen met verfverdunner begoten. Hij steekt ze in brand als u de opslagruimte bestormt. Maar luister even naar mij, want volgens mij is er een manier om dit op te lossen.'

'Vertel op,' beval McDermott.

'Freddy en ik zijn samen opgegroeid. Wij zijn al sinds de lagere school bevriend. Ik weet precies hoe zijn hersens werken. Freddy heeft een korte aandachtsboog, echt heel kort. Hij maakt waanzinnige plannen en voert die uit zonder erbij na te denken, maar hij raakt gauw zijn belangstelling kwijt. Als u een beetje geduld hebt, kunt u iedereen ongedeerd uit de opslagruimte halen.'

'Hoe denk je dat te doen?'

'Freddy heeft eisen. Hij wil een vliegtuig om hem naar een tropisch eiland te brengen en twee miljoen dollar.'

McDermott liet een schorre lach horen. 'Hoe komt hij erop? Heeft hij dat soms van de televisie?'

'Waarschijnlijk wel, of anders uit een of andere film. Maar hij is helemaal gefixeerd op zijn eisen, en als Freddy eenmaal iets in zijn hoofd heeft gehaald is er geen mogelijkheid om hem daarvan af te brengen tot het hem gaat vervelen. We moeten hem dus in de waan brengen dat u probeert om het voor hem te regelen. Laat mij maar met hem praten. Ik zal proberen om zo veel mogelijk mensen naar buiten te krijgen als ik kan en ik zal proberen om het Freddy uit zijn hoofd te praten zodra ik merk dat hij zijn belangstelling verliest. Ik wil niet dat er gewonden vallen. Freddy is mijn beste vriend. Hij heeft een erg moeilijke jeugd gehad, waardoor hij erg is getraumatiseerd. En hij is ook niet al te slim. Als het enigszins kan, wil ik zorgen dat hij, de directeur, de cipier en die dames in leven blijven.'

'Wat heb jij daar voor belang bij?' vroeg McDermott.

'Geen enkel. Ik zit hier alleen maar vanwege een fraudekwestie met creditcards. Ik kom binnenkort voorwaardelijk vrij. Ik wil dat alles weer wordt zoals het was voordat Freddy die mensen te pakken nam.'

'Goed. Zeg tegen Clayton dat ik alles in het werk stel om te zorgen dat hij dat vliegtuig en dat geld krijgt.'

'De gijzelaars hebben straks eten en water nodig.'

'Ik zal kijken wat ik kan doen,' zei McDermott. 'En het is goed dat jij ons helpt, Marsh. Ik vergeet nooit gevangenen die goed werk doen.' Hij zweeg even. 'En helemaal nooit degenen die dat niet doen.'

De adjunct-directeur wachtte tot Charlie de bibliotheek weer binnen was gegaan en wendde zich vervolgens tot de cipier met het kortgeknipte haar.

'Probeer erachter te komen waar het arrestatieteam blijft en laat nog wat meer mensen aanrukken.'

'Bent u niet van plan te wachten tot Marsh zijn kameraad heeft omgepraat?'

'Ik geef hem wel wát tijd, maar niet veel,' antwoordde McDermott, terwijl hij zijn dicht bij elkaar staande ogen op de deur van de bibliotheek richtte en in gedachten verschillende scenario's de revue liet passeren, die allemaal eindigden met het doorzeefde lichaam van Freddy Clayton, dat aan de hielen uit de opslagruimte werd gesleept.

Een dolle gevangene die drie hulpeloze vrouwen en een cipier gijzelt, vormt het antwoord op de gebeden van elke non-stop nieuwszender. In de bibliotheek was echter geen televisie en ook geen radio, zodat Freddy geen idee had van het mediacircus dat zich rond de gevangenis had ontsponnen. Charlie was op de hoogte van de publiciteit omdat McDermott het verzoek had ingewilligd om een groep kranten- en televisieverslaggevers de gevangenis binnen te laten. Elke keer dat hij de bibliotheek uit stapte om zijn overleg met McDermott voort te zetten, begonnen de lampen op de televisiecamera's fel te branden.

Gedurende de twee dagen daarop schuifelde Charlie op en neer tussen de opslagruimte en de gang naast de bibliotheek. Ondertussen daalde Freddy's geduld bijna tot het nulpunt. Het bleek dat de adjunct-directeur en Crazy Freddy bijna dezelfde tolerantie voor nietsdoen hadden. Charlie was voortdurend bezig om zijn vriend ervan te weerhouden kelen door te snijden en McDermott ervan te overtuigen dat hij geen bevel moest geven om de opslagruimte te bestormen. Een deskundige op het gebied van brandstichting had McDermott verteld dat de ontvlambaarheid van de verfverdunner over een tijdje zou afnemen, wat de kans deed toenemen dat het arrestatieteam door op het juiste moment in te grijpen ernstige verwondingen zou kunnen voorkomen. Charlie kwam daarachter en boorde het idee van een bestorming de grond in door tegen McDermott te zeggen dat Freddy op momenten dat het hem begon te vervelen de gijzelaars steeds met meer thinner overgoot.

Op de derde dag bereikte de gijzelingsactie in de gevangenis haar hoogtepunt. De muffe lucht in de opslagruimte stonk naar zweet, angst en verfverdunner. De gijzelaars waren uitgeput, bang en depressief, en Freddy was aan het eind van zijn Latijn. Hij had sinds het overhaaste begin van de gijzelingsactie niet meer dan twintig minuten aan een stuk geslapen en hij was helemaal op van de zenuwen. Charlie keek toe terwijl Freddy voor de gijzelaars op en neer liep, met het mes in zijn ene hand en de aansteker in de andere. Elke keer dat er een 'zoefzoef-zoef'-geluid klonk, ten teken dat er een helikopter overvloog, nam de paniek toe. Dat werd alleen nog maar erger als er een stilte viel, wat hij interpreteerde als de stilte voor de storm terwijl het arrestatieteam zich gereedmaakte voor de aanval.

'Dit is het dan, dit is het dan,' mompelde Freddy nauwelijks hoorbaar. Hij had bloeddoorlopen ogen en hij hield zijn kaken zo stevig op elkaar geklemd dat de huid op zijn wangen helemaal strak stond.

'Kalm blijven, Freddy,' zei Charlie, die ondanks zijn uitputting overtuigend probeerde te klinken.

'Die klootzakken willen tijd rekken. Het arrestatieteam kan elk moment hier zijn. Ik kan ze ruiken.'

'Dat denk ik niet. Ik weet zeker dat ze bezig zijn het geld bij elkaar te brengen.'

Freddy hield zijn pas in en staarde Charlie aan.

'Onzin.'

Meestal stond Freddy te razen en te tieren, maar nu klonk hij kalm en sprak op gedempte toon. Zijn zelfbeheersing joeg Charlie de stuipen op het lijf.

'Ze sturen helemaal geen vliegtuig. Ze houden je aan het lijntje. Het wordt tijd dat die klootzakken erachter komen dat het mij menens is, anders hebben ze helemaal geen ontzag meer voor me. En dan sturen ze het arrestatieteam op me af. Daar kun je van op aan.'

'Als jij een lijk naar buiten laat brengen komt er gegarandeerd een bestorming. Dan laat je ze geen keus.'

Freddy liet zijn schouders zakken en Charlie wist dat zijn vriend alle hoop op een tropisch palmenstrand had laten varen.

'Het kan me geen donder meer schelen. Als het arrestatieteam komt, ga ik eraan. Als ik naar buiten kom, ga ik eraan. Denk je niet dat mij op een gegeven moment iets overkomt als ik vandaag overleef? Mijn enige kans is om met een lijk op de proppen te komen.'

Freddy wendde zich van zijn vriend af en keek aandachtig naar de gijzelaars. De meesten waren te moe en te uitgehongerd om emoties te tonen. Larry Merritt was de enige die de moed had om Freddy recht in de ogen te kijken. Freddy wees naar de cipier.

'Ik snij zijn keel door en jij sleept hem naar buiten. Zeg tegen McDermott dat er elk uur dat ik op het vliegtuig en het geld moet wachten een gijzelaar aan gaat.'

'Nee, Freddy. Niet doen!'

'Ik moet wel, makker. Ik kan niet anders.'

'Als je hem vermoordt, betekent dat ook mijn dood. Dan komen ze schietend naar binnen en gaan we er allebei aan.'

'Je kunt daarachter wegkruipen,' zei Freddy, naar een kapot bureau met drie poten wijzend, dat zo scheef stond dat het met één kant de vloer raakte. 'En dan geef jij je over. Jij bent slim. Je kunt je eruit lullen. Ik moet dingen dóén.'

Freddy liep op de cipier af. 'Einde verhaal, klootzak.'

Freddy ging met het mes omlaag en Charlie wierp zich tussen de cipier en Freddy's mes.

'Godverdomme!' riep Freddy terwijl het mes zich in Charlies schouderblad boorde. Charlie lag languit boven op de geschrokken cipier. Freddy trok het mes uit Charlies rug en Charlie rolde op zijn zij, zodat hij zijn celgenoot kon zien.

'Verdomme,' kreunde hij. 'Je hebt me gestoken, Freddy.'

'Waar was je godverdomme mee bezig?' vroeg zijn vriend ontzet.

'Met je leven redden.'

Charlie hees zich half overeind en verzamelde moed. Hij zorgde ervoor dat hij tussen Freddy en Merritt in bleef zitten. Wat hij wilde zeggen, was moeilijk in woorden uit te drukken.

'Ik hou van je, Freddy.'

'Wát?'

'Niet op die manier. Ik ben geen flikker. Ik hou van je als een broer. Verdomme, we zíjn ook broers. We hebben wel niet dezelfde vader of moeder, maar we hebben een sterkere band dan echte broers. Hoor je wat ik zeg?'

Freddy keek hem stomverbaasd aan. De enigen die ooit tegen hem gezegd hadden dat ze van hem hielden, waren hoeren in de passie van het liefdesspel geweest, en hij wist dat die alleen maar op zijn drugs of zijn geld uit waren.

Charlie ging met zijn hand naar zijn rug en voelde dat er bloed uit de steekwond liep. Zijn gezicht vertrok van de pijn.

'Gaat het?' vroeg Freddy met oprechte bezorgdheid.

'Nee, joh, het gaat niet. Je hebt me godverdomme gestoken. Maar je zou me mogen vermoorden als je daarmee zelf je leven kunt redden. Daarom kon ik je de cipier niet laten doden. Als hij dood was gegaan zou dat jou ook het leven hebben gekost.'

'Wil jij… je leven voor me geven?' zei Freddy, die amper kon begrijpen dat Charlie bereid was voor hem te sterven.

'Om je te redden, ja. Hoeveel keer heb je mij verdomme niet gered? Ik weet niet hoe vaak. Het wordt tijd dat ik iets terugdoe.'

'Je bent me helemaal niets schuldig. Jij bent mijn vriend, Charlie, mijn enige vriend.'

Er kwamen tranen in Freddy's ogen. Hij had niet meer gehuild sinds hij een ijzeren schild rond zijn gevoelens had opgetrokken om zich tegen zijn vaders vreselijke mishandelingen te beschermen.

'Nee, Freddy, je hebt vrienden zat,' loog Charlie, in verlegenheid gebracht omdat Freddy onverwacht en voor het eerst zijn emoties had getoond.

'Dat lieg je, makker, maar ik ben niet gek. Ik weet dat je alleen maar wilt dat ik me goed voel, maar dat doe ik niet. Ik weet dat er een heleboel mensen bang voor me zijn, maar jij bent de enige die om me geeft. Jij hebt me beschermd tegen mijn ouweheer toen die… dat allemaal deed.'

Charlie voelde een pijnscheut. Hij kreunde. Freddy knielde naast hem en bekeek zijn schouder. Het blauwe gevangenisoverhemd werd aan de achterkant rood. Freddy hielp Charlie het uit te trekken en maakte vervolgens een kompres door het overhemd op te vouwen en het met zijn eigen overhemd over de wond te binden. Terwijl hij Charlie overeind hielp, zag Freddy dat er een lege literfles cola tegen de muur was gerold. Een golf van hevige emoties maakte zich van hem meester. Op dat moment besefte hij wat hem te doen stond. Hij sloeg zijn armen om zijn vriend en omhelsde hem.

'Het spijt me dat ik je hierbij heb betrokken' zei Freddy toen hij zijn vriend had losgelaten. 'Ik dacht niet na. Het had je dood kunnen zijn, maar ik dacht alleen maar aan mezelf.'

'Hé, joh…'

'Zeg niets, Charlie. Laat me praten. Jij denkt altijd aan mij, maar ik ben een egoïstische klootzak. Het is tijd om iets terug te doen. Ik laat iedereen gaan. Jij gaat met ze naar buiten. Zeg tegen McDermott dat ik me over wil geven en de gevolgen onder ogen wil zien. Ik heb het verkloot, en daar wil ik voor boeten.'

'Geweldig, Freddy. Dat is het beste wat je doen kunt.'

'Ja, maatje, dat denk ik ook. Snij ze los en maak dat je wegkomt.'

Charlies verwonding bezorgde hem een licht gevoel in zijn hoofd, maar hij wist dat hij snel moest handelen voordat Freddy zich bedacht. Charlie gebruikte het mes om bij iedereen de boeien los te snijden. Toen hij dat gedaan had, gaf hij het mes terug aan Freddy en leidde de gijzelaars de opslagruimte uit.

'Charlie Marsh hier, meneer McDermott,' riep hij door de deur van de bibliotheek. 'Ik heb de gijzelaars bij me. Ze zijn vrijgelaten. Er is niemand gewond. Niet schieten, we komen naar buiten.'

De deur ging open en de gijzelaars renden de gang in. Een enkeling snikte, maar de meesten waren te uitgeput om hun emoties te uiten.

'Meneer McDermott, Freddy wil zich overgeven. Als u nu naar binnen gaat, geeft hij zich over,' kon Charlie nog net uitbrengen. Hij was duizelig door het bloedverlies en door de pijn kon hij amper nadenken. Plotseling verloor Charlie zijn evenwicht en zakte op de vloer naast directeur Pulliams in elkaar.

'Haal een verpleger,' zei de directeur tegen McDermott. 'Die man is neergestoken toen hij Larry's leven wilde redden. Hij is een held.'

De kapitein van het arrestatieteam liet eerst een verpleger voor

Charlie komen en liep toen samen met McDermott en een paar andere leden van het arrestatieteam de bibliotheek in. De voorman leidde hen langs de rekken tot het punt waar ze de deur van de opslagruimte konden zien. De kapitein gaf met handgebaren aan waar zijn mannen zich moesten opstellen om gericht te kunnen schieten.

'Meneer Clayton, ik ben adjunct-directeur McDermott. We zijn dankbaar dat u de gijzelaars ongedeerd hebt laten gaan. Kom nu naar buiten, dan nemen we u in hechtenis. Ik verzeker u...'

Op dat moment werd de deur van de opslagruimte opengesmeten en verscheen Crazy Freddy Clayton. Zijn bovenlichaam was ontbloot en zijn gespierde lichaam glom van het zweet. In zijn ene hand hield hij het mes en in zijn andere de colafles. De fles was gevuld met verfverdunner. Uit de hals van de fles stak een stuk doek, dat doorliep tot in de vloeistof. Heldere vlammen verteerden het bovenste gedeelte ervan.

'Dood of vrijheid!' schreeuwde Freddy. Op hetzelfde moment werd hij door drie schoten die gelijktijdig door de leden van het arrestatieteam werden afgevuurd in de borst getroffen.

Freddy wankelde een stap vooruit. De molotovcocktail ontplofte en hulde hem in een vlammenzee.

11

Charlie Marsh was altijd een onbeduidend iemand geweest, een onbelangrijk lid van het menselijk ras, kortom iemand die tijdens zijn tijd op aarde geen stempel op de geschiedenis had gedrukt. Nu was hij een held en, zoals directeur Pulliams maar al te graag aan iedereen die naar hem wilde luisteren uitlegde, het levende bewijs dat zijn theorieën omtrent rehabilitatie wel degelijk werkten. Wat kon daar een beter bewijs voor zijn dan Charlies bereidheid om zijn leven te offeren om dat van zijn cipier te redden?

De directeur was verstandig genoeg om te beseffen dat veel gevangenen Charlies daden niet in positieve zin zouden beoordelen en Freddy Clayton, die in een vlammenzee was omgekomen in plaats van voor het gezag te buigen, als de ware held van de gijzelingsactie in de gevangenis zouden beschouwen. Om Charlie te beschermen tegen die gevangenen die nog niet het licht hadden gezien, stuurde de directeur hem naar het streekziekenhuis om te herstellen, terwijl hij zelf maatregelen nam om Charlies vervroegde invrijheidstelling te bewerkstelligen, wat hem een passende beloning voor diens moed leek.

Tijdens de eerste avond die Charlie tussen schone lakens in zijn luxueuze, van airconditioning voorziene ziekenhuiskamer doorbracht, stemde de verpleegster zijn tv-toestel af op het nationale nieuws, waar de gijzelingsactie in de gevangenis het hoofdonderwerp was. Het gaf Charlie een onwerkelijk gevoel om zichzelf achter de gijzelaars aan de bibliotheek uit te zien strompelen en op de vloer in elkaar te zien zakken terwijl Mabel Brooks de hele wereld vertelde: 'Die cipier zou niet meer in leven zijn als meneer Marsh er niet was geweest. We zouden allemaal omgekomen zijn. Hij wierp zich tussen dat mes en meneer Merritt in. En hij voorkwam dat dat beest ons in brand zou steken. Ik weet dat we allemaal dood geweest zouden zijn als meneer Marsh ons niet beschermd had. God zegene hem.' Charlie zou trots geweest moeten zijn op zijn heldhaftige daden en in de wolken moeten zijn nu de vrijheid nabij was, maar het voornaamste wat hij voelde was schuld. Was hij echt een held? Had hij zich tussen Freddy's mes en Larry Merritts lichaam geworpen om een onschuldige te redden of om te voorkomen dat hij van medeplichtigheid aan moord beschuldigd zou worden? En waarom had hij tegen Freddy gezegd dat hij van hem hield? Had hij vanuit zijn hart gesproken of probeerde hij Freddy alleen maar af te leiden om te voorkomen dat hij zelf gedood zou worden omdat hij zich met het krankzinnige plan van zijn gestoorde vriend had ingelaten? Charlie leidde al zo lang een dubbel leven dat het soms moeilijk voor hem was om erachter te komen wat hem werkelijk dreef.

Charlies leven was in een stroomversnelling geraakt. Terwijl de reclasseringsraad zich over directeur Pulliams' aanbeveling voor vervroegde invrijheidstelling boog, worstelde hij zich door aanbiedingen van literaire agenten en filmproducenten. Die aanbiedingen kwamen als een verrassing, en het idee dat hij grote bedragen aan Freddy's dood zou overhouden maakte zijn schuldgevoel alleen maar groter. Steeds als hij aan het geld dacht dat hij zou gaan verdienen, drong zich in zijn hoofd het beeld op van Freddy Clayton in een vuurzee. Dat beeld weerhield hem er echter niet van om een agent in de arm te nemen of een bedrag van zeven cijfers voor een filmcontract en ook nog een soortgelijk bedrag voor een contract met een uitgever voor zijn autobiografie te accepteren. Het weerhield hem er echter wel van om onverdeelde vreugde aan de plotselinge wending van zijn geluk te beleven.

De dood van Freddy was de enige domper op het drukke leven dat hij na zijn tijd in de gevangenis leidde. Binnen een paar dagen na zijn vrijlating was hij bij *Oprah* te gast en was hij het toponderwerp van het actualiteitenprogramma *Today*. Hij hoorde ook dat Tom Cruise belangstelling had om hem in de film te spelen. Charlie sliep niet meer boven in een stapelbed in een gevangeniscel, maar tussen zijden lakens in een appartement in Manhattan, dat hij van zijn uitgever mocht gebruiken terwijl hij aan zijn boek werkte.

Charlie hield zich verre van drugs, die hem op de vele feestjes die hij bijwoonde werden aangeboden, en raakte niet dronken, omdat hij zijn hoofd helder wilde houden, maar hij bleef niet bij vrouwen uit de buurt. Charlie kon niet geloven dat zo veel totaal verschillende vrouwen hem smeekten het bed met hem te delen. Er waren zwarte vrouwen, blanke vrouwen en vrouwen van Aziatische afkomst. Er waren blondines, brunettes en roodharigen. Er waren vrouwen bij die zich aangetrokken voelden tot beroemdheden en vrouwen die met een rijke man naar bed wilden. Er waren ook vrouwen bij die gefascineerd raakten door gevaarlijke misdadigers, en dat was ook het beeld dat Charlie van zichzelf begon te schilderen. Vóór de gijzelingsactie in de gevangenis had niemand uit zijn nieuwe kennissenkring ooit van hem of Freddy gehoord, zodat deze nieuwe, verbeterde versie van Charlie Marsh, de uiterst gewelddadige misdadiger die een wonderbaarlijke bekering had ondergaan, overal werd geaccepteerd.

Mickey Keys, de agent die hij pas in dienst had genomen, was een goedgebekte, roodharige man met sproeten. Hij was tweeënveertig jaar en altijd bijzonder opgewekt. Toen hij bij wijze van grapje tegen Charlie zei dat hij meer boeken zou verkopen als hij een wat meer opwindende naam had, drong het meteen tot Charlie door dat niet alleen zijn naam even saai klonk als het beeld dat een moeras nu eenmaal oproept, maar dat zijn levensverhaal al net zo saai was. Zijn ouders waren fatsoenlijke, hardwerkende mensen geweest. Het enige waar ze zich aan hadden bezondigd was dat ze hun enige kind vreselijk hadden verwend. Charlie was in de misdaad beland omdat hij lui was, en het enige geweld dat zijn fratsen ooit hadden veroorzaakt had zich voorgedaan op momenten dat een slachtoffer zijn zwendelpraktijken doorhad en hem in elkaar sloeg.

Het leven van Freddy Clayton leek daarentegen op een shakespeariaanse tragedie of op een echt goede televisieserie. Freddy was als kind misbruikt. Presentatoren van praatprogramma's op televisie waren dol op onzinpraat over slecht functionerende gezinnen. Freddy had moorden en gewapende overvallen gepleegd. Hij was een paar keer op het nippertje aan de rechterlijke macht ontsnapt en betrokken geweest bij gewelddadige vechtpartijen. Behalve Charlie waren slechts een paar mensen op de hoogte van de feiten uit Freddy's leven. Bijna niemand wist trouwens ook iets over Charlie. Wie zou hem tegenspreken als hij een paar voorvallen uit Freddy's levensverhaal gebruikte en beweerde dat die hém waren overkomen? Hun ouders waren overleden, net als een groot deel van de getuigen van Freddy's daden. Hier en daar was nog wel een kennis in leven, maar de meesten die op de hoogte waren, hadden zelf in de gevangenis gezeten. Wie zou hun woorden geloven in plaats van die van een held, en hoe veel van hen hadden nog een arrestatiebevel lopen dat op het moment dat ze in de openbaarheid traden ten uitvoer zou worden gelegd? Charlie was ervan overtuigd dat zijn boek een eerbetoon aan Crazy Freddy zou worden als hij het leven van zijn vriend tot het zijne zou maken.

Zijn interviews waren meestal over de gijzelingsactie in de gevangenis gegaan. Charlie had zich steeds op de vlakte gehouden als een interviewer naar zijn verleden informeerde, en hij was ook nog niet be gonnen aan de samenwerking met de ghostwriter die in feite zijn boek zou schrijven, zodat nog niemand wist wat hij in zijn autobiografie zou gaan vertellen. Charlie besteedde de maand daarop aan het herzien van de synopsis waar zijn agent hem om had gevraagd. Tegen de tijd dat hij kennismaakte met de ghostwriter bevatte zijn autobiografie zowel verhalen over steekpartijen en vuistgevechten – waaruit Charlie steeds als overwinnaar naar voren kwam – als over moorden en andere zaken die in strijd met de wet waren. In zijn inleiding legde Charlie uit dat hij niet kon uitweiden over de details van deze gebeurtenissen omdat er sprake zou kunnen zijn van strafrechtelijke aansprakelijkheid. Hij liet ook doorschemeren dat hij in zijn jeugd fysiek – en mogelijk seksueel – was misbruikt. Charlie wist dat zijn onschuldige ouders daardoor in een kwaad daglicht kwamen te staan, maar zijn ouders leefden niet meer en trouwens, welke ouder zou niet bereid zijn om zijn of haar naam door het slijk te laten halen als hun kind daarmee de kans kreeg om na een moeizaam begin in het leven te slagen?

Uiteraard had een boek een opwekkend slot. Charlie praatte over het Innerlijke Licht dat hem tijdens zijn bijna-doodervaring had bezield, en hoe dat licht hem ertoe had gebracht de misdaad vaarwel te zeggen en zich voor te nemen iedereen ter wereld te helpen zijn eigen Innerlijke Licht te ontdekken. Het laten vastleggen van de auteursrechten op dat begrip was ook een idee van Mickey Keys geweest.

Van enig licht, innerlijk of anderszins, was eigenlijk geen sprake geweest. Charlie had geen duidelijke herinnering aan wat er tijdens dat krankzinnige moment toen hij zich tussen de cipier en het mes had geworpen was gebeurd. Dat hele innerlijk-lichtverhaal was ook een voorstel van Mickey geweest. Het was eigenlijk niet zozeer een duidelijk voorstel geweest, maar meer een 'herinnering' van Charlie, die door een paar erg gerichte vragen naar boven was gekomen, zoals 'Had je misschien een religieuze ervaring toen je werd neergestoken? Er zijn mensen die beweren dat ze tijdens een bijna-doodervaring een verblindend licht hebben gezien. Heb je zoiets meegemaakt? Dat zou namelijk fantastisch zijn, want de presentatoren van praatprogramma's zijn gek op religieuze bekeringen of bijna-doodervaringen.'

Bij de persconferentie waarbij *Het licht in jezelf* werd gepresenteerd, kondigde Charlie de oprichting van de bv Innerlijk Licht aan. Het boek werd in allerijl gedrukt toen de gijzeling in de gevangenis nog vers in ieders geheugen lag. Tijdens die persconferentie kondigde Charlie ook aan dat hij zich voortaan Gabriel Sun zou noemen, een nieuwe naam om de dood van de schurk Charlie Marsh en zijn wedergeboorte als brenger van licht te vieren.

Charlies autobiografie werd meteen een bestseller. Het boek begon met zijn arme jeugd en beschreef tot in detail hoe armoede en misbruik hem tot een misdadiger hadden gemaakt. Er werd uitgelegd hoe zijn ervaring met zijn innerlijke licht op het moment dat hij Larry Merritts leven had gered – en het vertrouwen dat directeur Jeffrey Pulliams in hem had gesteld – hem zijn geloof in het goede in de mens hadden teruggegeven. Charlie vertelde de aanwezige mediavertegenwoordigers dat hij zich erop verheugde om tijdens de tournee naar aanleiding van het verschijnen van zijn boek in de grote steden bijeenkomsten te organiseren, waarbij hij mensen die in de problemen zaten zou kunnen helpen om zelf hun Innerlijk Licht te vinden. Er zou een klein bedrag aan entreegeld worden geheven, maar, zo beloofde Charlie, de voordelen die iemand die zo'n bijeenkomst bijwoonde in zijn persoonlijke en geestelijke ontwikkeling zou ervaren zouden ruimschoots opwegen tegen de toegangsprijs.

De cursussen, de verkoop van Charlies boek, de cd's met zijn wijze woorden, de T-shirts en de andere Innerlijk Licht-artikelen brachten allemaal een stroom geld binnen. Charlie had de kost verdiend door onder valse voorwendsels mensen geld uit de zak te kloppen en hij had nu in Mickey Keys een gelijkgestemde geest gevonden. Zodra er geld binnenkwam, begonnen de agent en zijn nieuwe cliënt dat van de rekening van de bv Innerlijk Licht naar geheime bankrekeningen in Zwitserland te sluizen. Mickey, die een boekhoudkundige achtergrond had, stelde voor de belastingdienst een schaduwboekhouding op. Charlie en Mickey stonden er financieel bijzonder goed voor, ook al suggereerden de cijfers in hun boekhouding het tegendeel. Charlie hield zijn cursusbijeenkomsten in elke plaats die hij op zijn tournee aandeed. Ze werden bezocht door leden van de middenklasse die graag rijk en succesvol wilden worden, en door rijke mensen die moeite hadden met hun succes. Als de kans zich voordeed, ging hij met iedere rijke vrouw naar bed die door een alwetende en gevaarlijke ex-veroordeelde van dienst te zijn van haar schuldgevoel verlost wilde worden. Nu en dan vrijde hij ook met een van de minder bedeelde groupies die bij zijn signeersessies rondhingen. Daar was hij n⁊ een bijzonder lucratieve bijeenkomst aan de Yale-universiteit mee bezig toen Mickey Keys halverwege een vrijpartij onaangekondigd zijn hotelkamer binnenkwam.

'Wat moet dat godverdomme!' riep Charlie, die woedend was vanwege de onderbreking. De studente met wie hij lag te vrijen was zo sappig als een perzik en was heerlijk strak gebouwd.

Keys lette niet op Charlie en zette de televisie aan. 'Kijk hier even naar.'

'Alleen als het de moeite waard is.'

'Het is meer dan dat, Charlie. Let even op.'

Het was donker op het scherm. Uit een paar getraliede ramen sloegen vlammen naar buiten en de schijnwerper van een politiehelikopter verlichtte een gevangenisterrein. Voor de hoge muren stonden leden van de Nationale Garde en de staatspolitie opgesteld.

'Waarom moet je zo nodig de beste neukpartij die ik dit jaar gehad heb onderbreken om me een gevangenis te laten zien? Ik probeer de gevangenis juist te vergeten.'

'Als ik je vertel wat voor idee ik heb, zul je er maar al te graag aan terugdenken. Dit is een opname van de staatsgevangenis in Oregon. Vanmorgen vroeg brak er een vechtpartij uit tussen een bende Latijns-Amerikanen en leden van de Arische Broederschap. Toen de bewakers tussenbeide wilden komen, werden er een paar gegijzeld en ontaardde de vechtpartij in een complete rel.'

'Wat wil je daarmee zeggen?' vroeg Charlie op klagelijke toon. Het ergerde hem dat zijn erectie begon te verdwijnen.

'We gaan naar Oregon, waar jij je diensten gaat aanbieden als onderhandelaar om een eind aan die rel te maken.'

'Oregon? Ik weet verdomme niet eens waar dat ligt.'

'De nationale pers heeft het weten te vinden. Het is het hoofdonderwerp bij elk televisiestation en bij alle nieuwsuitzendingen op de kabel.'

'Mickey, jij weet geen ene moer over dit soort dingen. De autoriteiten laten me niet eens in de buurt van die gevangenis komen.'

Mickey glimlachte. 'Dat kan wel zo zijn, maar als ze dat wel doen, betekent dat voor jou een heleboel gratis publiciteit. En als de gouverneur niet wil dat jij met de opstandelingen praat, ziet iedereen jou als iemand van goede wil, die alleen maar probeert te helpen. Het doet er niet toe hoe die rel afloopt, jij komt er als een sympathiekeling uit tevoorschijn en krijgt er een heleboel gratis zendtijd mee.'

'En de tournee dan?'

'Ik heb met je uitgever gepraat. Ze gaan ermee akkoord dat je gaat. Ze zijn al bezig een cursus op te zetten bij een advocaat thuis, van wie ze een boek hebben uitgegeven.'

Charlie liet zich achterover op het bed zakken. De studente hield een laken tegen haar borst gedrukt en volgde het gesprek aandachtig.

'Oké, wanneer gaan we?'

'Over een paar uur.'

Charlie glimlachte naar het meisje. 'Dan hebben we nog genoeg tijd om af te maken waar we mee begonnen waren, schatje.'

'Zet die tv uit en maak dat je wegkomt. Ik wil voorlopig niet gestoord worden,' zei Charlie tegen Keys.

De agent schudde zijn hoofd en verliet de kamer. Charlie tastte onder de lakens tot hij een warm, zacht plekje tussen de benen van de studente had gevonden.

'Je bent nog net zo heet, merk ik.'

De studente draaide zich naar Charlie toe tot haar borsten zijn bovenlijf raakten.

'Neuk me lekker hard, Charlie,' fluisterde ze, 'en als je klaar bent, moet je me meenemen naar Oregon.'

'Wát?' zei Charlie. Hij ging een eindje bij haar vandaan liggen.

Hij voelde een hand om zijn penis.

'Ik verdoe mijn tijd aan de universiteit. Ik ben hier alleen maar ongelukkig. Ik wil dat jij me de weg naar innerlijke vrede laat zien.'

Charlie was niet in de stemming voor een filosofische discussie. Hij wilde ook niet dat die griet hem achterna kwam naar Oregon, ook al meende hij wat hij zei toen hij tegenover Mickey Keys haar seksuele kwaliteiten had geprezen.

'Ik hoor je wel, meid, maar...' begon Charlie, maar de zachte, ritmische beweging van haar hand deed hem vergeten wat hij wilde zeggen. 'Toe, Charlie, neem me mee. Ik ben slim. Ik kan je helpen, en ik kan nog veel meer voor je doen.'

Charlie wist dat hij nee moest zeggen, maar het meisje dook onder de lakens. De aanraking van haar lippen deed al zijn kennis van de Engelse taal uit zijn hersens verdwijnen.

12

Dunthorpe was een welvarende gemeenschap aan de rand van Portland, en Charlies cursus zou plaatsvinden in een in tudorstijl opgetrokken woning, die midden op een landgoed met uitgestrekte gazons en bomen stond. Het huis was groter dan sommige van de huizen waar hij sinds hij beroemd was geworden was geweest, maar kleiner dan andere. Als hij in deze penthouses, herenwoningen en landhuizen rondliep, voelde hij zich net Alice in Wonderland. Hij was rijker dan hij zich in zijn stoutste dromen had kunnen voorstellen, maar sinds hij met de cursussen was begonnen had hij mensen ontmoet vergeleken met wie hij een bedelaar was. Waar kwam al dat geld vandaan? Er was nog iets anders wat onwerkelijk leek. Charlie was in armoede opgegroeid. Hij had huisuitzettingen meegemaakt, er waren tijden geweest dat er niet genoeg te eten was en er was sprake van geweld, niet alleen in de buurt waar hij woonde, maar ook in zijn eigen leven. Hij had altijd gedacht dat zijn problemen zouden worden opgelost als hij eenmaal rijk was, maar deze mensen wáren rijk en klopten bij hem aan om hulp bij het zoeken naar geluk. Hij begreep het niet.

Tijdens het anderhalve jaar dat hij in de gevangenis had doorgebracht en in de mallemolen waarin zijn leven was veranderd sinds hij weer op vrije voeten was, was hij zelden alleen geweest en hij was de zeldzame momenten van rust en vrede die zijn hectische leven hem toestond gaan waarderen. Zodra hij klaar was met het signeren van exemplaren van zijn boek glipte Charlie door de tuindeuren van de bibliotheek naar buiten om wat frisse lucht te happen. Aan de overkant van het uitgestrekte gazon lag een bloementuin. Charlie kuierde over het prachtig verzorgde gazon in de richting van de tuin. Delmar Epps, een gespierde voormalige zwaargewichtbokser die door Mickey Keys in dienst was genomen, liep ver genoeg achter hem aan om Charlie het gevoel van privacy te geven, maar bleef dicht genoeg bij hem in de buurt om zijn plicht als lijfwacht te kunnen vervullen.

Alles was gegaan zoals Mickey had voorspeld. De autoriteiten hadden niet toegestaan dat Charlie betrokken werd bij de onderhandelingen met de gevangenen, zodat hem geen blaam trof toen bij een hevige schietpartij twee cipiers en een aantal gevangenen omkwamen. Charlie kon dus voor de televisiecamera's orakelen over hoe het had kúnnen aflopen als ze hem hadden toegestaan de opstandige zielen van de gevangenen innerlijke vrede te ochenken. De publiciteit had tot gevolg dat het congrescentrum in Portland tot de nok toe was gevuld voor een bijeenkomst die een behoorlijk bedrag had opgeleverd. Aan de tweede bijeenkomst in Dunthorpe, waar een meer select gezelschap aanwezig was, hadden ze ook aardig wat geld overgehouden.

Na aanvankelijk te hebben lopen kankeren en klagen dat hij naar een of ander godvergeten gat moest vliegen, had Charlie ten slotte moeten toegeven dat hij blij was dat Mickey hem naar Portland had gesleept. Oregon was een openbaring geweest voor iemand die in bittere armoede in een stad was opgegroeid en pas was vrijgelaten uit een grauwe gevangenis en zijn intrek had genomen in een betonnen woonbunker in Manhattan. Hier waren helderblauwe luchten, smaragdgroen gras en eindeloze vergezichten met bomen en bloemen. De zomerse lucht was warm en niet vervuild. Charlie haalde diep adem en genoot van een zacht briesje terwijl hij het gazon overstak.

Een hoge thujahaag scheidde het gazon van de tuin en dempte het geluid van een levendig gesprek. Charlie wilde alleen zijn en veranderde dus van richting. Hij bleef staan toen een woedende vrouw haar stem verhief. Charlie deed een stap de tuin in en tuurde om de hoek van de haag. Een man in een donkerbruine pantalon en een donkergroen poloshirt stond met een vrouw in een lichtblauwe jurk met smalle schouderbandjes te ruziën.

De man, die achter in de twintig leek, had een zongebruinde huid en zo te zien beschikte hij met zijn brede schouders en de slanke taille van een atleet over een goede conditie. Charlie herkende hem niet, maar de vrouw kwam hem wel degelijk bekend voor. Ze had tijdens de bijeenkomst achteraan gestaan, met een vage glimlach die hem zei dat ze geen woord van zijn onzin geloofde. Charlie herinnerde zich de vrouw ook omdat ze verbijsterend mooi was, met donkerblond schouderlang haar en blauwe ogen die hem aan de heldere Caribische

Zee deden denken die hij in een reclamespotje op televisie had gezien.

'Je luistert niet, Tony,' snauwde de vrouw. 'Ik wil niet dat je me lastigvalt. Moet ik soms met iemand bij de club gaan praten om te zorgen dat je me met rust laat?'

De vrouw maakte aanstalten om weg te lopen, maar Tony greep haar bij haar pols.

'Me afwimpelen gaat niet zo eenvoudig, Sally.'

Sally bleef staan en draaide zich langzaam om tot ze met haar gezicht vlak voor hem stond.

'Laat me los,' zei ze, waarbij ze elk woord op zo'n ijzige toon benadrukte dat haar stem vuur had kunnen doen bevriezen.

Gesterkt door de aanwezigheid van Delmar en het idee dat hij de blondine misschien zou kunnen versieren, besloot hij in deze hachelijke situatie tussenbeide te komen.

'Hé, klootzak,' zei Charlie op het probeer-me-niets-te-flikkentoontje dat hij in de gevangenis had geleerd. 'Laat de dame los.'

Tony wierp een blik op Charlies weinig imposante verschijning en schoot in de lach.

'Klootzak, zei je? Wel, wel, en ik dacht juist dat jij vrede en liefde voorstond, swami.'

Dankzij Freddy Clayton was Charlie nooit bij vechtpartijen in de gevangenis betrokken geraakt, en maar een paar keer bij vechtpartijen daarbuiten. Maar hij had er heel wat gezien en in zijn hoofd een lijstje gemaakt van wat werkte en wat niet. Charlie sloeg met zijn rechtervuist boven Sally's schouder en raakte het puntje van Tony's neus. De neus is een heel gevoelig puntje van de anatomie, en het doet vreselijk pijn als die tot moes wordt geslagen. Tony's handen schoten omhoog. Op dat moment drong Delmar zich met zijn kolossale lichaam tussen Charlie en de gewonde man in. De voormalige bokser greep Tony met een grote vuist bij zijn kraag beet en draaide eraan.

'Valt deze meneer u lastig, baas?' vroeg hij aan Charlie, terwijl hij met zijn vrije hand zijn jasje naar achteren duwde, zodat Tony de sierlijke revolver met de ivoren kolf kon zien die tussen zijn broekriem stak.

'Nee, hij valt me niet meer lastig,' antwoordde Charlie. 'Stuur menéér maar weg, Delmar, en laat even naar zijn neus kijken als die gebroken is.'

Delmar sleepte Tony de tuin uit en Charlie wendde zich tot de vrouw.

'Het spijt me dat je dit hebt moeten zien.'

'Ik heb wel erger meegemaakt,' zei ze koeltjes, 'en ik ben prima in staat om voor mezelf te zorgen.'

Charlie was verrast. Hij had gedacht dat vrouwen uit de betere kringen doodsbang en seksueel opgewonden raakten door geweld, maar het scheen deze dame eerder te amuseren dan bang te maken. Ze hield haar hoofd schuin en keek Charlie even aandachtig aan.

'Ik neem aan dat deze heldendaad vooruitliep op een poging me het bed in te krijgen,' zei ze.

'Wat?!'

'Wilden die sukkels bij de cursus soms niet allemaal met je naar bed nadat ze al die kletspraat over innerlijk licht en vrede in jezelf hadden aangehoord?'

'Ik was niet…'

De vrouw schoot in de lach. 'Ben je nu een beetje van streek?'

'Hé, als je gedaan hebt wat ik heb gedaan en heelhuids uit de gevangenis bent gekomen raak je nergens meer door van streek,' zei Charlie, in een poging om wat terrein terug te winnen.

'Vertel op, stoere bink. Nou ja, we zien wel. Van al dat machogedoe en dat vechten ben ik trouwens behoorlijk opgewonden geraakt,' zei ze op een toon waaruit geen enkel seksueel verlangen sprak. 'Denk je dat je kunt bewijzen hoe macho je echt bent of moet ik achter iemand anders aan?'

'Ja, oké. Mij heb je,' was het beste wat hij kon bedenken. Doorgaans was Charlie het roofdier dat de jungle afstroopte op zoek naar seks. Maar bij deze vrouw voelde hij zich meer de prooi.

'Laten we dan maken dat we hier wegkomen. Tony is zo'n ezel dat hij misschien de politie gaat bellen, dus je kunt hier maar beter niet blijven rondhangen.' Ze gooide hem haar autosleutels toe. 'Die zijn van mijn Porsche. Jij rijdt.'

Het huis van Sally Pope was minder groots dan het landhuis dat ze zojuist verlaten hadden, maar het was ook niet bepaald een burgermanswoning.

'Leuk huisje,' zei Charlie zodra Sally de verlichting aan deed, zodat hij het geplaveide halletje en de wenteltrap naar de eerste verdieping kon zien.

Sally verspilde geen tijd aan een antwoord. Ze liet haar handtas op een kleine tafel bij de deur vallen en wierp zich op Charlie. Hij kon haar stevige borsten tegen zijn borstkas voelen. Haar hand gleed naar zijn kruis. Hij had het bijna niet meer. Op dat moment zag hij op de vloer van het halletje een honkbalhandschoen en een plastic knuppel liggen.

Sally voelde hem verstijven en deed een stap achteruit. Ze zag waar hij naar keek.

'Die zijn van Kevin. Hij is vier, en je hoeft je geen zorgen te maken. Hij is naar een logeerpartijtje. We zullen dus niet gestoord worden.'

'En je man? Is die soms ook naar een logeerpartijtje?'

Sally deed haar ogen even dicht en haalde diep adem. 'Zeg Charlie, heb je zin om te neuken of wil je mijn familiegeschiedenis horen?'

'Het spijt me dat ik het vroeg. Daar heb ik niets mee te maken.'

'Laat me dan eerst eventuele misverstanden uit de weg ruimen. Mijn man is congreslid Arnold Pope Junior, en hij zit vanavond in Washington DC, waar hij probeert het land te redden uit de klauwen van linkse rakkers, voorstanders van abortus en misdadigers als jij. Als je daar zo van schrikt dat je hem niet meer overeind krijgt, ga dan. Maar als je nog steeds zin hebt in een nummertje, moet je verder geen vragen meer stellen.'

'Wie was die vent met wie je vanavond stond te ruziën?' vroeg Charlie. Ze lagen in de ravage die ze in Sally's echtelijke bed hadden aangericht en baadden in het zweet terwijl ze even uitrustten voor de derde ronde.

'O, die nul. Dat is Tony Rose, de tennisleraar van de Westmont-sociëteit. Hij denkt dat we een verhouding hebben, maar dat houdt naar mijn gevoel toch iets meer in dan hoe ik onze relatie zou willen beschrijven.'

'Waarom was hij zo kwaad?'

'Ik heb hem de bons gegeven en zijn ego gekwetst.'

'Ga je mij ook de bons geven?' vroeg Charlie grijnzend.

Sally draaide zich naar hem toe en leunde op haar elleboog.

'Even voor de duidelijkheid, Charlie: je kunt lekker neuken. Als je wilt, en de mogelijkheid doet zich voor, kunnen we elkaar nog een paar keer zien zolang je in Portland bent, maar daar blijft het bij. Ik houd van mijn zoon en van mijn man, en die laat ik geen van beiden in de steek.'

Charlie was in de war. 'Als je van Arnie Junior houdt, wat doe je dan hier met mij?'

Voor de eerste keer die avond leek Sally van de wijs gebracht. 'Dat gaat je niets aan.' Ze verliet het bed, liep de badkamer in en sloeg de deur met een klap dicht. Charlie liep haar snel achterna.

'Hé,' zei hij door de gesloten deur. 'Het spijt me. Ik had niet zo nieuwsgierig moeten zijn. Kom naar buiten, dan stel ik geen vragen meer, dat beloof ik.'

Het toilet werd doorgespoeld en de deur ging open. Sally was weer tot bedaren gekomen. Ze raakte Charlies wang aan.

'Het was heerlijk, Charlie, maar ik ben vreselijk moe. Vind je dat erg?'

'Ik ben ook bekaf,' zei hij, ook al had ze hem zo opgewonden dat hij geen bezwaar zou hebben opnieuw het bed met haar in te duiken. 'Ik moet radio- en televisie-interviews doen en ik heb nog een signeersessie in Seattle. We vertrekken morgenochtend, een schoonheidsslaapje kan dus geen kwaad.'

Sally haalde haar hand weg en glimlachte, maar ze had een verdrietige blik in haar ogen.

'Weet je wat,' zei Charlie, 'na Seattle kom ik hier weer terug. Ik heb dan een paar dagen vrij voor we naar San Francisco gaan.'

Sally keek bedachtzaam. 'Hoe zou je het vinden als je een van je cursussen bij een van de meest exclusieve sociëteiten van Oregon kon geven?'

'Dat klinkt prima.'

'Dan probeer ik dat te regelen. Je hoort nog van me.'

'Ik ben donderdag weer in mijn hotel voor een signeersessie. Heb je zin om langs te komen?'

'We mogen niet samen gezien worden, begrijp je dat?'

'Natuurlijk, maar ik kan het zo regelen dat je naar binnen kunt glippen zonder dat iemand je ziet.'

'Ik neem aan dat je daar ervaring mee hebt?'

Charlie grijnsde. 'Ik heb een waterdicht systeem. Ik zit in de suite op de bovenste verdieping, die via een lift aan de achterkant van het hotel te bereiken is. De enige die op de hoogte is, is Delmar, en die heeft ons al samen gezien.'

'Daar moet ik even over nadenken.'

'Prima. Heb je een pen? Dan geef ik je mijn mobiele nummer. Bel me in Seattle over die cursus en wat je verder nog kunt bedenken.'

Charlie belde Delmar en zei dat hij hem op een hoek, een paar honderd meter van Sally's huis, op moest pikken, zodat niemand hem in de buurt van het huis zou zien. Terwijl hij in de warme avondlucht op zijn limousine stond te wachten, probeerde Charlie hoogte van Sally Pope te krijgen. Hij kwam tot de conclusie dat ze een zielige, verbitterde vrouw was. Waarom zou de rijke, knappe vrouw van een congreslid anders hem, Tony Rose en – naar hij aannam – een hoop andere mannen het bed in slepen? Hij had medelijden met haar, maar dat zou hem er niet van weerhouden om, als de gelegenheid zich voordeed, nog een keer met haar naar bed te gaan.

13

Charlies leven was een en al rozengeur en maneschijn tot op de dag van de bijeenkomst bij de Westmont alles in het honderd liep. De eerste onaangenaamheid deed zich voor op een zonnige namiddag in een boekhandel in Portland. Hij zat aan een tafel met stapels exemplaren van *Het licht in jezelf.* Delmar Epps stond een eindje bij Charlie vandaan en deed – vergeefs – zijn best om niet op te vallen. Naast Charlie zat Mickey Keys, die gekleed was in een donkerbruin kostuum en een wit overhemd met rode das. Hij leek helemaal in zijn nopjes te zijn. Het was ongebruikelijk voor hem om een cliënt op een tournee te vergezellen, maar Keys zag Charlie niet als cliënt, maar als een goudmijn en hij wilde de bron van zijn ongekende weelde goed in de gaten houden.

Voor de tafel stond een rij die zich over de hele winkel uitstrekte. Het waren allemaal enthousiaste klanten die Charlies boek graag wilden aanschaffen zodat ze konden leren hoe ze het licht in zichzelf moesten ontsteken om rijkdom en innerlijke vrede te vinden. Steeds als er een bewonderaar vooraan in de rij kwam te staan, glimlachte Charlie naar de nieuwe klant en vroeg welke opdracht hij in het boek moest schrijven. Dan maakte hij ook steevast een vrolijke, positieve opmerking terwijl hij schreef: 'Nooit ophouden voor je je innerlijke licht hebt ontstoken. Vrede, Gabriel Sun.'

Na de eerste paar klanten ging Charlie op de automatische piloot verder. Daardoor duurde het een paar tellen voor hij de volgende twee mannen in de rij herkende.

'Hé, Charlie, dat is lang geleden,' zei Gary Hass, de intelligentste van wijlen Freddy Claytons handlangers. Gary zag er zo onopvallend uit dat getuigen grote moeite hadden om hem er bij een confrontatie uit te halen. Dat maakte hem tot een heel andere verschijning dan de getatoeëerde, gepiercete en met steroïden opgeblazen Werner Rollins, die vlak naast Gary stond en in een horde barbaren volkomen op zijn plaats geweest zou zijn. Helaas voor de mensheid was Hass' beschadigde en misvormde ziel volkomen in tegenspraak met zijn kleurloze verschijning. Zijn slanke, zo niet pezige lichaam en zijn lengte van nog geen één meter zeventig maakten hem niet tot een imposante verschijning, maar hij was meedogenloos en vergat zelfs de geringste belediging nooit. Gary beschikte ook over eindeloos geduld. Als je hem vandaag te slim af was, nam hij, lang nadat je vergeten was dat je ooit een aanvaring met hem had gehad, wraak door je aan je bed vast te binden en je huis in brand te steken.

'Goed boek,' zei Gary.

'Ik ben blij dat je het goed vond.'

'Ik vond het zo goed dat ik het meerdere keren gelezen heb; vooral de stukken over je opwindende ervaringen in de wereld van de misdaad. Weet je waarom ik die stukken zo vaak heb moeten lezen?'

'Eh... nee.'

'Omdat ik erdoor in de war werd gebracht, Charlie. Een heleboel van je wapenfeiten kwamen me tegelijk bekend en onbekend voor. Ik bedoel, ik meen me een paar van die gebeurtenissen te herinneren, maar niet precies op dezelfde manier als jij. Het was voor mij net of ik naar een sciencefictionfilm zat te kijken waarin mensen in een parallel universum terechtkomen, dat heel veel op de wereld lijkt zoals wij die kennen, maar toch anders is. Een wereld waarin het Zuiden de Burgeroorlog wint, zoiets. Je weet dat het anders afliep, maar als de schrijver weet te overtuigen lijkt het net of het echt zo gebeurd is. Begrijp je wat ik bedoel?'

'Niet echt. Zeg, het is leuk om je weer eens te zien, maar er staat een lange rij. Het is niet de bedoeling dat ik langer dan een paar minuten met een klant praat.'

'Hé, Werner en ik willen niet moeilijk doen. Laten we samen koffie gaan drinken als je klaar bent, oké?'

'Dat weet ik niet, Gary. Ik heb het vreselijk druk.'

'Daar kan ik inkomen. Als je geen tijd voor koffie hebt, vliegen we weer terug naar de oostkust om te kijken of er niet een onderzoeksverslaggever bij *The New York Times* te vinden is die met ons onder het genot van een dubbele cafeïnevrije mokka over onze verwarring naar aanleiding van je boek wil praten. Maar om je de waarheid te zeggen geven we er de voorkeur aan om met een vriend herinneringen op te halen aan de goede oude tijd.'

Charlie voelde dat hij misselijk begon te worden. Zijn voorhoofd glom van het zweet. 'Als ik klaar ben, kijk ik wel of ik tijd heb.'

'Uitstekend! Twee deuren verder is een restaurant. Werner en ik kunnen haast niet wachten tot we alles te horen krijgen over het opwindende leven dat je leidt. Tot straks.'

'Wie waren die lui?' vroeg Mickey Keys toen Gary en Werner zonder een boek te kopen vertrokken waren

'Kennissen van vroeger. Ik ga na de signeersessie koffie met ze drinken.'

'Wil je dat ik met je meega?'

'Nee. Ga jij maar met Delmar terug naar het hotel.'

'Weet je zeker dat je alleen met die twee wilt zijn?'

'Absoluut. Geloof me, Mickey, hoe minder Gary en Werner over je weten, hoe beter het voor je is.'

Charlie trof het vreemde stel op een bank achter in het restaurant aan. Gary had een kop zwarte koffie vast terwijl Werner een stuk taart naar binnen zat te werken. Op de tafel voor de neanderthaler stond ook een bord met de restjes van een portie hamburger met patat.

'Je bent een kerel naar mijn hart,' zei Gary terwijl Charlie op de bank schoof. 'Je hebt niet alleen de bak overleefd, maar zo te zien gaat het je voor de wind.'

Charlie haalde zijn schouders op. 'Het boek is nog maar een paar weken uit. Er kan nog van alles gebeuren.'

'Doe niet zo bescheiden, zeg. *Newsweek* schreef dat je een bedrag van zeven cijfers voor het boek hebt gekregen en nog eens een miljoen of zo voor de filmrechten. Heb je al met Tom gesproken? Hoe is hij in het echt?'

'Wat ze over Tom Cruise schrijven is allemaal Hollywood-onzin, Gary. Ze zijn aan het onderhandelen. Hij heeft nog geen toezegging gedaan.'

'Verdomd goeie acteur,' gaf Werner tussen twee grote happen taart te kennen.

'Goed, hoe gaat het met jullie? Ik heb jullie in jaren niet gezien.'

'De laatste keer was een jaar of vijf geleden,' zei Gary. 'Werner en ik zijn er na die mislukte bankoverval vandoor gegaan. Wat was dat een

sof! Een dode bewaker en een burgerslachtoffer, en geen rooie cent.'
Gary schudde droevig zijn hoofd, maar monterde toen meteen
weer op. 'Weet je, er staat een voorval in je boek dat een beetje op dat
fiasco van ons lijkt. Werner en ik kregen echt een kick van dat stuk
waarin je al schietend achter die auto duikt. Het deed me denken aan
een scène uit een film van John Woo. Om precies te zijn, het ís ook
vrijwel identiek aan een scène uit een van zijn films. Maar er is toch
iets geks mee. Werner en ik herinneren ons dat Freddy samen met ons
de bank binnen ging, maar we herinneren ons niet dat we jou daar gezien hebben. Waarschijnlijk had je het over een andere bankoverval
die je samen met Freddy en een paar anderen hebt gepleegd, waarbij
ook een bewaker en een klant zijn omgekomen.'
   'Ach, ik moest de ware toedracht een beetje in het midden laten, zodat de politie op grond van het boek niet met een aanklacht kan komen.'
   'Dat snap ik. Werner en ik denken dat er vast wel een grote uitgever
te vinden is die misschien belangstelling voor óns levensverhaal heeft,
zeker nu jouw boek zo goed verkoopt. Het kan een heel nieuw genre
worden: boeken waarin misdadigers alles opbiechten. Het enige wat
ons weerhoudt is onze zorg om jou. Als wij ons verhaal vertellen, zou
het kunnen zijn dat een paar van onze herinneringen jouw versie van
het gebeurde tegenspreken. We zouden het vreselijk vinden als ons
succes jou in moeilijkheden bracht.'
   Charlie zuchtte. 'Oké, Gary. Laten we ophouden met eromheen
draaien. Wat wil je?'
   'Een klein deel van de koek, de kans om een beetje mee te profite-
ren, een…'
   'Schei uit met die onzin. Ik snap het. Wat moet ik doen om te zorgen dat jij en Werner me met rust laten?'
   'We willen je helemaal niet met rust laten, Charlie. Een grote ster als
jij kan eigenlijk niet zonder entourage.'
   Charlies hoofd ging een paar keer heen en weer. 'Geen denken aan.'
   'Dat moet je niet zeggen. We kunnen ons voorstellen dat we bij die
bijeenkomsten optreden en bekennen dat we vreselijke, tot op het bot
verdorven misdadigers waren, totdat jij ons hielp ons innerlijke licht
te vinden.'
   'Geen sprake van.'
   Gary liet zijn vriendelijke houding varen. 'Weet je wat plagiaat is?

Werner en ik hebben het idee dat jij ons leven hebt geplagieerd. Dat is strafbaar, Charlie, maar je weet wat ze zeggen: "Wie nooit heeft gevaren krijgt nooit averij". En ze zeggen ook dat misdaad niet loont. Het komt er allemaal op neer dat het gevolgen heeft als je iets verkeerds doet. En in jouw geval is dat gevolg een belasting op je winsten. Je betaalt nu alvast wat en dan blijven we een beetje in de buurt om een oogje op je inkomsten te houden en te kunnen bepalen hoe hoog de belasting in de toekomst zal zijn.'

'Daar peins ik niet over. Ga maar naar de *Times* en kijk maar wat ze zeggen. Wie zal jou eerder geloven dan mij? Ik ben een held, Gary. Ik heb het leven van een cipier gered.

En hoe ga je bewijzen dat ik het allemaal verzonnen heb? Een verslaggever wil specifieke feiten over moorden, gewapende overvallen en andere misdrijven. Feiten die je voor de rest van je leven achter de tralies kunnen doen belanden. Maar stel dat ze geloven dat jij die misdrijven hebt gepleegd. Daarmee wordt niet bewezen dat ik de voorvallen in het boek heb verzonnen. Ik zou gewoon zeggen dat mijn misdaden andere misdaden waren, die niets te maken hebben met wat jij zegt dat je gedaan hebt. In mijn inleiding heb ik gezegd dat ik vaag moest zijn omtrent de ware toedracht en namen en plaatsen veranderd heb om mezelf te beschermen tegen eventuele aanklachten. Maar doe vooral wat je niet laten kunt.'

Gary werd rood, en dat betekende dat hij kwaad was. Charlie was even vergeten met wie hij te maken had, maar nu herinnerde hij het zich weer. Gary boog zich over de tafel en sprak op gedempte toon: 'Als je denkt dat met een verslaggever praten het ergste is wat ik je kan aandoen, ben je zeker een paar van de dingen vergeten die je me hebt zien doen. Als je mij verneukt, zul je de rest van je leven met één oog open moeten slapen.'

Gary leunde achterover om wat hij gezegd had te laten bezinken. 'Ik vergeet hoe grof je daarnet tegen me was. We zien elkaar vanavond op die bijeenkomst van je bij die chique sociëteit. Dan heb je nog een paar uur om na te denken.'

Gary knikte naar Werner, die de laatste restjes van zijn taart oplikte.

'Vraag jij straks om de rekening?' zei Gary.

Charlie zag hen vertrekken. Vervolgens deed hij zijn ogen dicht en zuchtte diep. Hoe kon hij zo stom zijn? Hij was de laatste tijd zo met zichzelf ingenomen dat hij vergeten was hoe de wereld werkelijk in elkaar zat. Mensen als Sally Pope leefden in een droomwereld, maar hij was een prooi in een jungle waarin mensen als Gary en Werner als roofdieren rondliepen.

14

'Ben je wel goed snik?' vroeg Moonbeam aan Charlie, die voordat de bijeenkomst bij de Westmont-sociëteit begon in de slaapkamer van zijn hotelsuite de tijd doodde door een aantal keren achter elkaar snel een Ruger .357 Magnum Vaquero-revolver te trekken. De gegraveerde, roestvrijstalen revolver met ivoren kolf woog meer dan een kilo en had een loop van vijftien centimeter. Het was een geschenk van een vrouw van in de twintig, die met een zeventigjarige Texaanse oliebaron was getrouwd. Ze had hem aan Charlie gegeven na een intieme nacht na afloop van een Innerlijk Licht–cursus in Austin.

'Ontspan je, Moonbeam,' zei Charlie, die haar 'mystieke' naam amper uit zijn strot kon krijgen.

Toen ze in New Haven waren, had Charlie tegen Moonbeam gezegd dat ze met zijn gevolg mee naar Oregon kon reizen, maar nu had hij grote spijt van de woorden die hij tijdens hun gepassioneerde liefdesspel had gekreund. Hij had besloten haar de bons te geven als ze weer verder zouden trekken. 'Moonbeam' mocht dan geweldig in bed zijn, maar de rest van de tijd was ze een bazige etter. De griet had ook haar hoofd kaalgeschoren, omdat ze – om redenen die Charlie nooit had begrepen – tot de conclusie was gekomen dat haar haren haar geestelijke groei belemmerden. Charlie viel beslist niet op kaalgeschoren vrouwen en dat had hij haar ook duidelijk gezegd.

'Jij hebt in de gevangenis gezeten,' hield ze vol. 'Wapenbezit is een inbreuk op de voorwaarden van je vrijlating. Stel dat iemand je ziet, wat dan?'

'Denk je dat ik zo stom ben dat ik in het openbaar met een wapen ga rondlopen? Delmar heeft hem bij zich als ik op stap ga en hij heeft een wapenvergunning.'

Charlies lijfwacht zat onderuitgezakt op de bank een sporttijdschrift te lezen. Op het omslag ervan prijkte een ster van het nationale basketbalteam.

'Heb je nooit gehoord van het recht om wapens te dragen, kreng?' vroeg Delmar zonder op te kijken van het artikel dat hij zat te lezen. 'Of heb je op die chique universiteit van je nooit de grondwet bestudeerd?'

Voordat Moonbeam kon antwoorden ging de deur van de suite open en duwde een ober een wagentje met Charlies diner naar binnen. Charlie bleef halverwege een schijnbeweging met de revolver stokstijf staan. De ober staarde naar het wapen. Charlie stopte het snel achter zijn rug.

'Hebben ze je niet geleerd te kloppen?' brulde hij tegen de zenuwachtige bediende.

'Het spijt me, meneer, maar ik heb op de deur van de suite geklopt. De man daar zei dat ik...'

'Ja, ja, laat maar zitten,' zei Charlie. Mickey Keys bevond zich in de zitkamer. 'Laat mijn agent hiervoor tekenen.'

'Dank u, meneer,' zei de ober terwijl hij achteruitlopend de slaapkamer verliet.

'Begrijp je nu wat ik bedoel?' vroeg Moonbeam. 'Als hij met je reclasseringsambtenaar gaat praten, kun je cursussen gaan geven voor de gevangenen in de staatsgevangenis. En nog iets. Je moet niet meer met die vrouw naar bed gaan.'

'Ho even, daar heb jij niets mee te maken. Met wie ik naar bed ga, bepaal ik zelf. Toen je bleef doorzeuren dat je met alle geweld met me mee hiernaartoe wilde, heb ik je gewaarschuwd dat ik niet iemand ben die zich aan één vrouw bindt.'

'Dat weet ik, Charlie, maar het lijkt me geen goed idee. Ze is getrouwd en heeft een kind, om nog maar te zwijgen van het feit dat haar man een machtige politicus is die je een heleboel last kan bezorgen.'

'Hoe denk je dat we die schnabbel bij de Westmont hebben gekregen? Ik gebruik haar alleen maar vanwege haar connecties, liefje. Als je te jaloers bent om dat te begrijpen, moet je maar gewoon weer teruggaan naar je rijke vriendjes.'

Moonbeam keek hem angstig aan. 'Stuur me niet weg, Charlie. Ik wil je alleen maar helpen.'

'Nou, je helpt me zeker niet door om de vijf minuten aan mijn kop te zeuren.'

Moonbeam ging dicht bij Charlie staan. 'Het spijt me. Je weet dat ik me alleen maar zorgen om je maak.'

Charlie voelde de warmte die ze uitstraalde en herinnerde zich hoe het meisje er naakt uitzag, haar of geen haar. Hij keek even op de klok en zag dat er nog genoeg tijd was voordat ze naar de sociëteit moesten vertrekken. Hij sloeg zijn armen om Moonbeam heen.

'Ik weet dat je om me geeft, schatje,' zei Charlie op een toon waaruit een en al zorg sprak. 'Maar je hoeft niet zo bezorgd te zijn.'

Moonbeam sloeg haar blik neer en Charlie tilde haar kin op tot hij haar in de ogen kon kijken.

'Je hoeft je nergens zorgen om te maken. Sally is op geen stukken na zo goed in bed als jij, en daar draait het tussen een man en een vrouw tenslotte om.'

Charlie liet de kin van het meisje los. 'Delmar, waarom neem je niet even pauze?' vroeg hij terwijl hij haar kleine, stevige borsten betastte.

De lijfwacht keek op zijn horloge. 'We vertrekken over drie kwartier.'

'Dat is prima. Tot dan.'

Delmar vertrok. Charlie tilde Moonbeam op en droeg haar naar het bed. Hij had het perfect getimed. Toen zijn lijfwacht drie kwartier later op zijn deur klopte, had Charlie zich opgefrist en gegeten. Hij was er helemaal klaar voor om de leden van de Westmont-sociëteit een rad voor de ogen te draaien.

15

Kort na zonsondergang op de avond dat het congreslid Arnold Pope Junior werd vermoord, stond Sally Pope naast John Walsdorf, de directeur van de Westmont-sociëteit, te kijken hoe een lange rij dure auto's naar de ingang van het zich in alle richtingen uitstrekkende clubgebouw van de Westmont reed. De stoet bewoog zich voort over een kronkelend pad met aan weerszijden bomen, dat langs een aantal golfholes leidde. Er was geen maan, zodat het overdadige smaragdgroen van de golfbanen aan de verbeelding werd overgelaten. Sommige auto's sloegen aan het eind van het pad links af en reden langs de sportwinkel het open parkeerterrein op dat aan het golfterrein grensde. Andere sloegen rechts af en lieten, na eerst rond een grote, met gazons en bloemperken versierde rotonde te zijn gereden, hun passagiers voor de ingang van het clubgebouw uitstappen. De verlichting uit het clubgebouw bescheen de rotonde voor meer dan de helft. De overkant lag in het duister.

'Heb je even tijd?' vroeg Tony Rose aan Sally Pope op het moment dat de limousine met Charlie Marsh, Delmar Epps, Moonbeam en Mickey Keys aan kwam rijden.

'Nu niet, Tony. Ik heb het druk,' zei Sally. Het ergerde haar dat Rose juist op het moment waarop de eregast arriveerde met haar wilde praten.

'Wanneer dan? We moeten praten.'

'We hebben niets te bespreken,' fluisterde Sally boos. 'En als jij ergens mee zit, is het volgens mij ook geen goed idee om het uit te praten waar John bij is, of vind je van wel?'

Plotseling merkte Rose Walsdorf op, die de macht had hem te ontslaan. Zijn gezicht liep rood aan van frustratie en woede. Hij wilde iets zeggen, maar bedacht zich. De tennisleraar wierp Sally een boze blik toe en liep in de richting van het parkeerterrein. Op dat moment stopte Charlies limousine voor de ingang van het clubgebouw. De chauffeur stapte uit en haastte zich naar Charlies portier, maar voordat hij de portierkruk beet kon pakken ging Werner Rollins voor hem staan. De chauffeur wierp één blik op de neanderthaler en hield zijn pas in, wat Gary Hass de kans bood het portier van de limousine te openen.

'Hallo, Charlie,' zei Gary met een brede glimlach.

Delmar Epps stapte uit en legde zijn hand op Gary's borst.

'Achteruit, meneer,' beval Charlies lijfwacht op zijn meest dreigende toon. Werner kwam op Delmar af, maar Gary gebaarde dat hij opzij moest gaan.

'We zijn oude vrienden, nietwaar Charlie?'

'Het zit wel goed, Delmar,' reageerde Charlie zenuwachtig terwijl hij uit de auto stapte.

John Walsdorf voelde zich niet op zijn gemak bij wat er gebeurde. Dit soort dingen hoorde thuis in een truckerscafé, en niet in een sociëteit die zich op zijn beschaafde clientèle richtte, maar Sally Pope raakte er niet door van streek. Ze liep naar de limousine en leidde daarmee de door testosteron gedreven mannen af. Op dat moment kwam Mickey Keys uit de auto tevoorschijn. Keys wierp een blik op Werner Rollins en ging uit voorzorg een eindje bij hem vandaan staan.

'Dit is John Walsdorf, Charlie,' zei Sally. 'Hij is de directeur van de club.'

Achter de directeur stonden twee potige veiligheidsmedewerkers, die gekleed waren in blauwe blazers, zwarte coltruien en grijze pantalons. Ze richtten al hun aandacht op Delmar en Werner, die hen volkomen negeerden.

'Aangenaam kennis te maken, meneer Sun,' zei Walsdorf, een kleine, kalende man met een klein snorretje. Zijn buikje ging schuil onder een dichtgeknoopt colbert. Hij keek nerveus naar Charlies lijfwacht en Gary's angstaanjagende metgezel.

'Het is een voorrecht te worden uitgenodigd om bij dit gerenommeerde instituut te spreken,' slijmde Charlie.

'Er zijn al heel wat mensen gekomen,' zei Walsdorf tegen hem.

'Geweldig,' zei Mickey Keys instemmend.

'Zal ik je even laten zien waar je je toespraak gaat houden?' bood Sally aan.

Ze begon naar de voordeur van het clubgebouw te lopen, maar

bleef toen stokstijf staan. Walsdorf volgde haar blik en zag dat er vanuit de richting van het parkeerterrein een lange, breedgeschouderde man op hen af kwam stormen. Hij herkende hem meteen.

Het congreslid Arnold Pope Junior had bij het Korps Mariniers gediend en zag eruit alsof hij nog steeds de trainingen volgde. Hij liep met vastberaden tred en hield zijn bruine ogen op zijn vrouw gericht. Het bovenste knoopje van zijn nette overhemd zat los en zijn stropdas hing half scheef, wat samen met Popes rood aangelopen gezicht aanwijzingen waren dat het congreslid zijn emoties niet helemaal onder controle had.

'Is dat je nieuwste vriendje?' snauwde Pope woedend.

Sally keek hem minachtend aan. 'Ik wist niet dat je van plan was om hierheen te komen, Arnie.'

'Heb ik je betrapt?' vroeg Pope.

'Helemaal niet, schat. Je weet dat ik het altijd leuk vind om samen met jou ergens naartoe te gaan. Ik sta er alleen van te kijken dat je nu ineens je gezicht laat zien bij iets waar ik gastvrouw ben. Ik zie je toch al zo weinig.'

Pope richtte zijn aandacht op Charlie. 'Jij bent toch die goeroe?'

Charlie lachte nerveus. 'Zo noemen ze me in de pers.'

'Wat zegt jouw godsdienst over overspel?'

'Pardon?'

'Je hebt me wel gehoord, hufter.'

'Moet dat per se hier?' vroeg Sally.

'Waar moet het dan, in onze slaapkamer of in de hotelkamer van dat stuk tuig?'

'Ik weet niet waar je het over hebt,' zei Sally koeltjes.

Pope pakte een envelop uit de binnenzak van zijn colbert en haalde er een stapeltje foto's uit. Pope hield een foto omhoog waarop Charlie en Sally in innige omhelzing in de hal van het huis van de Popes stonden afgebeeld. Een paar tellen nadat het tot Sally was doorgedrongen dat die foto door een van de ramen aan de voorkant van haar huis was gemaakt, smeet Pope de foto's naar haar toe en gaf Charlie vervolgens een klap in zijn gezicht.

De chauffeur van de limousine maakte dat hij wegkwam. Charlie botste tegen Delmar op. Delmar trok Charlie achter zich en stompte het congreslid in zijn maag. Pope zakte in elkaar. Meteen daarop ging een van de veiligheidsmedewerkers Delmar te lijf, die met zijn knie de medewerker een stoot tussen zijn benen gaf. De veiligheidsmedewerker verbleekte en Delmar smeet hem tegen zijn collega aan, die op zijn beurt tegen Werner Rollins aan viel.

John Walsdorf zocht haastig een goed heenkomen, struikelde en viel op de grond. Op het terrein tussen de rotonde en de parkeerplaats vochten Delmar en Werner Rollins met de veiligheidsmedewerkers. De menigte stond in een kring om hen heen. Charlie en Gary Hass liepen over de rotonde tot ze zo ver van de vechtpartij verwijderd waren dat ze in de schaduw stonden. Walsdorf zag dat Rollins een van de veiligheidsmedewerkers tegen de vlakte sloeg en zich ervan overtuigde dat de man niet overeind zou komen, waarna hij zich bij Gary en Charlie voegde.

Even later zag Walsdorf dat Delmar Epps de andere veiligheidsmedewerker een karatetrap tegen zijn hoofd gaf. Delmar keek hoe de medewerker op het plaveisel in elkaar zakte en liep toen naar het groepje dat in de schaduw stond. Op dat moment vloekte Arnold Pope tegen Charlie en maakte aanstalten hem te lijf te gaan.

'Arnie, niet doen!' gilde Sally.

De directeur van de club zag een flits, ongeveer vanuit de richting waar Charlie stond, vlak voordat Sally het congreslid bereikte. Een ogenblik later deed het geluid van een schot de menigte verstommen. Arnold Pope liep niet verder. Hij keek stomverbaasd. Toen strompelde hij een paar stappen naar voren, waggelde even en staarde naar de voorkant van zijn overhemd, die langzaam rood begon te worden. Pope zakte op zijn knieën. Ergens gilde een vrouw. Sally rende naar haar man. Delmar brulde: 'Weg, weg!' Walsdorf hoorde portieren dichtslaan. Een paar tellen later reed de limousine weg, maar Walsdorf keek niet waar hij heen ging. Hij staarde naar Arnold Pope Junior, die geen tekenen van leven vertoonde.

Vijfentwintig minuten later vernam John Walsdorf dat een van de agenten op de plek waar Charlie Marsh in de schaduw had gestaan een Ruger .357 Magnum Vaquero-revolver met ivoren kolf had gevonden.

16

Het complex van de Westmont-sociëteit strekte zich uit over twee districten. De meeste leden woonden in het dichtbevolkte, stedelijke Multnomah County, maar het grootste deel van het clubterrein, waaronder ook het clubgebouw, lag in Washington County, waar steeds groter wordende slaapsteden, hightechbedrijven en grote gebieden met akkerland een ongemakkelijk conglomeraat vormden. Karl Burdett was een sportief uitziende man van tweeëndertig jaar. Hij had hoogblond haar en een zelfverzekerde glimlach. De pas gekozen, ultraconservatieve officier van justitie van Washington County had de verkiezing in het afgelopen najaar met een krappe meerderheid gewonnen van een gematigde kandidaat. Zijn voornaamste sponsor was Arnold Pope Senior, en Burdett was meteen in zijn auto gesprongen toen hij door de rijkste man in het district werd ontboden.

Uiteraard had Pope de officier niet zélf ontboden. Het telefoontje was afkomstig van Derrick Barclay, Popes privésecretaris, een gewichtig doend mannetje, in wiens aanwezigheid Burdetts nekharen altijd overeind gingen staan. Barclay had niet tegen de officier gezegd waarom zijn werkgever hem wenste te spreken en had ook niet de moeite genomen om te informeren of de voorgestelde tijd hem goed uitkwam. Hij had – terecht – aangenomen dat Burdett eventuele andere afspraken zou afzeggen.

Ook al had Barclay geen reden voor het gesprek genoemd, Burdett wist waarom Pope hem wilde spreken. De officier van justitie was belast met de vervolging van de moordenaar van Arnold Pope Junior, en de oude heer zou gaan eisen dat hij bij het proces betrokken werd. Senior zou zich nooit laten weerhouden door het vreemde idee dat het voor een burger hoogst ongepast was om zich met de rechtsgang te bemoeien.

Senior had zijn landhuis van blauwgrijze Tenino-zandsteen op een hoge, steile oever aan de Columbia-rivier laten bouwen. Met zijn dak van rode tegels en het omliggende terrein, dat aan een park deed denken, maakte het landhuis een vriendelijke, voorname indruk. Het had niets van het karakter van de eigenaar. Het terrein werd omgeven door een met klimop begroeide bakstenen muur, die het gepeupel buiten hield. Burdett gebruikte de intercom bij de poort en werd op het terrein toegelaten. Derrick Barclay stond bij de fraai bewerkte eiken voordeur te wachten. Hij was één meter zeventig lang en had een omal postuur en een bleke gelaatskleur. Barclay liep altijd met getuite lippen rond, alsof hij iedereen duidelijk wilde maken dat hij alles wat hij tegenkwam weerzinwekkend vond.

'Meneer Pope zal u in de studeerkamer ontvangen,' zei hij met een afgemeten Brits accent. Burdett kwam in de verleiding om 'heel fijn, beste kerel' te zeggen, maar bedacht net op tijd dat de grootste donateur van zijn verkiezingscampagne altijd naar Barclay luisterde.

Toen Barclay de officier van justitie een kamer met een hoog plafond en boekenkasten langs de muren binnenliet, liep Arnold Pope Senior daar op een Perzisch tapijt te ijsberen. Eén muur werd in beslag genomen door een open haard van natuursteen en een glas-in-loodraam bood uitzicht op een tuin. Pope was een bullebak, die het geld dat hij met zijn houthandel had verdiend, geïnvesteerd had in een aantal beginnende hightechbedrijven, die inmiddels marktleiders waren. Toen de houtindustrie in een crisis belandde, had Senior niet eens met zijn ogen geknipperd.

'Hebben jullie hem?' vroeg Pope zonder enige inleiding.

'Nee, meneer, maar alle uitvoerende instanties in het hele land zijn op zoek naar Marsh. Hij is voortvluchtig, maar dat zal niet lang meer duren.'

'En die vrouw? Is die al gearresteerd?'

Burdett fronste zijn voorhoofd. 'Welke vrouw?'

Pope bleef staan. 'Dat kreng dat het op zijn geld had voorzien, dat wijf dat verantwoordelijk is voor de moord op mijn zoon.'

'Sally Pope?' vroeg Burdett, in de war gebracht door de suggestie dat de vrouw van Junior iets met de moord te maken had. 'Een aantal heel geloofwaardige getuigen heeft haar gezien toen het congreslid werd neergeschoten. Niemand heeft gezien dat ze een revolver bij zich had.'

Pope keek de officier van justitie woedend aan. 'Doe niet of je achterlijk bent, Karl. Je weet toch wat er met "medeplichtigheid" en "samenspannen" bedoeld wordt, of zat je soms niet op te letten bij je strafrechtcolleges?'

Burdett liep rood aan. 'Ik weet dat u van streek bent, maar u hoeft me niet te beledigen.'

'Ik doe nog heel wat meer dan je beledigen als de lieden die mijn zoon hebben vermoord niet gepakt worden.'

'Ik kan Sally toch niet zomaar arresteren, meneer Pope? Er is geen enkel bewijs dat ze schuldig is aan de moord.'

'Heb je dan niets over dat briefje gehoord?'

'Welk briefje?'

'Dat ze in het kantoor van mijn zoon in Washington DC hebben gevonden.'

'Nee, daar weet ik niets van.'

'Maar je weet wel iets over de foto's?'

'Natuurlijk. Die hebben we op de plaats van het misdrijf allemaal verzameld.'

'Die waren samen met een briefje naar Arnold gestuurd. Een van zijn naaste medewerkers heeft hem de envelop gegeven. Mijn zoon heeft het briefje op zijn bureau laten liggen toen hij halsoverkop naar het vliegveld vertrok. De FBI heeft het nu.'

Burdett nam niet de moeite te vragen hoe het kon dat Senior op de hoogte was van een lopend FBI-onderzoek waarover hij – als hoofd van de uitvoerende macht in Washington County en degene die belast was met het moordonderzoek – niets wist. Senior droeg niet alleen bij aan de plaatselijke politieke strijd: zijn klauwen strekten zich uit tot de bovenste kringen van Washington.

Pope drukte op een knop en Barclay kwam haastig de kamer in lopen. Hij had een fax bij zich. Pope knikte naar de officier van justitie, waarop Barclay het document aan Burdett gaf. Het was een fotokopie van een briefje dat was opgebouwd uit letters die uit tijdschriften waren geknipt en op een stuk papier waren geplakt. Op het briefje stond:

MORGENAVOND ZIJN ZE SAMEN BIJ DE CURSUS VAN DE GOEROE IN DE WESTMONT.

'Ik zie niet in hoe dit briefje bezwarend kan zijn voor Sally Pope,' zei Burdett nadat hij de fax had bestudeerd. 'Die foto's tonen aan dat ze een buitenechtelijke verhouding met Marsh had. Waarom zou ze dat briefje dan verstuurd hebben?'

Pope glimlachte, maar niet van harte. 'Je kent mijn schoondochter niet, Karl. Het is een slimme, uitgekookte hoer. Ze wist dat je het zo zou bekijken. Wie zou haar er ooit van kunnen verdenken dat ze haar echtgenoot over haar verhouding zou inlichten?' De glimlach verdween. 'Denk eens na, Karl. Ze heeft dat briefje en die foto's gebruikt om Arnold kwaad te maken, in de wetenschap dat hij halsoverkop terug naar Oregon zou komen om haar ermee te confronteren. Ze hebben hem in de val laten lopen, en zij heeft Marsh er ook in geluisd zodat hij, en niet zij, voor de moord zou opdraaien.'

'Dat is een interessante theorie, maar ik kan Sally niet zonder bewijs arresteren.'

Er verscheen weer een glimlach op Popes gezicht. 'Er is wel degelijk bewijs dat ze betrokken was bij de samenzwering om mijn zoon te vermoorden. Meer dan voldoende bewijs zelfs. De FBI heeft vingerafdrukken op dat briefje gevonden. Raad eens van wie?'

17

Frank Jaffe was in zijn jeugd een vechtersbaas en een stevige drinker geweest; een machotype, met een rossige gelaatskleur en de dikke spierbundels van een stuwadoor. Hij geloofde van ganser harte dat de juiste plaats voor een vrouw binnenshuis was, waar ze typisch vrouwelijke dingen kon doen zoals koken en de kinderen opvoeden. Mannen brachten daarentegen lange uren op hun werk door om hun gezin te onderhouden en speelden met hun kinderen als ze daar tijd voor hadden. Maar toen werd zijn wereld ondersteboven gegooid. Samantha was twintig toen ze bij de geboorte van Amanda in het kraambed stierf. Hoe kon een man een baby – en nog wel een meisje – grootbrengen als hij niet eens wist hoe je een luier moest verschonen? Dat was een van de duizend vragen die Frank zichzelf tijdens de dagen vol verdriet na het overlijden van zijn vrouw en zijn plotselinge confrontatie met het vaderschap had gesteld. Frank moest snel een antwoord op die vragen zien te vinden. Als er een baby ligt te huilen is er niet veel tijd voor diepgaand onderzoek.

Frank was een geweldige vader, die zelfs tijdens de krankzinnige jaren toen hij 's avonds rechten studeerde de hele dag werkte en God dankte dat zijn ouders maar al te graag op Amanda wilden passen. Toen hij samen met een paar klasgenoten met Jaffe, Katz, Lehane & Brindisi begon, bestond zijn leven uit niets anders dan zijn werk en zijn dochter. Frank was nooit hertrouwd, omdat hij nooit tijd had voor een serieuze verhouding en hij zelden iemand tegen was gekomen die zich met Samantha kon meten. Bij de ene keer dat hij dicht in de buurt was gekomen, hadden zijn toewijding aan zijn werk en zijn kind een onherstelbare kloof geschapen.

Aan het begin van het vierde decennium van zijn leven had Frank de romantiek vaarwel gezegd. Maar toen zijn secretaresse Sally Pope zijn kantoor binnenliet, voelde Frank zich net een maagdelijke tiener die zojuist aan de aanvoerster van de cheerleaders is voorgesteld.

'Ik neem aan dat u weet wie ik ben,' zei Sally zodra ze alleen waren. Frank glimlachte. 'Iedereen die naar de televisie kijkt of een krant leest, weet wie u bent, mevrouw Pope. U bent berucht.'

Sally lachte en Frank hoorde kerkklokken luiden. Ze lachte niet alleen met haar mond, maar ook met haar ogen. Haar donkerblonde haren glansden.

'Berucht? Ja, dat zal wel,' zei Sally. 'De kranten schrijven over me als of ik een van die femmes fatales uit zo'n oude zwart-witfilm ben.'

'Mary Astor in *The Maltese Falcon* of Barbara Stanwyck in *Double Indemnity*,' zei Frank instemmend.

Sally keek Frank recht in de ogen. 'Er is één verschil tussen mij en die dames van het witte doek, meneer Jaffe. Ik ben geen moordenaar.'

'Is er iemand die denkt van wel?'

'Mijn schoonvader, Arnold Pope Senior, doet alles wat hij kan om ervoor te zorgen dat ik aangeklaagd word voor de moord op mijn man. En voordat we verdergaan, wil ik weten of dat een probleem is.'

Frank was in verwarring gebracht. 'Of wát een probleem is?'

'Als u mij gaat verdedigen zult u het moeten opnemen tegen Senior. Hij is een geduchte tegenstander, dat weet ik uit ervaring. Hij heeft ook een heleboel mensen in zijn macht. Ik moet weten of hij u ook in zijn macht heeft of dat u bang voor hem bent.'

'Ik ken meneer Pope amper,' zei Frank glimlachend. 'We verkeren niet bepaald in dezelfde kringen. En door wat ik over hem gehoord heb, betwijfel ik of ik hem erg aardig zou vinden als ik hem leerde kennen.'

'Dus u neemt mijn zaak aan?'

'Is er dan sprake van een zaak? Bent u aangeklaagd?'

'Nog niet. Maar ik heb van vrienden van vrienden gehoord dat Karl Burdett een jury bijeen heeft geroepen om een onderzoek naar mij in te stellen.'

'Bent u door de politie of een aanklager benaderd?' vroeg Frank.

'Ik ben bij de sociëteit verhoord, op de avond dat Arnie werd vermoord. Ik heb er toen niet bij stilgestaan dat ik een advocaat nodig zou hebben. Gisteren kwam er een rechercheur bij me aan de deur, maar ze hadden me gewaarschuwd dat er een onderzoek gaande was, dus heb ik geweigerd hem te woord te staan. Ik heb hier en daar wat geïnformeerd en uw naam doorgekregen.'

'Voordat we verdergaan, moeten we eerst de zakelijke kant van mijn werkzaamheden bespreken. Bent u zich bewust van de kosten die de verdediging in een moordzaak met zich meebrengt?'

'De kosten kunnen me niets schelen.'

'Ik moet u om een voorschot van honderdduizend dollar vragen om de kosten van mijn honorarium, mijn onderzoekswerk en de getuige-deskundigen te dekken,' zei Frank. 'Het kan zijn dat de zaak zelfs nog duurder uitvalt.'

'Dat is geen probleem. Ik breng morgen een cheque mee.'

'Uitstekend. Nu u officieel mijn cliënt bent, moet ik eerst mijn advocatenpraatje houden. Dat doe ik bij iedere cliënt en u moet niets van wat ik zeg persoonlijk opvatten. Maar u moet wat ik zeg wel ter harte nemen, want een misverstand over onze verhouding als advocaat en cliënt kan u een heleboel moeilijkheden bezorgen.

Daar gaan we: alles wat u me vertelt is vertrouwelijk, met maar een paar uitzonderingen waar we het straks over kunnen hebben. Dus als u me vertelt dat u uw man hebt vermoord...'

'Wat ik niet gedaan heb.'

Frank knikte. 'Maar als u me dat wél zou vertellen en het tegenover mij zou bekennen, zou ik daar met niemand over praten. Maar aan de andere kant werk ik voor de rechtbank en kan ik dus niet toestaan dat u meineed pleegt. Als u tegen me zegt dat u het congreslid Arnold Pope Junior inderdaad hebt vermoord, kan ik u niet in de beklaagdenbank laten plaatsnemen en laten zweren dat u op het tijdstip van de moord in Idaho was. Ik zou er met niemand over praten, maar als u weigerde uw verklaring te herroepen zou ik gedwongen zijn me terug te trekken. Het voorschot wordt in dat geval níét terugbetaald.'

'Meneer Jaffe, laten we dit voor eens en voor altijd uit de weg ruimen. Ik heb mijn man niet vermoord en ik was ook niet bij zijn dood betrokken. Iedereen die zegt dat dat wél zo is, liegt. Als er bewijs opduikt dat voor mij bezwarend is, kunt u ervan op aan dat het vervalst is. Ik ben honderd procent onschuldig.'

'Waarom heeft Karl Burdett dan een onderzoeksjury bij elkaar geroepen?'

'Dat weet ik echt niet. Alle kranten zeggen dat Charlie Marsh Arnie heeft vermoord.'

'Misschien gaat Burdett uit van een samenzweringstheorie waarmee hij wil aantonen dat u medeplichtig was aan de moord. Als Charlie Marsh het schot heeft afgevuurd dat uw man doodde, maar u hem bij zijn plan hebt geholpen, bent u voor de wet even schuldig als degene die het schot heeft gelost.'

'Charlie en ik hebben het er nooit over gehad dat we mijn man wilden vermoorden.'

'Dus u kent Marsh?'

Sally zweeg. 'Ik ben geen net iemand, meneer Jaffe. Ik heb mijn man heel wat keren bedrogen. Ik bedroog hem ook met Charlie Marsh. Maar ik hield van Arnie. Ik weet dat dat tegenstrijdig klinkt, maar onze verhouding was ingewikkeld, en dat kwam door Senior.'

'Legt u me alstublieft uit wat er precies aan de hand is.'

'Ik ben wat ze in welopgevoede kringen woonwagenvolk noemen.' Sally lachte verbitterd. 'Die beschrijving klopt aardig. Ik heb een groot deel van mijn jeugd in een caravanpark doorgebracht. Mijn vader was een toevallige passant, zodat ik geen idee heb wie hij is. Mijn moeder was aan de drank, maar in een donkere kroeg was ze voor iemand die wat op had zo'n charmante dronkaard dat ze een stuk of wat mannen aan de haak wist te slaan, die er stuk voor stuk achter kwamen wat voor kat in de zak ze hadden gekocht. En dan stond ze weer in de kou, op zoek naar onderdak en de volgende fles.

Ik ben snel volwassen geworden. Ik weet nu dat ik een behoorlijk stel hersens heb, maar toen ik opgroeide waren de jongens nooit in dat deel van mijn lichaam geïnteresseerd.' Sally lachte weer, maar het was duidelijk dat ze zich geneerde. 'Mijn moeder was mijn rolmodel. Op de middelbare school hing ik de slet uit en ik heb ook mijn studie niet afgemaakt. Ik gebruikte seks om te krijgen wat ik wilde. Het enige wat ik goed heb gedaan, was ervoor zorgen dat ik niet in verwachting raakte tot ik iemand met geld tegen het lijf liep. Dat gebeurde toen Arnie op het toneel verscheen.

Senior had hem ervan overtuigd dat hij na zijn studie in dienst moest gaan, want als hij bij het Korps Mariniers was geweest zou dat later een goede indruk maken als hij zich kandidaat stelde voor een politieke functie. Senior was daar al vanaf de dag dat Arnie werd geboren mee bezig, maar hij heeft het verknald. Toen Arnie bij de Mariniers ging, zat hij voor het eerst van zijn leven niet meer bij zijn vader onder de duim.

Arnie was bij de marinierskazerne in Pendleton bezig aan het laatste deel van zijn infanterieopleiding. Ik werkte in een restaurant in de buurt van de basis. Hij kwam een paar keer binnen als hij verlof had en we kregen verkering. Freud zou zeggen dat onze relatie voor Arnie een manier was om zich tegen zijn vader te verzetten. Ik was serveerster en had geen noemenswaardige opleiding. Hij wist dat ik iemand was van wie zijn vader zou walgen.'

Sally keek heel verdrietig. 'Ik heb u al verteld dat ik geen net iemand ben. Ons huwelijk is daarvan het bewijs. Zodra ik erachter kwam wie Arnie was en hoeveel geld hij had, heb ik hem zover weten te krijgen dat hij me zwanger maakte. Dat was niet moeilijk. Hij zei dat hij van me hield. Ik denk dat dat ook zo was. Toen ik hem vertelde dat ik in verwachting was, leek hij gelukkig. Hij was degene die zei dat we moesten trouwen. Ik denk niet dat hij stil heeft gestaan bij de gevolgen.'

'Hebben jullie zijn vader ingelicht?'

Sally schudde haar hoofd. 'We gingen een weekend naar Las Vegas. Senior kwam er pas achter toen het al te laat was.'

'Hoe reageerde hij?'

'Niet goed. Hij probeerde het huwelijk ongedaan te laten maken, maar Arnie verzette zich. Waarschijnlijk was dat de enige keer in zijn leven dat hij enige ruggengraat toonde. Op dat moment werd ik verliefd op hem.' Ze schudde haar hoofd. 'Ik moet toegeven dat ik daar zelf van stond te kijken. Ik trouwde om het geld, maar Arnie was net een lief groot kind, en ik begon me echt te verheugen op het moederschap.'

'Bond Arnold Senior een beetje in toen de baby werd geboren?'

'Totaal niet. Senior ontziet niets en niemand als hij zijn zin wil doordrijven. Toen Arnie geen echtscheiding wilde aanvragen, probeerde hij mij bij hem zwart te maken door geruchten te verspreiden dat ik met andere mannen sliep. Die geruchten waren nergens op gebaseerd tot Senior mij te grazen probeerde te nemen.'

'Hoe deed hij dat?'

'Door Arnie zo te kleineren tot ik aan hen allebei vreselijk de pest kreeg. Senior had mij niet in de hand. Ik was te sterk voor hem. En dus maakte hij ons huwelijk stuk door Arnie voortdurend te dwingen tussen ons te kiezen. Arnie had zo lang onder de plak gezeten dat hij de kant van zijn vader koos in plaats van zich tegen hem te verzetten. Vanaf dat moment begon ik vreemd te gaan. Ik wilde alleen maar dat hij de situatie tot zich door zou laten dringen en dat was de enige manier die ik kon bedenken. Ik genoot nooit van die verhoudingen. Het was voor mij alleen maar een manier om terug te slaan. Ik wilde dat hij zich tegen iemand zou verzetten, ook al was het tegen mij, maar daar had hij de moed niet voor.'

Er liep een traan langs Sally's wang. 'Dat wil zeggen, tot op de avond dat hij stierf. Dat was de eerste keer in lange tijd dat hij zich als man gedroeg.'

Franks cliënt keek omlaag naar haar schoot, waar ze haar gebalde vuioton hield.

'Ik weet dat ik hem pijn heb gedaan, en er waren momenten dat ik hem verachtte, maar ik hield echt van hem.'

Haar stem klonk bijna als gefluister. Haar lijden had bij Frank herinneringen opgeroepen aan de pijn die hij gevoeld had toen Samantha stierf.

'Wilt u wat water?' vroeg hij.

Sally schudde alleen maar haar hoofd. Het lukte haar niet iets te zeggen. Frank wachtte geduldig. Toen ze een beetje gekalmeerd was, stelde hij een vraag waardoor ze, naar hij hoopte, even niet aan haar man zou hoeven te denken.

'Weet iemand waar Marsh is?'

'Er gaan geruchten dat hij ergens in Afrika is, in een land dat geen uitleveringsverdrag met de Verenigde Staten heeft, maar zover ik weet zijn die geruchten niet bevestigd.'

Frank maakte een paar aantekeningen. 'Ik vind het wel genoeg voor vandaag,' zei hij toen hij daarmee klaar was. 'Ik neem aan dat ik u niet hoef te vertellen dat u met niemand over de zaak moet praten, alleen met mij of mijn detective en verder echt met niemand. Behalve ik of iemand die voor mij werkt, kan niemand een beroep doen op de geheimhoudingsplicht om te voorkomen dat hij of zij gedwongen wordt tegen u te getuigen. Als u door een verslaggever, een rechercheur of wie dan ook over de zaak wordt benaderd, zeg dan alleen dat uw advocaat u heeft opgedragen geen commentaar te geven. Meer niet. Meteen afkappen.

Ondertussen zal ik Karl Burdett laten weten dat ik uw advocaat ben en dat hij u niet mag benaderen. En ik ga ook proberen erachter te komen op welke bewijsgrond hij denkt dat hij een jury ervan kan overtuigen dat u schuldig bent aan moord.'

18

Een week nadat Sally Pope Frank had aangenomen werd ze aangeklaagd wegens moord en medeplichtigheid daartoe. Twee dagen nadat Sally was voorgeleid en op borgtocht werd vrijgelaten, was Frank bezig met het aanbrengen van verwijzingen in de transcripties van de telefoongesprekken van een heroïnedealer in een federale narcoticazaak, toen Herb Cross zijn hoofd om de hoek van de deur stak. Een paar jaar daarvoor was Cross, een slanke, leesgrage Afro-Amerikaan, door een blanke bediende bij een avondwinkel ten onrechte als overvaller geïdentificeerd. Hij zei tegen Frank dat hij een alibi had, maar Franks detective was nieuw en onervaren en was er niet in geslaagd ook maar een van de mensen te lokaliseren van wie Cross had gezworen dat ze hem van blaam konden zuiveren. Cross was woedend over de onbekwaamheid van de detective. Hij trok er zelf op uit en wist de mannen op te sporen. Nadat de officier van justitie de zaak had geseponeerd had Frank Cross' voorschot terugbetaald, zijn detective ontslagen en Cross diens baan aangeboden.

'Ik heb de stukken van de zaak-Pope doorgenomen,' zei Cross. 'Hebt u het druk of wilt u er nu naar kijken?'

Frank wreef in zijn ogen en leunde achterover in zijn stoel. Hij wees naar de papierwinkel op zijn bureau.

'Dit moet de saaiste zaak zijn waar ik ooit aan heb gewerkt. Even iets anders tussendoor komt me wel zo goed uit.'

'De zaak-Pope is beslist niet saai,' verzekerde de detective hem. 'Ik heb alle stukken in de vergaderzaal op de tafel uitgespreid.'

Frank nam zijn koffie mee naar de overkant van de gang en liep naar een lange tafel die bedekt lag met foto's, politierapporten en dossiers.

'Geef me de ingekorte versie maar,' zei Frank terwijl hij van zijn koffie nipte. 'Net zoals ze dat bij *Het Beste* met boeken doen. Ik neem alles later zelf ook nog een keer door.'

'Goed. Het komt erop neer dat Burdett Charlie Marsh als de schutter heeft aangewezen.'

'Omdat?'

'Ze hebben op de plaats van het misdrijf een dure .357 Magnum met een ivoren kolf gevonden. Die dingen worden alleen op bestelling gemaakt. Het is een heel opvallend wapen, en Marsh is de eigenaar ervan. Een bediende in Marsh' hotel heeft hem er eerder die avond mee zien spelen en zijn agent, Mickey Keys, heeft het wapen in de limousine zien liggen waarin Marsh en zijn gevolg naar de Westmont werden gereden.'

'Had Marsh het wapen bij zich?'

'Nee, Keys heeft tegen de politie gezegd dat Marsh' lijfwacht, Delmar Epps, het een mooie revolver vond en hem tussen zijn broekriem droeg als Marsh in het openbaar verscheen. Epps zat er in de limousine mee te spelen, maar Keys weet niet wat er met het wapen gebeurd is nadat Epps was uitgestapt.'

'En het staat vast dat die Magnum het moordwapen is?'

Cross knikte. 'Het resultaat van het laboratorium was positief. De kogel die het congreslid heeft gedood was uit Marsh' revolver afkomstig.'

'Zitten er vingerafdrukken van Marsh op het wapen?'

Cross schudde zijn hoofd. 'Iemand heeft het afgeveegd.'

'Heeft iemand gezien dat Marsh op Pope heeft geschoten?'

'Ze hebben een getuige.' Cross gaf Frank een foto van de plaats van het misdrijf. 'Marsh stond met een groepje mensen aan de andere kant van deze rotonde.'

Frank was geen lid van de Westmont, maar hij was er verschillende keren geweest. Hij vermoedde dat de politiefotograaf onder het portiek voor de hoofdingang had gestaan en over de rotonde in de richting van de sportwinkel had gefotografeerd. Ook al was de foto 's avonds genomen, Frank kon de kant van de rotonde die het dichtst bij de ingang lag duidelijk genoeg onderscheiden om een vertrapt deel van een bloemperk te kunnen zien. Maar het licht vanuit de ingang van het clubgebouw werd halverwege de rotonde zwakker, waardoor de overkant in de schaduw lag. De sportwinkel, die ongeveer vijfentwintig meter van de weg af aan de overkant van de rotonde lag, was bijna niet te zien.

'Waar vermoeden ze dat Marsh stond?' vroeg Frank.

'Ziet u dat weggetje dat op de grote weg uitkomt?' vroeg Cross, naar de overkant van de rotonde wijzend.

Frank knikte.

'Hij stond een klein eindje voor de bocht naar het parkeerterrein, ongeveer ter hoogte van de sportwinkel.'

'Oké, dat heb ik.'

Frank bestudeerde de foto. 'Er is daar op die plek niet veel licht. Hoe hebben ze Marsh met die revolver in verband gebracht?'

'Verschillende getuigen zullen verklaren dat ze vanaf de plek waar Marsh stond een lichtflits uit de loop van een wapen hebben gezien, maar de voornaamste getuige van de staat is Werner Rollins. Dat is een ex-veroordeelde en Burdett houdt hem vast op grond van een nog lopend arrestatiebevel. Rollins is een kennis van Marsh en was samen met nog een andere ex-veroordeelde, Gary Hass, bij de bijeenkomst. Er ontstond een vechtpartij nadat het congreslid Marsh een klap had gegeven. Rollins raakte er samen met een veiligheidsmedewerker bij betrokken. Uiteindelijk kwam hij bij het groepje aan de overkant van de rotonde terecht. Toen Pope werd neergeschoten ging hij ervandoor. De politie heeft hem een paar uur later opgepakt. Hij heeft een regeling met Burdett getroffen en gaat nu verklaren dat hij gezien heeft dat Marsh Pope neerschoot.'

'En wat zegt zijn maat, Hass?'

'Hass is niet in hechtenis genomen, maar ze hebben Delmar Epps wel gearresteerd. Het lijkt erop dat Epps met Marsh van de plaats van het misdrijf is weggereden. Hij was ook bij die vechtpartij betrokken. Er wordt gezegd dat ze met hem ook een regeling willen treffen.'

'Wat is er volgens hem met het wapen gebeurd?'

'Hij zegt dat Hass het portier van de limousine opendeed toen de auto was gestopt. Toen Epps in de gaten kreeg dat het niet de chauffeur van de limousine was die het portier opende, dacht hij dat er wellicht moeilijkheden waren – een fan, of paparazzi – dus hij zegt dat hij uitgestapt is om zich met Hass te bemoeien en de revolver op de zitting heeft laten liggen.'

'Dus hebben we Marsh, die met de revolver in de auto zit.'

Cross knikte.

'Waar is Marsh nu?'

'Het laatste wat ik gehoord heb, is dat hij asiel heeft aangevraagd in

Batanga, dat geen uitleveringsverdrag met de Verenigde Staten heeft.'

'Wordt dat land niet geregeerd door een kannibaal?'

'Dat wordt gezegd, ja.'

'Goed. We hebben dus Marsh als de schutter.' Waarom denkt Burdett dat mevrouw Pope erbij betrokken is?'

Cross wees naar een vel met kopieën van een aantal foto's. 'Op de dag voordat het congreslid vermoord werd, heeft iemand deze foto's en een anoniem briefje naar zijn kantoor gestuurd. Op de foto's zijn onze cliënt en Charlie Marsh in een compromitterende houding in haar huis te zien en ze tonen mevrouw Pope ook als ze 's nachts de lift in en uit komt die naar Marsh' penthousesuite in zijn hotel ging. Op het briefje stond dat Sally Pope en Marsh de volgende avond bij de Westmont zouden zijn. Het briefje was gemaakt door letters die uit tijdschriftadvertenties waren geknipt op een vel wit papier te plakken. De vingerafdrukken van Sally Pope zaten overal op het papier en ook op een paar van de opgeplakte letters. Mevrouw Pope is geabonneerd op het tijdschrift waar de letters uit waren geknipt. Ik denk dat Burdett aan gaat voeren dat onze cliënt haar man vanuit Washington naar de club heeft gelokt zodat Charlie Marsh hem kon vermoorden.'

'Weten we waar het papier vandaan komt?'

'Bij een huiszoeking bij de Popes is hetzelfde soort papier aangetroffen.'

Frank bestudeerde de foto's van Marsh en zijn cliënt *in flagrante delicto*. Hij keek even bezorgd, maar toen klaarde zijn gezicht weer op.

'Iemand heeft die foto's gemaakt waarop Marsh en onze cliënt staan te vrijen. Ga de fotograaf zoeken, Herb. Hij is de sleutel in deze zaak.'

'Hebt u enig idee wie de fotograaf ingehuurd kan hebben als onze cliënt dat niet zelf heeft gedaan?'

'Ik zal haar vragen of ze daar een idee van heeft, maar de voor de hand liggende verdachte is in dit geval Arnold Pope Senior.'

Frank vertelde zijn detective over de verhouding tussen Senior en Junior en zijn schoondochter.

'Weet u uit uw hoofd welk advocatenkantoor Senior voor zijn juridische zaken gebruikt?' vroeg Cross.

'Reed, Briggs, volgens mij. Waarom?'

'Detectives die mensen schaduwen zijn een bijzonder soort lieden. Meestal zijn het einzelgängers die de kost verdienen door acht tot twaalf uur per dag met hun camera arbeiders die een arbeidsongeschiktheidsuitkering hebben aangevraagd of eisers in letselschadezaken achterna te zitten om te kijken of ze hen op fraude kunnen betrappen. Het zijn op sociaal gebied vaak mislukkelingen die geen normale kantoorbaan aankunnen. Ze houden niet van routine of van een baas die over hun schouder mee kijkt. Advocatenkantoren hebben zulke lieden niet zoals hun eigen detectives op de loonlijst staan, maar ze hebben een lijst met mensen die ze voor losse karweitjes in kunnen schakelen als daar behoefte aan is. Als Arnold Senior die fotograaf heeft ingehuurd heeft hij zijn naam misschien van iemand bij Reed, Briggs gekregen.'

'Maak er dan werk van. Als we kunnen bewijzen dat Senior degene die die foto's heeft genomen heeft ingehuurd, slaan we een grote bres in de zaak van de aanklager. Heb je nog iets anders ontdekt wat ons problemen kan opleveren?'

'Daar ben ik niet zeker van. Er worden in de aanklacht twee getuigen genoemd die niet in een van de politierapporten staan.'

'En dat zijn?'

'Otto Jarvis en Anthony Rose.'

Frank fronste zijn voorhoofd. 'Rose zegt me niets. Ik zal mevrouw Pope vragen of zij hem kent. Jarvis is een advocaat.'

'Werkt hij bij een groot kantoor?'

'Nee, hij is een scharrelaar. Hij doet pro-Deo strafzaken, maar niets groots. Kleine vergrijpen, winkeldiefstallen, rijden onder invloed. Ik heb gehoord dat hij een heleboel echtscheidingszaken doet. Als ik me niet vergis, heeft hij een paar keer problemen met de balie gehad. Kijk dus of je erachter kunt komen of er bij de tuchtraad klachten tegen hem zijn ingediend.'

'Komt voor elkaar. Moet ik kijken of hij banden met Senior heeft? Misschien is hij wel degene die die fotograaf voor hem heeft geregeld.'

'Dat is een goed idee,' zei Frank. Hij zweeg. Toen hij weer iets zei, keek hij bezorgd. 'Wat me nog het meest dwarszit, Herb, is het ontbreken van een politierapport waarin die twee getuigen worden genoemd. Dat betekent doorgaans dat de officier van justitie met een verrassing komt, en daar houd ik niet van als ik midden in een proces zit.'

19

Naarmate Highway 26 verder in westelijke richting van Portland naar de Stille Oceaan loopt, maakt het stedelijke landschap al snel plaats voor winkelcentra in de voorsteden en groene ruimten die gedomineerd worden door steeds meer uit glas en chroom opgetrokken kantoorgebouwen waarin hightechbedrijven gevestigd zijn. Frank Jaffe bevond zich al op het platteland toen hij, twintig minuten nadat hij de stad was uitgereden, de afslag naar Hillsboro nam.

Frank verheugde zich op de rit van en naar het gerechtsgebouw tijdens het proces, omdat hij dan alleen was met Sally Pope. Meestal besprak Frank de strategie die hij bij het proces wilde volgen of gaf hij Sally zijn indrukken over het verloop ervan, maar soms praatten ze ook over dingen die niets met justitie te maken hadden, en dat waren de momenten die Frank het dierbaarst waren. Hij wist dat zijn gedragscode hem niet toestond een romantische verhouding met een cliënt te hebben, maar een uur per dag alleen met Sally was voor hem het op een na beste.

Als Frank Sally's houding tijdens haar proces met één woord zou moeten omschrijven, zou dat 'beheerst' zijn. Hij zou het beslist niet 'sereen' noemen, omdat Frank wist dat er momenten waren waarop Sally ziedde van woede, maar dat was een kant van haar karakter die ze enkel aan Frank liet zien. Ze toonde alleen haar emoties als ze zich met z'n tweeën in de beslotenheid van Franks kantoor bevonden of in zijn auto zaten.

Het grijswitte neoklassieke gerechtsgebouw van Washington County nam een hele straat aan de rand van het centrum van Hillsboro in beslag. Elke ochtend als ze voor de zitting arriveerden en Frank Sally tussen de Dorische zuilenrijen bij de hoofdingang naar binnen leidde, werden Frank en zijn cliënt door verslaggevers met vragen bestookt.

En elke dag negeerden ze de pers en haastten zich de trap op naar de rechtszaal van de edelachtbare Dagmar Hansen, waar over de toekomst van mevrouw Pope zou worden beslist.

Rechter Hansen, een donkerblonde, sigaretten rokende dame van halverwege de veertig, stond bekend als lastig. Ze had naam gemaakt met het verdedigen van verzekeringsbedrijven. Op politiek gebied was ze conservatief. Ze was ook zeer intelligent en probeerde steeds rechtvaardig te zijn. De rechter had met haar privépraktijk genoeg geld verdiend om ongevoelig te zijn voor pogingen tot omkoping en ze was integer genoeg om een bullebak het hoofd te bieden. Frank was ervan overtuigd dat Arnold Pope Senior haar niets zou kunnen maken. Vanaf de eerste dag zat de rechtszaal tjokvol. Elk moment dat het hof zitting hield, zat Arnold Pope Senior zo dicht mogelijk in de buurt van de tafel van de aanklager. Sally zorgde er altijd voor dat ze haar schoonvader negeerde en schonk geen aandacht aan de hatelijke blikken die hij haar elke keer dat ze langs hem liep toewierp.

Door de publiciteit die de zaak had gekregen duurde het een week voordat er een jury was geselecteerd. Zodra de juryleden waren ingezworen begon Karl Burdett aan zijn openingspleidooi, waarin hij stelde dat het bewijsmateriaal zou aantonen dat de verdachte het vanaf het begin op het geld van haar man had voorzien en hem door zwanger te worden in een huwelijk had gelokt. De aanklager liet een aantal van de foto's zien die het congreslid op de dag voordat hij stierf had ontvangen. Vervolgens voerde hij aan dat de foto's het aas waren dat de verdachte had gebruikt om Junior naar zijn dood te lokken, zodat zij de miljoenen uit zijn nalatenschap kon erven en nog eens miljoenen van de levensverzekering van het congreslid kon opstrijken. Tijdens zijn tirade verwees Burdett naar Sally Pope als een op geld beluste vrouw, een zwarte weduwe, een slet en een feeks. Frank vroeg zich af of de aanklager een medewerker had opgedragen een lijst op te stellen van alle neerbuigende termen die gebruikt konden worden om een vrouw te beschrijven.

Franks openingspleidooi was kort. Hij stond even stil bij de verplichting van elk jurylid om te wachten met het trekken van conclusies over schuld of onschuld tot al het bewijsmateriaal beschikbaar was. Hij wees erop dat de jury verplicht was tot vrijspraak te besluiten als de aanklager de schuld van de verdachte niet overtuigend kon bewijzen.

Zodra de zitting werd geschorst, riep Frank Amanda vanuit het achterste gedeelte van de rechtszaal bij zich en stelde haar aan Sally voor. Frank had er bij zijn dochter op aangedrongen dat ze van haar zomervakantie moest genieten door met haar vrienden op stap te gaan, maar Amanda was verslaafd aan het gebeuren in de rechtszaal. Na de middelbare school wilde ze rechten gaan studeren en zich, net als haar vader, met strafrecht bezig gaan houden. Frank kon haar er op geen enkele manier toe bewegen om niet bij de grootste zaak uit zijn carrière aanwezig te zijn.

'Wat vond je van de openingsredes?' vroeg Frank terwijl hij zijn papieren bij elkaar raapte.

Amanda wierp een nerveuze blik naar Franks cliënt. 'Mag ik eerlijk zijn?'

'Graag zelfs,' zei Sally.

'Burdett veegde de vloer met je aan, pap. Hij had je goed te pakken.'

Frank reageerde met een hartelijke lach. Amada's openhartige antwoord leek Sally te amuseren.

'Uit de mond van kinderen...' zei Frank.

'Ik zeg alleen maar wat ik ervan vind.'

'Dan heb je het deze keer bij het rechte eind,' zuchtte Frank. 'Mijn pleidooi was vaag omdat ik nog steeds geen idee heb wat de staat precies van plan is en ik wil me voor de verdediging niet vastleggen op theorieën die door Burdett onderuit gehaald kunnen worden.'

'Ik dacht anders dat de aanklager behoorlijk duidelijk was over zijn zaak.'

'Hij houdt iets achter. Er staan twee getuigen op zijn lijst die niet in de politierapporten worden genoemd en ik ben doodsbang wat die gaan zeggen.'

'Wie zijn dat?'

'Tony Rose en Otto Jarvis. Jarvis is advocaat. Hij heeft geweigerd met Herb te praten en mevrouw Pope heeft geen idee wie hij is.'

'Wie is de andere getuige?'

'Tony Rose, de tennisinstructeur van de Westmont-sociëteit.'

Nu was het Franks beurt om te aarzelen.

'Zeg het maar, Frank,' zei Sally. 'Volgens mij is je dochter behoorlijk bijdehand.'

'Rose en mevrouw Pope hadden... een verhouding. Dat zou de reden kunnen zijn dat Burdett hem gaat oproepen. Maar Rose weigerde ook met Herb te praten, zelfs nadat Herb hem had verteld dat we op de hoogte waren van de verhouding. En daar word ik erg nerveus van.'

Tijdens de eerste week van het proces riep Burdett getuigen op die verklaarden dat Junior met Sally Pope was getrouwd nadat ze zwanger was geworden. Vervolgens bewees hij dat Sally's verhouding met Charlie Marsh was begonnen kort voordat Junior werd vermoord. Hiervoor gebruikte hij de getuigenverklaring van Delmar Epps, die de jury vertelde over Marsh' bezoek aan het huis van de Popes op de avond van de bijeenkomst in Dunthorpe en Sally's bezoek aan Marsh' penthousesuite. Epps bevestigde de verklaring van de ober die Marsh in het hotel met de Magnum met de ivoren kolf had zien spelen en zei dat hij de revolver in de limousine had laten liggen toen hij uitstapte.

Daarna riep Burdett John Walsdorf op, die de jury vertelde hoe de vechtpartij tussen congreslid Arnold Pope en Charlie Marsh was begonnen en hoe Delmar Epps, Werner Rollins en de veiligheidsmedewerkers erbij betrokken waren geraakt. Bij het kruisverhoor waaraan hij Walsdorf onderwierp, stelde Frank vast dat de directeur van de Westmont tijdens de mêlee naar zijn cliënt had gekeken en gezien had dat ze op het moment dat het dodelijke schot viel naar haar man toe liep.

Nadat Walsdorf had getuigd, bewees de aanklager dat de kogel die Arnold Pope had gedood uit Charlies Magnum afkomstig was. Getuigen die bij de Westmont aanwezig waren geweest vertelden de jury dat ze Charlie bij een groepje mensen aan de overkant van de rotonde hadden zien staan. Een paar van deze getuigen verklaarden dat ze daar, vlak voordat ze een schot hoorden en het congreslid in elkaar zagen zakken, een lichtflits vandaan hadden zien komen. Werner Rollins verklaarde dat hij bij Marsh in de buurt stond en gezien had dat hij met het moordwapen vuurde.

Tijdens deze fase van het proces stelde Frank niet veel vragen. Charlie had een heleboel redenen om Junior te vermoorden, die niets te maken hadden met een ingewikkeld moordcomplot. Arnie Junior had hem een klap in zijn gezicht gegeven en rende op het moment dat het dodelijke schot werd afgevuurd op hem af om hem verder onder handen te nemen. Bij zijn conclusie wilde Frank aanvoeren dat Charlie Marsh de enige dader was.

Aan het begin van de vijfde dag van het proces verzocht Burdett Otto Jarvis in de getuigenbank plaats te nemen. Jarvis zag er niet goed uit. Hij was dik en maakte een onverzorgde indruk. Hij had een enigszins weke uitdrukking op zijn gezicht. Zijn dunne grijze haar zat slordig over de kalende plekken op zijn hoofd gekamd en zijn witte overhemd vertoonde vage koffievlekken. Jarvis' hand beefde toen hij de eed aflegde en hij wendde zijn blik af toen Frank oogcontact met hem zocht.

'Meneer Jarvis,' vroeg Burdett, 'wat is uw beroep?'

'Ik ben advocaat,' zei Jarvis met alle waardigheid die hij op kon brengen.

'Hoe lang hebt u al een advocatenpraktijk?'

'Vijfendertig jaar.'

'Waar hebt u uw kantoor?'

'In Portland.'

'Bent u gespecialiseerd in een bepaald rechtsonderdeel?'

'Ja, meneer. Ongeveer driekwart van mijn praktijk heeft te maken met familierecht.'

'Vertegenwoordigt een advocaat die familierecht beoefent partijen die een echtscheiding willen aanvragen?'

'Ja, meneer.'

'Meneer Jarvis, kende u het slachtoffer, congreslid Arnold Pope Junior?'

'Jawel.'

'Wanneer hebt u hem leren kennen?'

'Ongeveer twee weken voordat hij stierf,' antwoordde de advocaat.

'Waar en wanneer hebt u hem ontmoet?'

'We ontmoetten elkaar op een woensdagmiddag om drie uur in een kroeg in Tualatin,' zei Jarvis, de naam noemend van een voorstad in de buurt van Portland.

'Dat lijkt me voor een congreslid een ongebruikelijke plaats om met een advocaat te overleggen.'

'Ja, ziet u… meneer Pope wilde niet dat iemand van ons gesprek op de hoogte was.'

'Waarom niet?'

'Hij dacht erover om een echtscheiding aan te vragen en wilde niet dat de pers, of iemand anders, daarachter kwam.'

'Was er iets ongebruikelijks aan de manier waarop het congreslid gekleed ging toen hij u ontmoette?'

'Ja. Hij was in vermomming. Hij droeg geen kostuum, maar een oude, flodderige spijkerbroek en een jasje waarvan de kraag omhoog stond. Hij had ook een zonnebril en een honkbalpet op. Tijdens ons hele gesprek hield hij het jasje aan. Hij zette ook de pet en de bril niet af.'

'Was er iemand in het bijzonder die er van congreslid Pope niet achter mocht komen dat hij een gesprek met u had?'

'Zijn vrouw.'

'Bedoelt u de verdachte, Sally Pope?' vroeg Burdett.

'Ja, meneer.'

'Waarom wilde hij niet dat zijn vrouw erachter kwam?'

'Hij was bang voor wat ze...'

'Bezwaar,' zei Frank.

'Het gaat over zijn geestesgesteldheid, edelachtbare,' zei Burdett.

'Ik sta de vraag toe,' bepaalde rechter Hansen.

'Wat wilde u zeggen?' ging Burdett verder, terwijl hij Frank even een schampere blik toewierp.

'Hij was bang voor wat ze zou doen als ze erachter kwam dat hij van haar wilde scheiden.'

'Was hij ergens in het bijzonder bang voor?'

'Ja, meneer. Hij zei dat hij bang was dat ze hem zou laten vermoorden.'

'Bezwaar!' bulderde Frank.

'Ja, meneer Burdett,' zei rechter Hansen tegen de aanklager. Vervolgens richtte ze haar aandacht op de jury.

'Dames en heren, ik laat dat laatste antwoord schrappen. U dient het te negeren.'

Mooi niet, dacht Frank.

'Wat gebeurde er tijdens het gesprek?' vroeg de aanklager.

'We praatten over de financiële gevolgen van de scheiding en het voogdijschap. De Popes hadden een zoontje.'

'Heeft het congreslid tijdens het gesprek een beslissing genomen over wat hij zou gaan doen?'

'Nee. Vlak voordat hij vertrok, zei hij dat hij er nog op terug zou komen.'

Burdett wendde zich tot de tafel van de verdediging. 'Uw getuige, meneer Jaffe.'

'Meneer Jarvis, hebt u met iemand over die geheime ontmoeting met meneer Pope gesproken?'

'Nee.'

'Dus u en het congreslid waren er als enigen van op de hoogte?'

'Ik weet niet of het congreslid er met iemand over heeft gepraat. Ik in elk geval niet.'

'Meneer Jarvis, hoeveel mensen werken er bij u op kantoor?'

'Het is een eenmanspraktijk. Ik ben dus de enige.'

'U zei dat het congreslid de financiële gevolgen van een scheiding van mevrouw Pope met u heeft besproken.'

'Ja.'

'Daar zouden meerdere miljoenen dollars mee gemoeid zijn geweest. Heb ik dat juist?'

'Ja.'

'Over welke bedragen hebt u met hem gesproken?'

'Eh… dat kan ik me niet precies herinneren.'

Frank leunde achterover en glimlachte naar de getuige. 'Hoeveel echtscheidingszaken hebt u in pakweg de afgelopen vijf jaar behandeld waarin het om miljoenen dollars ging?'

Jarvis' gezicht werd rood. Hij keek omlaag. 'Eh… dat kan ik zo niet met zekerheid zeggen.'

'Misschien kan ik u daarbij helpen. Als ik u vertel dat ik mijn detective alle echtscheidingszaken die in de afgelopen vijf jaar door u zijn ingediend heb laten bekijken en dat hij me verteld heeft dat hij maar zes zulke zaken kon vinden, waarbij het steeds om minder dan twee miljoen dollar ging, staat u daar dan van te kijken?'

'Eh… nee.'

'U behandelt gewoonlijk geen grote echtscheidingszaken, is het wel?'

'Nee, gewoonlijk niet.'

'En u vertegenwoordigt gewoonlijk ook geen vooraanstaande leden van de samenleving in Oregon, of wel?'

'Nee.'

'Het congreslid zou dus een ongebruikelijke en bijzondere cliënt voor u zijn geweest. Zie ik dat goed?'

'Ik… ja.'

'En de geldbedragen die ermee gemoeid waren, waren veel hoger dan waar u gewoonlijk mee te maken hebt, is het niet zo?'

'Ja.'

'En wilt u deze jury laten geloven dat u zich niet kunt herinneren om hoeveel miljoen dollar het ging?'

'Ik, eh… het ontschiet me nu even.'

'Of weet u misschien niet hoeveel geld zich in de boedel bevond omdat u nooit met de heer Pope hebt gesproken?'

'Ik heb wel degelijk met hem gesproken. Ik weet alleen niet meer hoeveel geld hij had.'

Frank merkte dat enkele juryleden aantekeningen zaten te maken. Hij ging verder.

'Zijn er in Oregon advocatenkantoren voor wie het dagelijks werk is om bij echtscheidingen partijen uit de financiële bovenlaag te vertegenwoordigen?'

'Ja.'

Frank noemde in snel tempo de namen van een aantal advocatenkantoren in de stedelijke agglomeratie.

'Denkt u dat ook maar een van deze kantoren het vreemd zou vinden als ze een zaak te behandelen kregen waarbij de activa tot in de miljoenen liepen?'

'Dat denk ik niet.'

'Tijdens uw jaren als advocaat zijn er bij de Orde van Advocaten in Oregon tien klachten tegen u ingediend. Is dat correct?'

Jarvis' gezicht werd weer rood. 'Er is een aantal klachten ingediend, ja. Ik weet niet meer hoeveel.'

'Bent u door de Orde van Advocaten twee keer wegens schending van de beroepscode voor zes maanden geschorst?'

'Ja,' antwoordde Jarvis geërgerd.

'Meneer Jarvis, wilt u nog steeds deze jury wijsmaken dat iemand als Arnold Pope Junior, met alle contacten die hij had, er de voorkeur aan gaf om zijn echtscheiding te bespreken met een advocaat die zelden een echtscheiding in de betere kringen of een echtscheiding waarbij het om dit soort bedragen ging, heeft behandeld, tegen wie klachten bij de Orde van Advocaten zijn ingediend en die meerdere keren wegens onethisch gedrag is geschorst?'

'Ik... hij heeft me niet verteld waarom hij mij had gekozen. Misschien was hij bang dat zijn vrouw het te horen zou krijgen als hij naar een van de grote kantoren ging.'

'Hoe heeft meneer Pope de afspraak bij die kroeg met u geregeld?'

'Hij belde naar mijn kantoor.'

'Was er iets wat meneer Pope ervan had kunnen weerhouden om iemand bij een groot kantoor te bellen om een geheime afspraak te maken bij de kroeg waar u beweert met hem gesproken te hebben?'

'Nee, dat denk ik niet.'

'Brengt u een uurtarief in rekening, meneer Jarvis?'

'Ja, soms.'

'Kunt u een notitie laten zien van het eerste telefoontje van het congreslid als ik u daartoe zou laten sommeren?'

'Nee. Volgens mij heb ik daar geen notitie van gemaakt.'

'Er moet toch ergens vastgelegd zijn hoeveel tijd u aan dat gesprek hebt besteed. Kunt u een dossier laten zien?'

'Ik heb geen dossier aangelegd. Het congreslid heeft me niet aangenomen. We hebben alleen maar overlegd.'

'Maar hij heeft u toch voor dat overleg betaald? Er moet toch een cheque zijn?'

'Hij... hij heeft me contant betaald. Hij wilde niet dat er iets op papier kwam te staan waar zijn vrouw achter zou kunnen komen.'

'Maar ik mag toch aannemen dat u de transactie ergens hebt vastgelegd zodat u niet zou vergeten het honorarium als inkomen bij de belasting op te geven?' vroeg Frank met een innemende glimlach.

Jarvis leek net een hert dat in het licht van heel felle koplampen gevangen zit. 'Dat eh... heb ik misschien vergeten.'

'Juist,' zei Frank. 'Laat ik de zaken even op een rijtje zetten: er zijn geen getuigen van het gesprek, geen aantekeningen, en er is geen bewijs dat het ooit heeft plaatsgevonden. We moeten u dus op uw woord geloven.'

'Waarom zou ik liegen?' vroeg Jarvis op wanhopige toon.

'Dat is een goede vraag. Heeft Arnold Pope Senior u voor uw verklaring betaald?'

Jarvis wierp onwillekeurig een blik naar Senior, maar meteen toen hij besefte wat hij gedaan had, wendde hij zijn blik af. Frank kon niet zien wat de reactie van Senior was, maar hij merkte dat een aantal juryleden naar Senior zat te kijken.

'Nee. Dat is niet het geval,' antwoordde Jarvis.

'Kunt u dan uitleggen waar het geld vandaan kwam dat u vorige maand hebt gebruikt om een schuld van meerdere duizenden dollars op uw creditcards af te lossen?'

'Ik ben pas nog in Las Vegas geweest en heb daar een flink bedrag gewonnen,' antwoordde Jarvis, maar zijn antwoord klonk niet erg geloofwaardig.

'Hebt u de bedragen die u hebt gewonnen aan de belasting opgegeven, of hebt u ze niet genoteerd, net als het honorarium dat congreslid Pope u, naar u beweert, heeft betaald?'

'Dat... dat zal ik te zijner tijd doen.'

'Heel verstandig van u, meneer Jarvis. Ik heb verder geen vragen, edelachtbare.'

'De staat vraagt Anthony Rose te getuigen, edelachtbare,' zei Karl Burdett zodra Otto Jarvis de rechtszaal had verlaten.

Terwijl een van Burdetts medewerkers de gang in dook om de getuige te roepen, herlas Frank het magere onderzoeksrapport dat Herb Cross had opgesteld. Rose had in Sisters, een kleine stad in het centrum van Oregon, op de highschool gezeten. Hij was een uitblinker in het tennisteam geweest, maar zijn cijfers waren niet goed genoeg voor een beurs aan de universiteit, zodat hij dienst had genomen in het leger. Rose had een poging gedaan om bij de commando's te komen, maar hij was niet door de selectie gekomen. Herb had een aantal van Rose' kennissen gesproken, die zeiden dat hij hun verteld had dat hij parachutesprongen had gemaakt en een uitstekend scherpschutter was, maar dat hij vanwege een officier die de pik op hem had het militaire leven vaarwel had gezegd. Rose was eervol uit het leger ontslagen en had zich aangemeld bij de staatsuniversiteit van Ohio, waar hij opnieuw uitblonk in het tennisteam en in het laatste jaar van zijn studie tot de kwartfinales van het NCAA-toernooi was doorgedrongen. Na een kortstondige periode als beroepstennisser was Rose teruggekeerd naar Oregon, waar hij als tennisleraar bij de Westmont was aangenomen.

De deur van de rechtszaal ging open, maar Frank wachtte met naar Sally's minnaar te kijken tot Rose zijn hand opstak om de eed af te leggen. De tennisinstructeur leek zo afkomstig van een affiche waarmee een sociëteit personeel probeerde te werven dat bij de vrouwelijke leden in de smaak zou vallen. Hij was knap en zag er sportief uit. Hij droeg een donkerblauw sportjasje, een keurig geperste donkerbruine pantalon en een lichtblauw overhemd waarvan de kraag net ver genoeg openstond om een plukje borsthaar te laten zien. Frank merkte dat zijn glimlach de gezichten van alle vrouwelijke juryleden deed opvrolijken.

'Meneer Rose, is de verdachte een bekende van u?' vroeg Burdett na een paar inleidende vragen. Rose keek Sally recht in de ogen. Omdat hij de andere kant uit keek, konden de juryleden zijn schampere blik niet zien.

'Dat kun je wel zeggen,' antwoordde Rose.

'In welke hoedanigheid kende u haar?' vroeg de aanklager.

'In verschillende hoedanigheden. Ze was mijn leerlinge. Ik gaf haar tennislessen, ik denk ook dat we bevriend waren en we waren zeer zeker minnaars.'

Er klonk geroezemoes op de publieke tribune. Het viel Frank op dat enkele juryleden op een duidelijk kritische manier naar Sally Pope za ten te kijken toen er een tweede buitenechtelijke verhouding ter sprake werd gebracht.

'Hoe lang heeft uw seksuele verhouding met de vrouw van de overledene geduurd?'

'Een paar maanden.'

'Waardoor kwam er een eind aan?'

Rose wachtte even met antwoorden om zo het dramatische effect van zijn antwoord te verhogen.

'Ze wilde dat ik haar man zou vermoorden en dat heb ik geweigerd.'

Frank hoorde dat mensen op de publieke tribune hun adem inhielden en zag meer dan één jurylid geschokt kijken.

'Dat is een leugen,' fluisterde Sally geagiteerd.

'Kunt u zich herinneren wat er gezegd is tijdens het gesprek waarin de verdachte u vroeg haar man te vermoorden?' vroeg Burdett terwijl hij er met enige moeite in slaagde een triomfantelijke glimlach te onderdrukken.

'Zeker. We waren bij een bijeenkomst op een landgoed in Dunthorpe, waar Charlie Marsh, alias goeroe Gabriel Sun, of hoe hij zich verder ook mocht noemen, sprak over innerlijke vrede of dat soort onzin. Mevrouw Pope vroeg me of ik na de lezing met haar naar buiten wilde gaan. Ze leidde me naar een afgelegen plek in de tuin. Zodra we alleen waren en niemand van de andere gasten ons kon horen, vroeg mevrouw Pope me of ik een kwart miljoen dollar wilde verdienen. Ik vroeg haar waarmee. Ze zei dat haar man van plan was van haar te scheiden. Er was een of ander contract dat mevrouw Pope op aandringen van de vader van het congreslid had ondertekend, waarin stond dat hij zijn zoon zou onterven als ze dat niet zou doen. Ik kan me alle details niet herinneren, maar het punt waar mevrouw Pope zich zorgen over maakte, hield in dat ze er financieel bekaaid af zou komen als het tot een scheiding kwam. Maar als haar man zou komen te overlijden voordat de scheiding definitief was, zou ze een fortuin erven. Ze zei ook dat er een levensverzekeringspolis was waarin het om meerdere miljoenen dollar ging. Ze klonk wanhopig.'

'Wat stelde ze voor dat u zou doen om haar te helpen de gevolgen van een scheiding te vermijden?'

'Ze wilde dat ik met haar man zou afrekenen voordat hij een echtscheidingsverzoek kon indienen.'

'Wat bedoelde ze met "afrekenen"?'

'Hem doden. Hem vermoorden.'

'Daarover bestaat bij u geen twijfel?'

'Geen enkele. Ze zei dat ze wilde dat hij vermoord zou worden en ik moest zelf maar zien op welke manier ik dat deed.'

'Wat was uw reactie op het verzoek van mevrouw Pope om een lid van het Amerikaanse Congres te vermoorden?'

'Ik zei dat ze niet goed bij haar hoofd was en dat ik niet van plan was iemand te vermoorden, ongeacht hoeveel geld ze me bood. En zeker geen congreslid. Ik bedoel, dan zou ik de hele federale overheid achter me aan krijgen: de FBI, de CIA, de Geheime Dienst.

Om eerlijk te zijn was ik ook beledigd dat ze zo'n lage dunk van me had dat ze dacht dat ik iemand om geld zou vermoorden. En het was vrij duidelijk dat ze me gebruikte. Ik bedoel, ze deed of ze van me hield en ze liet doorschemeren dat we konden trouwen als Junior uit de weg was geruimd, maar ik weet dat ze niet echt iets voor me voelde.'

Rose haalde zijn schouders op. 'Ze was geweldig in bed, maar zo gauw ze haar hoogtepunt had bereikt, verloor ze haar belangstelling, als u begrijpt wat ik bedoel.'

Burdett gaf er de voorkeur aan verder te gaan met vragen stellen in plaats van op dat onderwerp in te gaan.

'Hoe reageerde de verdachte nadat u weigerde haar man te helpen vermoorden?'

'Ze was erg overstuur. Ze schold me uit en beledigde mijn mannelijkheid.' Rose haalde weer zijn schouders op. 'Mevrouw Pope was er aan gewend dat mannen altijd alles voor haar deden en volgens mij was ze ontdaan dat iemand een verzoek van haar weigerde, hoe krankzinnig dat verzoek ook was.'

'Heeft zich tijdens uw meningsverschil verder nog iets voorgedaan?'

'Jawel, meneer. Charlie Marsh verscheen. Het was duidelijk dat hij indruk op mevrouw Pope wilde maken door haar te hulp te komen.'

'Wat gebeurde er?'

'Hij gaf me een klap zonder dat ik daarop verdacht was. En daarna liet hij me door zijn lijfwacht aftuigen.'

'Hebt u gezien dat de lijfwacht een wapen bij zich had?'

'Ja. Ik kon het niet goed zien, maar hij had een revolver tussen zijn broekriem. Hij zorgde ervoor dat ik hem zag.'

'Was er iets opvallends aan dat wapen?'

'Ik herinner me een fraai bewerkte kolf.'

Burdett vroeg toestemming om naar de getuige toe te gaan en toonde Rose het moordwapen.

'Is dit de revolver die de lijfwacht van de heer Marsh bij zich had?'

Rose pakte de revolver aan en bestudeerde de kolf. 'Dat weet ik niet zeker,' zei hij. 'Ik heb de kolf maar heel even gezien. Maar het zou kunnen.'

Voordat Burdett verderging met het verhoor, legde hij het bewijsstuk terug op de tafel met het andere bewijsmateriaal.

'Hebt u iets opgevangen van wat de heer Marsh tegen de verdachte zei of hebt u haar na uw vechtpartij iets tegen hem horen zeggen?'

'Nee. De lijfwacht sleepte me mee en dreigde dat hij me in elkaar zou slaan als ik er niet onmiddellijk vandoor ging. Om eerlijk te zijn wilde ik na mijn gesprek met mevrouw Pope ook het liefst zo ver mogelijk bij haar uit de buurt blijven.'

'Hebt u na uw meningsverschil nog contact met de verdachte gehad?'

'Nee, meneer. Ze heeft haar tennislessen opgezegd, maar dat heeft ze via de winkel gedaan.'

Burdett raadpleegde zijn aantekeningen en wendde zich vervolgens tot de rechter.

'Ik heb verder geen vragen meer, edelachtbare.'

'Meneer Jaffe?' vroeg rechter Hansen.

Frank had geen idee hoe hij Rose aan een kruisverhoor moest onderwerpen en dus deed hij het enige wat hem te binnen schoot.

'Het begint al laat te worden, edelachtbare,' zei Frank. 'Ik vraag me af of we de zitting voor vandaag kunnen schorsen?'

Rechter Hansen keek op de klok. Het was kwart voor vijf. 'Dat is goed, meneer Jaffe. We zullen de zitting morgen voortzetten.'

Frank had tijdens Rose' vernietigende verklaring geen spier van zijn gezicht vertrokken. Zodra de jury de rechtszaal had verlaten, boog hij zich naar zijn cliënt.

'Dat heeft hij verzonnen,' zei Sally Pope voordat Frank iets kon zeggen.

Haar stem klonk gespannen van woede.

'Meineed is strafbaar. Als ik kan bewijzen dat hij liegt, draait hij de bak in. Waarom zou hij dat doen?'

'Ik kan twee redenen bedenken waarom hij onder ede zou liegen. De ene is wraak. Toen we naar de tuin liepen, heb ik tegen Tony gezegd dat ik hem niet meer wilde zien. Hij was erg van streek toen ik het uitmaakte.'

'Rose lijkt me niet het type dat slecht slaapt omdat een vrouw hem vertelt dat hun verhouding is afgelopen. Ik wil u niet beledigen, maar ik vermoed dat u niet het eerste lid van de club bent dat hij heeft verleid.'

'Ik weet wel zeker van niet. Even voor alle duidelijkheid: ik heb hém verleid. Maar Tony is eraan gewend dat hij degene is die een relatie afbreekt en ik denk dat ik zijn ego heb gekwetst.'

'Wat hebt u nog meer bedacht?'

'Dat Senior hem heeft benaderd, net zoals hij dat met Jarvis heeft gedaan. Tony houdt er geen strenge ethische normen op na. Hij heeft er geen moeite mee om onder ede te liegen als hij maar genoeg betaald krijgt. Verdomme, als ik hem écht een kwart miljoen dollar had geboden om Arnie te vermoorden weet ik zeker dat hij het gedaan zou hebben.'

Frank wilde nog iets zeggen, maar op dat moment kwam Herb Cross met een brede glimlach op zijn gezicht de rechtszaal binnen.

'Wat is er?' vroeg Frank.

'Ik heb de fotograaf gevonden.'

'Prima werk. Heb je al met hem gepraat?'

'Nee, maar ik weet waar hij woont. Ik dacht dat u misschien mee zou willen.'

20

'Hallo… spreek ik met Jack Rodriguez?' vroeg Herb Cross zodra de telefoon werd opgenomen. Cross belde vanuit Franks auto, die aan de overkant van de straat tegenover een slecht onderhouden huurhuis in een vervallen wijk in het noorden van Portland stond geparkeerd. In het piepkleine, overwoekerde gazon voor het huis groeide meer onkruid dan gras, en het kleine houten huis met zijn opvallende schoorsteen was in geen tijden geverfd.

'Met wie spreek ik?' zei een behoedzame stem.

'Bent u de privédetective?' vroeg Cross. Hij probeerde net zo paranoïde te klinken als de man met wie hij sprak.

'Ja,' antwoordde Rodriguez, die wat toeschietelijker klonk nu hij geld begon te ruiken. 'Wat kan ik voor u doen?'

'Dat vertel ik u liever niet via de telefoon, als u begrijpt wat ik bedoel.'

'Natuurlijk. Ik begrijp volkomen dat u behoefte hebt aan vertrouwelijkheid. Waar kunnen we afspreken?'

'Hebt u een kantoor?'

'Nee, ik wil liever niet te veel aandacht trekken.'

'O ja, dat is ook zo. Meneer Jarvis heeft me verteld dat u geen kantoor hebt.'

'Wie zei u?'

Cross hoorde paniek in de stem van de privédetective.

'Otto Jarvis, de advocaat. Hij heeft me uw nummer gegeven. Hij zei dat u uitstekend werk verricht.'

Het bleef even doodstil. Toen Rodriguez iets zei, klonk hij erg nerveus.

'Dan is er een probleem. Ik kijk net in mijn agenda en ik was helemaal vergeten dat ik een tijdje de stad uit moet om aan een onderzoek

te werken, dus ik denk dat ik op dit moment niets voor u kan doen.'
'Dat is nou jammer, want meneer Jarvis zei dat je bij u moet zijn als
je denkt dat je vrouw met eh… u begrijpt wel wat ik bedoel.'
'Niet echt, en volgens mij hebt u trouwens de verkeerde, want ik heb
geen idee wie die Jarvis zou kunnen zijn. Ik wens u het beste met uw
vrouw.'
Meteen nadat Rodriguez de verbinding had verbroken belde Cross
met Frank, die zich bij de achterdeur van het huis van de privédetective had opgesteld.
'Hij ontkende dat hij Jarvis kent, maar hij raakte behoorlijk in paniek toen ik zijn naam noemde. Ik denk dat hij elk moment naar buiten kan komen. Ik houd de voordeur in de gaten.'
Cross stopte het mobieltje in zijn zak en stak de straat over. Hij zag
een gordijn bewegen. Hij hoopte dat Rodriguez ervandoor zou gaan,
zodat ze niet hoefden te bedenken hoe ze zijn huis binnen moesten komen. Hij hoopte ook dat de privédetective niet gewapend was.

Frank had zijn kostuum verruild voor een zwartleren jasje, een zwarte
coltrui en een zwarte broek, waardoor hij er met zijn brede borstkas en
zijn gebroken neus als een schurk uitzag. Zodra hij de achterdeur open
en dicht hoorde gaan, kwam hij vanachter een hoek van het huis tevoorschijn en versperde Rodriguez de weg.
'Waar gaat u heen, meneer Rodriguez?' vroeg hij terwijl de privédetective zijn pas inhield en stokstijf bleef staan. Rodriguez was mager
en ongeveer één meter zeventig lang. Zijn lange zwarte haar was vettig
en onverzorgd en Frank zag littekens van jeugdpuistjes op zijn ingevallen wangen. De advocaat dacht niet dat Rodriguez zou proberen
hem te lijf te gaan, maar hij leek wel iemand die het snel op een lopen
zou kunnen zetten, zodat Frank voor de zekerheid zijn onderarm stevig beetpakte.
'Wie ben jij, verdomme?' vroeg Rodriguez. Hij probeerde keihard te
klinken, maar dat mislukte volkomen.
'Dat leggen we je liever binnen uit, Jack,' zei Frank toen Herb Cross
achter de privédetective ging staan.
Franks detective hield zijn hand in de zak van zijn jasje, zodat het
leek of hij een wapen beethield. Rodriguez' ogen schoten van de ene
naar de andere overvaller. Terwijl de privédetective bedacht wat hem
te doen stond, deed Herb de achterdeur open en nam Frank een beslis-

sing voor Rodriguez door hem naar binnen te duwen.

De rolgordijnen zaten omlaag en een spaarlamp in een staande lamp wierp een armetierig vaal schijnsel over een walgelijk vieze woonkamer. Vieze kleren, pornotijdschriften en vuile vaat slingerden overal rond. De geur van bedorven pizza en zweet bezorgde Frank rillingen. Hij kwam tot de slotsom dat je alle zwijnen zou beledigen als je het huis een zwijnenstal noemde. Het enige nette plekje bevond zich in een hoek van de kamer die gereserveerd was voor een computer, een printer, een fax en een telefoon. Frank vermoedde dat deze oase van netheid als Rodriguez' kantoor diende.

'Hoe kun je hier in godsnaam wonen?' vroeg Frank.

'Krijg de klere,' antwoordde de privédetective zonder al te veel overtuiging.

Frank duwde Rodriguez op de bank en bleef naast hem staan, omdat hij niet op een van de meubels durfde gaan zitten.

'Wat heeft dit allemaal te betekenen?' vroeg Rodriguez.

'We weten dat jij de foto's hebt gemaakt waar Sally Pope samen met Charlie Marsh op staat,' zei Frank.

'Ik weet niet waar je het over hebt,' zei Rodriguez terwijl hij zijn armen over elkaar deed en zijn hoofd afwendde zodat hij Frank niet aan hoefde te kijken.

'Leg even uit wat voor stommiteit hij heeft begaan,' zei Frank tegen Cross.

'Je hebt een echte beginnersfout gemaakt, Jack,' zei Franks detective. Hij overhandigde de privédetective een van de foto's die door de voorruit van een auto waren genomen.

'Ik heb deze foto nooit eerder gezien.'

'Dan moet iemand je auto gestolen hebben. Een chassisnummer is een alfanumerieke code van zeventien tekens, die uniek is voor elk voertuig.'

'Vertel me iets wat ik niet weet,' zei Rodriguez, maar hij staarde naar een bepaald deel van de foto en begon te zweten.

'Dat nummer zit op een strook tussen het dashboard en de voorruit aan de bestuurderskant. Dat van jou staat in spiegelbeeld op die foto. Zoals ik al zei, typisch een beginnersfout. Toen ik het nummer natrok, kwam ik bij jou uit, Jack.'

'Je zit zwaar in de problemen,' zei Frank. 'Je weet natuurlijk dat Sally Pope terechtstaat voor de moord op haar man.'

'Wat heeft dat met mij te maken?'

'Weet je waar de officier van justitie van uitgaat? Hij denkt dat jouw foto's gebruikt zijn om congreslid Pope naar zijn dood te lokken. Dat maakt je medeplichtig aan moord.'

'Onzin.' Rodriguez sloeg zijn armen steviger over elkaar. 'Ik wil een advocaat.'

'Daar moet de politie voor zorgen. Ik ben niet van de politie.'

'Wie ben je dan, verdomme?'

'Ik ben je redder, Jack. Ik kan voorkomen dat je wegens moord wordt aangeklaagd.'

21

Toen Karl Burdett de volgende ochtend zijn medewerkers de rechtszaal binnen leidde, verkeerde hij in een opperbeste stemming. Frank Jaffe mocht dan een uiterst bekwame advocaat zijn, maar Karl had het gevoel dat hij hem bijna te pakken had. Jaffe had weliswaar een paar punten gescoord met Otto Jarvis, maar Karl dacht niet dat Frank Tony Rose iets zou kunnen maken. Als de juryleden Rose zouden geloven was de zaak afgelopen.

'Meneer Burdett,' zei rechter Hansens parketwacht terwijl Karl met een zwierig gebaar zijn attachékoffertje op de tafel van de aanklager zette, 'de rechter wil dat u naar de raadkamer komt.'

'Wat is er aan de hand?'

'Dat weet ik niet, maar rechter Hansen zit samen met meneer Jaffe en zijn cliënt en nog twee andere heren op u te wachten.'

Karl fronste zijn voorhoofd. Hij zei tegen zijn medewerkers dat ze zijn dossiers klaar moesten leggen en begaf zich naar de raadkamer. Hij hield niet van verrassingen.

'Goedemorgen, Karl,' zei de rechter. Ze had haar toga nog niet aangetrokken en was gekleed in een zwarte pantalon en een witzijden blouse. Hoewel het streng verboden was om in openbare gebouwen te roken was Hansen al aan haar derde sigaret en stonk de kamer naar de rook.

Karl herkende Herb Cross, die op een bank naast een magere, onverzorgd uitziende man van achter in de twintig zat, die gekleed was in een sweater en een spijkerbroek en sportschoenen droeg.

Rechter Hansen wees naar een stoel, die naast de stoelen van Frank en zijn cliënt tegenover haar bureau stond. De enige andere aanwezige in de raadkamer was de stenograaf van de rechter, wat inhield dat het niet om een informeel praatje ging.

'Meneer Jaffe heeft me informatie verstrekt waardoor het hele proces op losse schroeven is komen te staan. Ik probeer erachter te komen wat de beste manier is om met deze situatie om te gaan,' zei de rechter. 'Wat voor situatie? Ik heb geen idee wat er aan de hand is.' De aanklager keek even naar Jack Rodriguez. 'Als het om nieuwe getuigen gaat, heeft de heer Jaffe me daarvan niet op de hoogte gesteld, iets waartoe hij volgens de regels van het inzagerecht wel verplicht is.'

'Het gaat inderdaad om een getuige, maar de heer Jaffe kwam daar pas gisteravond achter. Vandaar dit gesprek. Maar voordat we de verklaring van de heer Rodriguez gaan bespreken, wil ik er zeker van zijn dat ik begrijp waar het je in deze zaak om te doen is. Je wilde toch niet aanvoeren dat mevrouw Pope haar man heeft vermoord?'

'Nee. Charlie Marsh heeft hem vermoord.'

Rechter Hansen knikte. 'Goed, maar als ik het juist heb, wil je wel aanvoeren dat mevrouw Pope en de heer Marsh hebben samengezworen om haar man te vermoorden.'

'Dat klopt.'

'Vervolgens heeft mevrouw Pope iemand ingeschakeld die foto's heeft genomen waarop zij en de heer Marsh in een compromitterende houding staan afgebeeld. Ze heeft die foto's naar haar man gestuurd met de bedoeling hem zo boos en jaloers te maken dat hij naar de Westmont-sociëteit zou komen, waar de heer Marsh hem kon vermoorden.'

'Daar gaan wij van uit.'

'Meneer Jaffe, laten we de verklaring van de heer Rodriguez aan het proces-verbaal toevoegen,' zei de rechter.

'Ik maak bezwaar tegen deze... deze gang van zaken. Ik begrijp niet wat...'

'Rustig maar, Karl,' zei de rechter. 'Ik laat hem deze verklaring in de raadkamer afleggen, zodat de pers hem niet te horen krijgt. Dat zou namelijk nogal gênant voor jou uitpakken. Daar kom je wel achter als je hoort wat Franks getuige te zeggen heeft.'

Frank draaide zijn stoel naar de privédetective. 'De rechter heeft u al eerder de eed afgenomen, meneer Rodriguez. U staat nog steeds onder ede, begrijpt u dat?'

'Eh... ja,' antwoordde Rodriguez met tegenzin.

'Werkt u als privédetective?'

'Ja.'

'Heb ik u bewijsstuk nummer dertien laten zien, de foto's die naar congreslid Pope zijn gestuurd?'

'Ja.'

'Hebt u die foto's gemaakt?'

'Ja.'

'Vertelt u ons eens waarom u mevrouw Pope en de heer Marsh achtervolgde en foto's van hen maakte.'

'Ik werd gebeld.'

'Door wie!'

'Door een man.'

'En heeft deze man gezegd wie hem naar u had verwezen?'

'Ik werk zo nu en dan voor advocatenkantoor Reed, Briggs. Hij noemde de naam van een advocaat daar.'

Frank wendde zich tot de rechter. 'Met uw permissie, edelachtbare: ik kan aantonen dat Reed, Briggs de juridische zaken van Arnold Pope Senior behartigt.'

'Ho, wacht even. Wat is hier aan de hand?' vroeg Burdett, die in paniek raakte bij de gedachte aan iets wat zijn verhouding met zijn belangrijkste donateur zou kunnen schaden.

'Rustig maar, daar kom je vanzelf achter,' zei de rechter tegen de aanklager. 'Gaat u verder, meneer Jaffe.'

'Goed. Meneer Rodriguez, was er iets ongewoons aan de stem van de man die contact met u opnam?'

'Hij had een Brits accent.'

'Heb ik u gisteravond een bepaald nummer laten bellen?'

'Ja.'

'Wie hebt u gebeld?'

'U zei dat het het geheime nummer van het landgoed van Arnold Pope Senior was.'

'Kwam de stem van de man die de telefoon opnam u bekend voor?'

'Ja. Het was dezelfde kerel die me had aangenomen.'

'Bent u daar zeker van?'

Rodriguez haalde zijn schouders op. 'Ik heb hem nooit ontmoet, maar hij klonk precies zo. Hij had datzelfde Britse accent. En toen ik tegen hem zei wie ik was, deed hij erg paniekerig en weigerde me met de heer Pope door te verbinden.'

'Verbrak hij de verbinding?'

'Ja.'

'Edelachtbare,' zei Frank, 'Derrick Barclay, de privésecretaris van de heer Pope, heeft een Brits accent. Ik heb het gesprek opgenomen en de heer Barclay klinkt daarin erg van streek.'

'Juist. Gaat u verder.'

'Wat waren de voorwaarden waaronder u werd aangenomen, en wat voor opdrachten kreeg u?' vroeg Frank.

'Die kerel met het accent wilde dat ik mevrouw Pope achtervolgde en foto's zou maken als ik haar erop betrapte dat ze iets onbetamelijks deed.'

'Hoe werd u betaald?'

'Vooraf, op mijn bankrekening.'

'Hebt u ooit de naam gehoord van degene die u betaalde?'

'Nee.'

'Hebt u meer dan één gesprek gevoerd met deze persoon?'

'Ja. Hij belde kort nadat mevrouw Pope was gearresteerd.'

'Heeft deze persoon u tijdens dat telefoongesprek gevraagd om de naam van een echtscheidingsadvocaat die het niet zo nauw nam met de regels?'

'Ja. Hij zei dat hij gehoord had dat ik voor kleine kantoren en eenmanspraktijken werkte en dat hij iemand nodig had die wat geld kon gebruiken en niet al te kieskeurig was over wat hij moest doen om het te verdienen.'

'Hebt u hem een naam opgegeven?'

'Ik heb hem over Otto verteld.'

'Otto Jarvis?'

'Ja.'

'Hebt u de foto's die naar congreslid Pope zijn gestuurd aan iemand gegeven?'

'Nee, tenminste niet aan iemand persoonlijk.'

'Wat hebt u er dan mee gedaan?'

'Ik heb ze naar een postbus gestuurd.'

'Ik heb verder geen vragen, edelachtbare.'

'Mag ik iedereen behalve Karl verzoeken de raadkamer te verlaten?' zei rechter Hansen.

'Volgens mij…' begon de aanklager.

'Volgens míj is het beter dat we even onder vier ogen praten,' zei rechter Hansen. 'Meneer Jaffe, hebt u er bezwaar tegen dat ik met de heer Burdett even apart over zijn belangen in deze zaak spreek?'

'Nee, edelachtbare.'

Zodra ze alleen waren, nam rechter Hansen een trekje van haar sigaret. Ze schudde haar hoofd.

'Ik vond al dat er een luchtje aan deze zaak zat toen ik jouw theorie hoorde.'

'Die foto's...'

'Als mevrouw Pope Rodriguez niet heeft aangenomen om die te maken, bewijzen ze alleen maar dat ze erin is geluisd.'

'Marsh kan met een Brits accent hebben gesproken om iedereen In de waan te brengen dat Derrick Barclay dat telefoontje heeft gepleegd,' hield Burdett vol.

Hansen boog voorover en keek Burdett lang en doordringend aan.

'Ik heb het bandje van het gesprek met Rodriguez beluisterd en ik weet hoe de stem van Barclay klinkt. Ik heb in het gerechtsgebouw ook geruchten gehoord dat je pas op het idee kwam om Sally Pope aan te klagen nadat je met Arnie Senior had gesproken. Berusten die geruchten op waarheid?'

Burdett schoof ongemakkelijk heen en weer in zijn stoel. 'De bevindingen van de onderzoeksjury...'

'De onderzoeksjury trekt de conclusies die jij wilt dat ze trekken. Dat weten we allebei, dus kom bij mij niet aan met die onzin. Ik denk eraan om Derrick Barclay en zijn baas voor een onderzoeksjury te slepen en hen over die foto's te ondervragen.'

Het bloed trok uit Burdetts gezicht weg.

'Luister. Ik wil aannemen dat je niet wist dat Jarvis meineed zou plegen voordat je hem opriep, maar je kunt erop rekenen dat geen van de juryleden enig geloof zal hechten aan zijn onzinverhaal over dat zogenaamde geheime gesprek. En Tony Rose is zo'n gladjanus dat het me verbaasde dat hij niet uit de getuigenbank gleed. De hele aanklacht stinkt, en wat jij je af moet vragen is wie er in de problemen komt als de rook eenmaal is opgeklaard.

Als jij je aanklacht doorzet, sleept Frank zowel Senior als die rat Barclay de rechtszaal in. Ik wil je één ding beloven: als ze tegenover mij onder ede liegen, stop ik ze samen met iedereen die bewust medeplichtig is geweest in de gevangenis. Dit is mijn voorstel: jij verzoekt om een voorwaardelijk sepot en ik willig je verzoek in. Zo niet, dan sta je er alleen voor.'

Het duurde een aantal uren voordat Karl Burdett naar de rechtszaal terugkwam om de rechter te verzoeken de zaak tegen Sally voorwaardelijk te seponeren. Het grootste deel van die tijd bracht hij in gezelschap van Arnold Pope Senior en Derrick Barclay op zijn kantoor door, waarbij hij hun probeerde uit te leggen wat de gevolgen voor hen zouden zijn als hun medeplichtigheid bij het naar de Westmont lokken van Arnold Junior en hun vermoedelijke aandeel in het opstellen van de verklaringen van Otto Jarvis en Tony Rose in de openbaarheid kwamen. Een deel van die tijd moest hij ook besteden aan het over zich heen laten komen van de tirades van Senior.

Zodra Arnold Pope zijn kantoor uit was gestormd begon Burdett aan een verzoek om de zaak voorwaardelijk te seponeren. Nadat het papierwerk was afgerond werd de zaak tijdens een openbare zitting door rechter Hansen geseponeerd. Vervolgens hielden Frank en de aanklager een persconferentie, waarbij de aanklager zei dat er bewijzen aan het licht waren gekomen die gerede twijfel opriepen omtrent de schuld van Sally Pope. Burdett weigerde verdere vragen over die bewijzen te beantwoorden, met als excuus dat er nog een onderzoek liep, dat in gevaar kon worden gebracht als hij zou onthullen wat hij te weten was gekomen. Op aandringen van rechter Hansen ging Frank ermee akkoord dat hij het bewijs dat voor zijn cliënt tot ontslag van rechtsvervolging had geleid niet openbaar zou maken, zodat Frank zich beperkte tot zijn dank aan de aanklager vanwege diens moed om zijn mening te herzien op het moment dat het recht dat vereiste. Burdett had echter het laatste woord door te zeggen dat de aanklager altijd wint als het recht eenmaal zijn loop krijgt.

'Ik kan niet geloven dat het afgelopen is,' zei Sally, een uur nadat Frank bij het gerechtsgebouw was weggereden. Ze zaten tegenover elkaar in Sally's woonkamer en dronken haar whisky. Haar zoontje, Kevin, logeerde bij een vriendin die tijdens het proces op hem had gepast. 'Ik vind het alleen jammer dat de jury niet heeft gezegd dat ik onschuldig ben.'

Frank herinnerde haar eraan dat een voorwaardelijk sepot hetzelfde is als vrijspraak. 'De officier van justitie kan je nooit meer aanklagen voor de moord op je man.'

'Er zullen mensen zijn die denken dat ik er vanwege een formaliteit onderuit ben gekomen.'

'Dat zijn de mensen die altijd vragen hebben, ongeacht de afloop van de zaak. Daar moet je verder geen aandacht aan schenken.'

'Die klootzak,' mompelde Sally. 'Ik wou dat er een manier was om hem te grazen te nemen.'

'Je moet ook geen aandacht meer aan Senior besteden.'

'Dat zal niet meevallen. Ik ken hem. Hij zal me de rest van zijn leven achterna blijven zitten. Hij kan Arnies erfenis laten blokkeren en hij heeft gezworen dat hij de voogdij over Kevin zal proberen te krijgen.'

'Geen van die trucs zal hij kunnen uithalen, wat hij ook probeert. Senior kan een aanklacht tegemoet zien als bekend zou worden dat hij getuigen heeft omgekocht om over je te liegen. En dan kun jij een verdomd mooi proces tegen hem aanspannen.'

'Ik wil geen proces aanspannen. Ik wil alleen maar met rust gelaten worden.'

'Ik zal mijn best doen om ervoor te zorgen dat dat gebeurt.'

Sally keek van haar glas naar haar advocaat. 'Je hebt het fantastisch gedaan.'

Frank voelde zich niet op zijn gemak. Hij wilde de andere kant op kijken, maar was bang dat hij zijn emoties zou laten blijken als hij dat deed. Zijn blozende wangen verrieden echter genoeg.

'Dat was niet moeilijk. Ik geloofde in je.'

Sally wist even niet wat ze moest zeggen. 'Ik wil vannacht niet alleen zijn,' zei ze toen.

'Wat bedoel je?'

'Je weet wel wat ik bedoel. Ik wil dat je bij me blijft.'

Al het zelfvertrouwen dat Frank in de rechtszaal had getoond verdween op slag.

'Dat kan niet, Sally.'

'Zeg niet dat je het niet wilt.'

'Jij bent mijn cliënt. De beroepscode...'

'... heeft niets te betekenen als twee mensen om elkaar geven. Ik heb gezien hoe je naar me keek. Je hebt heel erg je best gedaan om me vrij te krijgen, en dat deed je niet alleen maar voor het geld.'

Frank wist dat er een heleboel redenen waren om op te staan en te vertrekken, maar dat deed hij niet.

DEEL III

De staat Oregon versus Charlie Marsh

2009

22

De lange tafel die het middengedeelte van de vergaderzaal van Jaffe, Katz in beslag nam, lag vol met archiefdozen, verslagen, ordners en dossiers. Amanda had aan één kant een plekje vrijgemaakt voor haar broodje en haar koffiemok. Ze was al lang klaar met eten toen Frank zijn samenvatting van de zaak-Pope had uitgelezen.

'Ik was helemaal vergeten dat Tony Rose de belangrijkste getuige bij het proces van mevrouw Pope was,' zei Amanda. 'Het leven neemt soms interessante wendingen.'

'Dat doet het zeker,' zei Frank, terwijl hij nadacht over hoe het geluk de voormalige tennisleraar van de sociëteit gunstig gezind was geweest.

'En ik vraag me nog steeds af wat zich die ochtend in de raadkamer heeft afgespeeld.'

'Dat kan ik je niet vertellen. Ik mag er ook met niemand anders over praten. Burdett ging ermee akkoord dat de aanklacht werd ingetrokken als de reden voor het sepot geheim bleef.'

'Heeft Senior het mevrouw Pope na het proces nog lastig gemaakt?'

Frank knikte. 'Die Senior is een wraakzuchtig baasje. Hij dreigde met een civiel proces wegens dood door schuld, hij dreigde Juniors testament aan te vechten en hij dreigde haar de voogdij over haar zoontje te ontnemen. Ik heb een eind aan al die dreigementen gemaakt toen ik met hem en zijn advocaat om de tafel zat. Toen zijn advocaat eenmaal begreep dat er een goede kans bestond dat ik kon bewijzen dat hij Rodriguez had ingehuurd om de foto's te maken en dat hij Otto Jarvis had omgekocht om meineed te plegen, heeft hij Senior ervan overtuigd dat hij moest inbinden.'

'Wat is er met mevrouw Pope gebeurd?' vroeg Amanda.

'Het geld dat Junior haar heeft nagelaten en de uitkering van de verzekeringspolis hebben haar erg rijk gemaakt. Zodra alles geregeld was, is ze met haar zoontje naar Europa vertrokken om hem tegen de publiciteit te beschermen. Ze heeft tot voor kort in Italië gewoond, maar ze is nu weer terug in Oregon, zodat Kevin zijn schoolopleiding in Amerika af kan maken.'

'Heb je haar gesproken sinds ze terug is?'

'Nee. Ze woont nogal afgelegen, en ik heb geen reden om onze kennismaking te hernieuwen,' zei Frank.

Amanda vond dat haar vader een beetje stijfjes klonk. Ze dacht dat ze wist waarom, maar ze besloot zijn reactie te negeren.

In plaats daarvan vroeg ze: 'Weet je zeker dat mevrouw Pope niets met de dood van haar man te maken had?'

Frank dacht na over de vraag van Amanda. 'Rechter Hansen heeft me verteld dat Karl Burdett suggereerde dat Charlie Marsh een Brits accent kan hebben geïmiteerd om Senior erin te luizen als iemand erachter zou komen dat Rodriguez de foto's had gemaakt. Ik vond het heel vreemd dat Senior iemand met zo'n herkenbaar accent met Rodriguez liet onderhandelen. Maar ik ben er vrijwel zeker van dat Sally Pope onschuldig is. Ik heb me zelfs afgevraagd of de kogel die Junior heeft getroffen niet voor haar bestemd was. Sally stond bijna naast hem toen het schot werd afgevuurd.'

Amanda ging staan en gooide haar afval in de prullenbak. 'Kun je proberen die afstandsverklaring voor me te krijgen?'

'Ik zal Sally vandaag nog bellen.'

'Bedankt, pap.'

'Graag gedaan.'

Zodra de deur achter zijn dochter dichtging, liet Frank zijn schouders zakken. Hij had Amanda alles verteld wat ze over de zaak-Pope moest weten om haar cliënt te kunnen vertegenwoordigen, maar hij had niets tegen haar gezegd over zijn verhouding met Sally Pope. Er waren dingen die een vader niet met zijn kinderen besprak, zoals de hartstochtelijke verhouding die begonnen was op de avond nadat Frank Sally's proces had gewonnen en hoe hij zich gevoeld had toen ze naar Europa vertrok. Frank was confuus en teleurgesteld geweest. Hij was in die tijd smoorverliefd op Sally, al gaf hij dat niet graag toe. Alleen al de gedachte aan haar had die emoties vandaag weer bij hem boven gebracht.

Voordat ze bij hem wegging, had Frank in de veronderstelling geleefd dat Sally zich net zo tot hem aangetrokken voelde als hij tot haar. Dat kwam door de manier waarop ze naar hem keek en de manier waarop ze, op momenten dat intimiteiten geoorloofd waren, heel dicht tegen hem aan kroop. En door het timbre van haar stem als het laat op de avond was en hij haar terug naar haar huis reed. Later maakte hij zichzelf wijs dat hij de eerste keer dat hij met haar naar bed was geweest te veel had gedronken, maar hij wist dat dat een smoes was waarmee hij nooit door een leugendetectortest zou komen. Het was eenvoudig duidelijk dat hij, op Samantha na, nooit naar een vrouw had verlangd zoals hij naar Sally Pope verlangde.

De verhouding had een aantal maanden geduurd. Als het bekend was geworden zou het Frank zijn bevoegdheid om als advocaat te werken kunnen hebben gekost, maar hij was bereid dat risico te nemen. Op een gegeven moment waren Sally's juridische zaken allemaal afgehandeld. Toen ze tegen hem zei dat ze wegging, was het of zijn wereld instortte. Sally had de juiste dingen gezegd: dat ze van hem hield en altijd aan hem zou blijven denken, maar ze had er begrip voor gevraagd dat ze Kevins geluk vóór het hare moest laten gaan.

Er was ondertussen genoeg tijd verstreken om zijn obsessie met Sally weg te laten zakken. Maar nu en dan dacht hij aan haar, en Amanda's opgewonden mededeling over de zaak-Marsh had de korst van een wond gehaald waarvan hij dacht dat hij genezen was. Frank zou Sally Pope bellen, dat had hij beloofd, maar hij verheugde zich niet op het weerzien.

23

Elke morgen deed Amanda trouw haar vaste serie inspannende gymnastiekoefeningen, een overblijfsel uit de tijd dat ze wedstrijden had gezwommen. Op de ochtend nadat haar vader haar over de zaak-Pope had ingelicht was ze halverwege een serie opdrukoefeningen toen haar telefoon ging. Ze drukte zich nog drie keer op en pakte de hoorn op toen de telefoon voor de vierde keer overging.

'Fijn dat u tot half zeven hebt gewacht om me te bellen,' zei ze zodra Martha Brice zich bekend had gemaakt.

'Ik ging ervan uit dat u altijd vroeg opstond,' antwoordde Brice. Amanda's sarcasme ontging haar.

'Meneer Marsh is gearriveerd,' ging Brice verder.

'Goed. Ik wil zo snel mogelijk met hem spreken.'

'Het vliegtuig van World News komt morgenochtend naar Portland. Jennifer belt naar uw kantoor om de tijd door te geven.'

'Prima. Ik wil graag dat u ervoor zorgt dat hij met niemand praat tot ik zeg dat het kan. Geen persconferenties, geen uitgelekte informatie. Ik ga proberen de officier van justitie zover te krijgen dat hij ermee instemt dat de heer Marsh zich bij de hoorzitting over zijn borgtocht ter beschikking van justitie stelt. Maar ik ken Karl Burdett vrij goed. Als hij erachter komt dat Marsh in New York is, zal hij proberen daar voordeel uit te slepen en hem door de politie laten arresteren.'

'De heer Marsh zal zich niet in het openbaar vertonen tot u zegt dat het kan.'

'Heel goed. Dan zie ik u morgen.'

Amanda nam een douche en ontbeet. Voordat ze naar Hillsboro reed, trok ze haar chicste kostuum aan. Het kantoor van Karl Burdett bevond zich in een moderne aanbouw van het gerechtsgebouw, in een gedeelte dat was gebouwd nadat de zaak-Pope had gediend. Amanda had van tevoren gebeld. Zodra ze aankwam, werd ze door Burdetts secretaresse naar zijn kantoor geleid.

De versieringen aan de muren van het kantoor van de aanklager waren niet bijzonder: naast de onvermijdelijke diploma's van zijn universiteit en zijn rechtenstudie en de plaquettes van het Elks-genootschap en de balie van Washington County, hingen er foto's van Burdett waarop hij stond afgebeeld met iedere politicus die hij ooit had ontmoet die het verder had geschopt dan de wetgevende macht in Oregon. Er hingen ook foto's waarop hij met beroemdheden stond, maar daarbij was geen onderscheid gemaakt. Amanda had de foto's al eens eerder gezien, maar nu werd haar aandacht getrokken door een foto waarop Burdett en Tony Rose in jachtkleding stonden afgebeeld. Op de foto stonden ze aan weerszijden van een grote hertenbok op hun geweren te leunen. Normaal zou ze niet stil hebben gestaan bij die foto. Tony Rose was een beroemdheid en een financiële steunpilaar van Burdetts partij. Maar Rose was ook een van de voornaamste getuigen in het proces tegen Sally Pope.

Het verbaasde Amanda niet dat Burdett een jager was. Dat werd duidelijk uit de opgezette dierenkoppen die haar vanaf de kantoormuren aanstaarden. Ze had geen probleem met de trofeeën. Een heleboel mensen in Oregon, onder wie haar vader, beoefenden de jacht. Toen ze zelf oud genoeg was om met een geweer te schieten, had Frank haar een paar keer meegenomen. Amanda had nooit genoten van het doden van een hert. Zodra haar afkeer van de jacht groter werd dan de vreugde die ze beleefde aan tijd met haar vader doorbrengen in de indrukwekkende wouden van Oregon, had ze haar zwemtraining als excuus gebruikt om niet mee te hoeven.

Karl Burdett zat achter zijn bureau en leunde ontspannen achterover in zijn stoel. Hij begroette Amanda en ze wendde zich af van de muurversieringen. Bij het proces van Sally Pope was de officier van justitie jong en eigenwijs geweest. Hij had ook pas de verkiezing gewonnen voor een functie die hij als opstapje naar een hogere positie beschouwde. Als hij Sally Pope naar de dodencel had gestuurd, zou Senior al zijn invloed hebben aangewend om die droom te verwezenlijken. Maar Senior was zijn eigen rol in het fiasco van de zaak-Pope gemakshalve vergeten en had Burdett de schuld gegeven van Sally's vrijspraak. Sinds het proces had Senior Burdett klein gehouden, zodat hij hem kon kwellen door een gooi naar de post van minister van Justitie of een zetel in het Congres net buiten zijn bereik te houden.

De jaren waren Burdett aan te zien. Als tweeëndertigjarige was Karl Burdett slank en sportief geweest, met een gezonde gelaatsuitdrukking en een hoofd vol donkerblond haar. De vierenveertigjarige versie zat ruim in zijn vel. Zijn gezicht was grauw en zijn dunner wordende haardos vertoonde hier en daar grijze plekken. Waar Senior Burdett de schuld gaf van de nederlaag in de zaak-Pope, zag Burdett Frank Jaffe juist als de kiem van alle tegenslagen die op die nederlaag waren gevolgd. Franks dochter bracht die vernedering weer bij hem boven, en zijn uitnodigende glimlach was net zo vals als zijn hartelijke begroeting.

'Waar heb ik dit bezoek aan te danken, Amanda? Je deed erg geheimzinnig aan de telefoon.'

'Ik heb een vroeg kerstcadeautje voor je, Karl.'

'O ja?'

'Charlie Marsh wil terug naar Oregon komen om de aanklacht tegen hem onder ogen te zien.'

Het ontging Amanda niet dat de officier al zijn zelfbeheersing nodig had om niet overeind te vliegen. In plaats daarvan leunde hij voorover.

'Hoe weet je dat?' vroeg Burdett. Het lukte hem niet om zijn stem niet te laten beven.

'Ik ben zijn advocaat.'

'Waar is hij?' wilde Burdett weten.

'Dat kan ik je niet vertellen.'

'Hij is voortvluchtig. Je bent verplicht me te vertellen waar hij is.'

'Nou, dat ben ik niet als ik zijn verblijfplaats te weten ben gekomen tijdens een vertrouwelijk gesprek, maar daarover hoeven we niet te gaan hakketakken. Charlie wil weer naar Oregon komen en jij wilt hem terug. Als je belooft dat je hem tijdens een hoorzitting in staat stelt om zich vrijwillig ter beschikking van justitie te stellen, is hij binnen de kortste keren hier.'

Burdett had er een hekel aan dat een van de Jaffes hem de wet voorschreef, maar hij wist dat hij weer bij Senior in de gunst kon komen en zijn carrière zou kunnen redden als Charlie Marsh werd veroordeeld.

'Wat heb je te verliezen?' drong Amanda aan. 'Als ik tegen Marsh zeg dat jij hem zodra hij in Oregon aankomt in de gevangenis gooit, bedenkt hij zich misschien en geeft hij zich niet aan. En hij komt tóch in de gevangenis terecht als de rechter hem geen borg toekent.'

'Je hebt gelijk. Ik stem in met vrijwillige aangifte. Welke termijn had je in gedachten?'

'Dat weet ik nog niet, maar dat kan algauw zijn. Ik bel je in de loop van de week om een datum voor de hoorzitting af te spreken.'

'Goed, goed,' zei Burdett. 'Ik kijk uit naar je telefoontje.'

Dat zal wel, dacht Amanda terwijl ze hem de hand drukte en de kamer uit liep.

24

Karl Burdett was gewend geraakt aan de macht en het aanzien die de functie van officier van justitie met zich mee brachten. Hoewel hij het nooit zou toegeven, wist hij diep vanbinnen dat hij niet over genoeg talent beschikte om een succesvolle privépraktijk te runnen en hij huiverde bij de gedachte dat hij op zijn leeftijd om werk zou moeten bedelen. Dat was ook de reden dat hij de goedkeuring en de steun van Senior bijna net zo hard nodig had als de lucht die hij inademde.

Een paar minuten nadat Amanda zijn kantoor had verlaten zat Burdett in zijn auto en was hij op weg naar het landgoed van Pope om het nieuws van Charlies terugkeer te melden. Hij was er bijna toen hij door Tony Rose in een zilvergrijze Ferrari F43 werd ingehaald. Het verbaasde Burdett niet dat Rose bij Senior op bezoek ging. Kort na het proces van Sally Pope had de Westmont de tennisleraar ontslagen. Nog geen jaar later had hij Mercury Enterprises opgericht, dat klein was begonnen met de fabricage van tennisspullen en snel was gegroeid toen het Amerikaanse wonderkind Gary Posner met een Mercury-racket de US Open had gewonnen. De sportwereld had geschokt gereageerd toen Posner een exclusief contract met Mercury ondertekende in plaats van met Nike of een ander megabedrijf op het gebied van sportartikelen. De voorwaarden waren nooit openbaar gemaakt, maar het gerucht ging dat Posner voor het verbinden van zijn naam aan de Mercury-producten een honorarium had opgestreken dat dicht in de buurt van dat van Tiger Woods kwam. De financieringsbron van Mercury was een angstvallig bewaard geheim, maar er werd driftig gespeculeerd dat Arnold Pope Senior Rose' geheime financier was en dat het geld bedoeld was om Rose af te kopen omdat hij bij het proces van Sally Pope meineed had gepleegd. Als dat zo was, was het geld goed besteed, want elke keer dat Posner serveerde, vlogen de aandelen en de winst van

Mercury omhoog. Het bedrijf had ook succes met de verkoop van jacht-, hengelsport-, golf- en basketbalartikelen en was actief op het gebied van kleding en schoeisel. Tony Rose was het gezicht van Mercury, maar Burdett was ervan overtuigd dat Arnold Pope het brein achter de onderneming was en dat hij Mercury ook van kapitaal had voorzien.

'Hoe zit dat met die Marsh?' vroeg Arnold Pope zodra Burdett zijn privékantoor betrad.

'Hij komt terug om terecht te staan. Waarschijnlijk is hij binnen een week hier.'

'Hoe weet je dat?'

Senior raakte nog opgewondener toen Burdett hem uitvoerig verslag deed van het bezoek van Amanda Jaffe.

'Zorg dat ik een kopie van het dossier van de zaak krijg,' zei Senior toen Burdett was uitgepraat.

'Het is een groot dossier. Dat kan wel even...'

'Dat weet ik. Kopieer het en zorg dat het morgen hier is. En hou me op de hoogte van elke nieuwe ontwikkeling. Tot in de kleinste details.'

'Ja, meneer.'

'En, Karl.'

'Ja, meneer.'

'Je krijgt in het leven maar zelden een tweede kans. Maar die krijg jij nu.'

'Ik zal mijn best doen.'

'Nee, Karl, je gaat niet gewoon "je best doen".' Senior keek Burdett recht in de ogen. 'Als deze zaak achter de rug is, is een van jullie tweeën totaal kapot. Jij of Marsh. Aan jou de beslissing wie het loodje legt.'

Voordat Burdett de kamer had verlaten, had Senior zijn stoel gedraaid en zat hij uit het raam naar Mount Hood te staren. Maar het was niet de majestueuze besneeuwde gigant die hij zag. In zijn verbeelding zag hij hoe Charlie Marsh in de dodencel zijn tijd zat uit te zweten terwijl iedere seconde hem dichter bij de dodelijke injectie bracht. Daarna dacht hij aan Amanda Jaffe. Ze was erg goed. Zou zij kunnen bereiken wat haar vader voor elkaar had gekregen? Als er een slimme advocaat voor een jury ging staan kon het soms raar lopen met zaken die op het eerste gezicht beklonken leken. Zoals bij het proces tegen O.J. Simpson. Zelfs een idioot zou hem hebben kunnen laten veroordelen, maar Simpson ging vrijuit.

Senior had geprobeerd Marsh, kort nadat hij asiel in Batanga had gekregen, te laten vermoorden, maar de huurling die hij had ingeschakeld had zich teruggetrokken. President Baptiste verdiende een heleboel geld door Batanga af te schilderen als een toevluchtsoord voor gezochte misdadigers. De beoogde moordenaar hoefde niet veel onderzoek te doen om achter het lot van degenen te komen die probeerden een eind te maken aan het leven van de voortvluchtigen wier veiligheid door de president werd gegarandeerd. De moordenaars die in het land zelf werden gepakt ondergingen een lot dat te gruwelijk was voor woorden. Een Nederlander die een van Baptistes gasten had vermoord werd door agenten van het Nationale Bureau voor Opvoeding meedogenloos achtervolgd. Toen ze hem eenmaal te pakken hadden, maakte hij kennis met alle bestaande martelpraktijken, waarna zijn lichaamsdelen over verschillende toeristenattracties in Amsterdam werden verspreid, wat garandeerde dat Baptistes boodschap over de hele wereld bekend werd gemaakt. Wat Senior ook probeerde, het lukte hem niet om iemand te vinden die Baptistes toorn durfde riskeren, maar nu zag het ernaar uit dat zijn prooi naar hém toekwam.

Senior kwam met moeite overeind. Op zijn zeventigste begonnen zijn gewrichten stijf te worden en zijn rug was ook niet soepel meer. Lopen was een kwelling, maar hij liet niemand iets van zijn ongemak merken omdat hij nooit zijn zwaktes toonde. Nadat hij moeizaam naar de eerste verdieping was geklommen, sleepte hij zich langzaam en vol pijn naar de kamer aan het eind van de gang, waar Junior zijn jeugd had doorgebracht. De kamer was nu een soort heiligdom. De rolgordijnen zaten altijd omlaag en de leidingen langs het plafond zaten onder het stof. Toen hij de schakelaar omdraaide, verspreidde een gedempt licht een geelachtig schijnsel over de afbeeldingen aan de muren en de trofeeën, medailles en herinneringen waarmee de kasten gevuld waren. Aan de overkant van de kamer stond een bed waarvan de lakens nooit verschoond hoefden te worden.

Senior ging op het bed zitten en staarde naar een foto van Junior met de eerste president Bush. Senior was een goede vriend van de ex-president, die om Junior te steunen een toespraak had gehouden bij een inzamelingsactie tijdens diens eerste verkiezingscampagne voor het Congres. Andere vooraanstaande politici hadden ook geholpen om zijn zoon een zetel in het Congres te bezorgen. Ze wisten dat hij de toekomst was en stroomden toe om hem in de armen te sluiten. Senior huilde bijna nooit, maar hij voelde de tranen in zich opkomen toen hij bedacht hoe het allemaal gegaan zou kunnen zijn als Junior niet in de bloei van zijn leven was geveld door die... Hij haalde een paar keer diep adem voordat hij zijn emoties weer onder controle had.

Pope richtte zijn aandacht op een andere foto, waarop Junior in uitgaanstenue stond afgebeeld, kort voordat hij bij het Korps Mariniers was ontslagen. Als er ooit iemand was geweest die eruitzag alsof hij het verdiende om president van dit prachtige land te worden, was het Arnold Pope Junior wel.

Naast de foto van zijn zoon in groot tenue stond een foto waarop Junior een kind in zijn handen hield alsof het een voetbal was. De foto was genomen toen Arnold Pope III twee weken oud was. Dat kreng had uit wrok Juniors zoontje Kevin genoemd, maar voor Senior zou zijn kleinzoon altijd Arnold III zijn. Alleen al aan zijn enige kleinkind denken deed Senior zijn vuisten ballen. Die hoer van Junior had Senior door middel van straatverboden en door naar de andere kant van de Atlantische Oceaan te verhuizen bij zijn kleinzoon weggehouden, maar hij had stiekem met telelenzen foto's en video's laten maken. Maar wat hij niet had, was zijn kleinzoon zelf, die de toekomst van de familie Pope vertegenwoordigde en de laatste loot aan zijn stamboom was.

Junior was dood. Dat was een feit dat Senior elke dag onder ogen moest zien. Zijn zoon was een fakkel geweest waarvan het licht Amerika naar een schitterende nieuwe toekomst van fatsoen en eer zou hebben geleid. Charlie Marsh en die hoer hadden die fakkel gedoofd en daar zouden ze voor boeten. Senior wist dat hij zijn zoon nooit terug zou kunnen krijgen, maar hij had zijn zinnen op iets anders gezet: wraak.

25

De vrouw van Herb Cross was beëdigd makelaar bij het Portlandse filiaal van een nationaal accountantsbureau. Toen ze promotie maakte en een functie kreeg aangeboden bij het hoofdkantoor van het bedrijf in Atlanta, moest Herb tot zijn grote spijt ontslag nemen. Die spijt was wederzijds. Nadat Herb was vertrokken, had Frank gebruikgemaakt van de diensten van verschillende detectives, maar geen van hen voldeed. Tot Amanda Frank over Kate Ross vertelde.

Kate was aan de universiteit van Californië afgestudeerd in computerwetenschap en was door de politie van Portland in dienst genomen om computerfraude te onderzoeken. Nadat ze een paar jaar op een toetsenbord had zitten hameren om de kost te verdienen had Kate om overplaatsing gevraagd. Toen ze bij de narcoticabrigade van de zedenpolitie werkte, was ze betrokken geraakt bij een schietpartij in een winkelcentrum, waarbij een aantal burgers en een informant de dood hadden gevonden. Het hoofdbureau had Kate als zondebok naar voren geschoven en ze was gedwongen geweest om ontslag bij de politie te nemen.

Met haar computerervaring en politieachtergrond was het Kate gelukt een baan te vinden als detective bij het grootste advocatenkantoor in Oregon. Toen Daniel Ames, die pas een jaar als compagnon bij het bedrijf werkte, van moord beschuldigd werd, had Kate Amanda gevraagd hem te verdedigen. Nadat de beide dames Daniel van alle blaam hadden gezuiverd, nam Jaffe, Katz c.s. Kate als detective en Daniel als compagnon in dienst en gingen Kate en Daniel samenwonen.

Kate was bijna één meter zeventig lang en had een donkere teint, grote bruine ogen en lange krullen, waardoor ze er een beetje Midden-Oosters uitzag. Ze was gewoonlijk gekleed in een spijkerbroek en een maatoverhemd, waardoor haar atletische figuur goed uitkwam. Toen

Amanda terugkwam van haar gesprek met Karl Burdett stak ze haar hoofd om de deur van Kates kantoor. De detective zat met haar voeten op haar bureau. Ze was verdiept in een politierapport.

'Heb je zin om aan de zaak van de eeuw te werken?' vroeg Amanda haast terloops.

Kate keek op. Haar gezicht vertoonde geen enkele uitdrukking. 'Daar moet ik voor bedanken, Amanda.' Ze hield haar politierapport omhoog. 'Ik heb toegezegd dat ik alles zal doen om te voorkomen dat een alcoholistische verzekeringsdirecteur voor de vierde keer wegens rijden onder invloed wordt veroordeeld. Ik rust niet voordat hij weer op de snelweg zit om het leven van alle burgers van Oregon in gevaar te brengen.'

'Jeetje, ik bemoei me niet graag met je zendingswerk, maar ik ga op mijn strepen staan en eis dat je mijn zaak prioriteit geeft.'

'Prima, als je dat per se wilt. Maar je moet het wel even met Ernie regelen. De kerel om wie het hier gaat, is een recidivist en hij verwijst ook een heleboel van zijn drankverslaafde vriendjes naar ons door.'

'Ik praat wel even met hem.'

Kate haalde haar voeten van het bureau en draaide haar stoel in de richting van Amanda. 'Vertel op, wat is dat voor een grote zaak waaraan je me wilt laten werken?'

Amanda vertelde de detective over het gesprek dat ze op het vliegveld met Martha Brice had gevoerd en over het recente telefoontje van de redacteur. Kate kende Charlie Marsh vanwege zijn boek, maar ze had slechts vage herinneringen aan het proces van Sally Pope, zodat Amanda haar eerst van die oude zaak op de hoogte bracht.

'Ik vlieg morgenochtend naar New York om met Marsh te spreken,' zei Amanda. 'Ik wil dat je tijdens mijn afwezigheid het dossier doorneemt en een begin maakt met de stukken voor het proces voor te bereiden. Burdett heeft Sally Pope indertijd aangeklaagd op grond van een samenzweringstheorie. Om tot een veroordeling te komen moest hij dus bewijzen dat Marsh congreslid Pope had vermoord. Dat betekent dat hij een groot deel van de getuigen die hij bij het proces van Pope heeft gebruikt opnieuw laat opdraven. Kijk of je tegen de tijd dat ik terug ben een draaiboek gereed kunt hebben.'

Zodra Kate haar werk aan de zaak over rijden onder invloed had afgerond, liep ze met een mok koffie en haar laptop naar de vergaderzaal.

Ze zuchtte toen ze de hoge stapels materiaal op de lange tafel zag liggen. Vervolgens startte ze haar laptop op en ging aan het werk.

Kate besteedde de eerste paar uur aan het uittypen van een samenvatting van de rapporten van de politie, het laboratorium en de lijkschouwer, de getuigenverklaringen en de bevindingen tijdens het proces en sloeg die op in haar computer. Daarna verdeelde ze het samengevatte materiaal in verschillende categorieën. Toen ze daarmee klaar was, ging ze weer verder met de rapporten en maakte een lijst van de rapporten die over verschillende tijdstippen of onderwerpen gingen.

Eén categorie had te maken met de verklaringen betreffende het moordwapen. De eerste keer dat de .357 Magnum met ivoren kolf werd genoemd was in een verklaring van Mickey Keys, die zei dat hij het wapen voor het eerst in Texas had gezien toen Charlie het wapen ten geschenke had gekregen. Hij vertelde de politie dat Charlie in zijn hotelkamer met de revolver speelde, maar er nooit mee naar buiten ging omdat hij voorwaardelijk vrij was. De literair agent zei dat Delmar Epps, Charlies lijfwacht, een kick kreeg van het in het openbaar met het wapen rondlopen als hij Charlie bewaakte. Keys herinnerde zich dat hij Epps met het wapen had gezien toen ze in de limousine naar de Westmont reden.

In het rapport van Tony Rose over zijn meningsverschil met Charlie tijdens de bijeenkomst in Dunthorpe had Rose de politie verteld dat Epps de revolver heel even had laten zien toen de lijfwacht hem had mishandeld. Hij herinnerde zich het wapen vanwege de fraai bewerkte kolf.

Toen Kate het rapport van Rose boven op een stapel zaken legde die allemaal betrekking hadden op de bijeenkomst in Dunthorpe, werd haar aandacht getrokken door een foto. Ze trok hem uit het midden van de stapel en keek er aandachtig naar. Op de foto stond Charlie met zijn gevolg. Ze stonden op het punt om het landhuis in Dunthorpe binnen te gaan. Kate was blij dat ze die foto had gevonden, omdat de mensen over wie ze had gelezen er een gezicht door kregen.

Charlie zag er met zijn zongebruinde huid geweldig uit. Met zijn witte jasje, witte pantalon en zwartzijden overhemd leek hij op een goedkope versie van John Travolta uit de tijd van *Saturday Night Fever*. Gouden kettingen sierden zijn hals en om zijn pols had hij een gouden Rolex. Hij had een innemende glimlach en maakte een ontspannen indruk. Hij leek de situatie volkomen in de hand te hebben.

Rechts van Charlie stond een grijnzende Mickey Keys. Keys droeg een marineblauwe blazer, een bruine pantalon en een smaragdgroen sportoverhemd met open kraag, dat perfect paste bij zijn zorgvuldig gekapte rode haren. Iets achter Charlie stond een grote zwarte man met een kaalgeschoren hoofd, van wie Kate aannam dat het Delmar Epps was. Aan Charlies linkerhand stond een jonge vrouw die met bewonderende ogen naar Charlie opkeek. Er waren een paar dingen vreemd aan haar. Haar hoofd was net zo haarloos als dat van de lijfwacht van de goeroe en terwijl iedereen in Charlies gevolg gekleed was in dure, stijlvolle kleding, droeg het meisje een eenvoudige jurk en een boerenkiel. In Kates ogen leek de vrouw hier niet op haar plaats. Ze had iets van een zigeunerin die in een nachtclub vol feestvierende filmsterren was beland.

Er kwam een gedachte bij Kate op. Epps had verklaard dat hij de .357 Magnum in de limousine had laten liggen toen hij op de avond van de moord bij de ingang van de Westmont was uitgestapt, maar niemand had die bewering gestaafd. Stel dat Epps het wapen bij zich had toen hij uit de limousine stapte, maar had gelogen, zodat niemand zou denken dat hij het dodelijke schot had gelost? En als Epps de revolver bij zich had toen hij uitstapte, hoe kon Marsh er dan aan zijn gekomen?

Kate bestudeerde een foto van het wapen. Vervolgens zocht ze op internet en ontdekte dat de Ruger meer dan een kilo woog. De revolver had ook een loop van vijftien centimeter, zodat hij een beetje moeilijk hanteerbaar was. Kort voordat het dodelijke schot was afgevuurd, had Epps met de veiligheidsmedewerkers staan vechten. Kate herinnerde zich dat een getuige had verklaard dat Epps een van de veiligheidsmensen met een karatetrap tegen zijn hoofd had neergeslagen. Als het zware, logge wapen tussen Epps' broekriem had gezeten, kon het door al dat heen en weer springen van zijn plaats zijn geraakt en kon iedereen uit de menigte rond de vechtenden het hebben opgeraapt.

Kate vond nog een paar foto's, waarop zowel het terrein aan de kant van de rotonde waar Epps had staan vechten te zien was als het terrein tussen de rotonde en de sportwinkel, waar hun cliënt had gestaan. Er was niet zo gek veel ruimte tussen de beide stukken van het terrein. Als de revolver op de grond gevallen was en iemand hem terug in de richting van Marsh had geschopt, had deze naar voren kunnen rennen om hem op te rapen.

Kate probeerde zich te herinneren wie zich in Marsh' gezelschap hadden bevonden. Werner Rollins had verklaard dat hij zich bij Marsh en Gary Hass had gevoegd nadat hij de veiligheidsmedewerker met wie hij had gevochten had neergeslagen. Epps zei dat hij terug was gelopen om Marsh te kunnen beschermen. Rollins had verklaard dat hij Marsh het schot had zien afvuren dat Arnold Pope Junior had gedood.

Als Epps en Rollins tegen de politie hadden gelogen om het op een akkoordje te kunnen gooien, had elk van de andere mannen die bij Marsh in de buurt stonden het schot kunnen afvuren.

26

Sinds Amanda aan de rechtenfaculteit van New York University was afgestudeerd, was ze een paar keer terug in New York geweest. Ze had gemengde gevoelens over de stad. Manhattan bezoeken was heel leuk. Daar had je de beste restaurants en je kon er uitstekend winkelen, fantastische musea en theaters bezoeken en je aan moderne kunst vergapen. Er hing iets in de lucht wat zei dat hier van alles gebeurde. Maar als je in de stad woonde, ging je niet iedere avond naar het theater of naar een viersterrenrestaurant. In haar hart was Amanda een meisje uit Oregon. Nadat de eerste opwinding van een bezoek aan New York was weggeëbd, begon ze Portland met zijn kalme levenstempo, besneeuwde bergtoppen en glooiende groene heuvels te missen. Maar het was al weer enige tijd geleden sinds ze voor het laatst in New York was en dit was haar eerste dag. Terwijl de limousine die haar van het vliegveld had opgehaald op weg naar haar ontmoeting met haar cliënt langs de Carnegie Deli reed, merkte ze dat ze gefascineerd raakte door de krioelende mensenmassa's en trek kreeg in een broodje met echte pastrami.

World News had Charlie Marsh onder laten duiken in een koopappartement van het bedrijf in de buurt van Columbus Circle. De chauffeur belde van tevoren om Dennis Levy te waarschuwen dat Amanda onderweg was. Terwijl ze met de lift omhoogging, vroeg Amanda zich af of de echte Charlie Marsh een beetje op de Charlie Marsh uit haar verbeelding zou lijken: een avontuurlijke schurk die zijn voorliefde voor geweld op spectaculaire manier vaarwel had gezegd om de mensheid verlichting te kunnen schenken. Velen die door zijn tot de verbeelding sprekende metamorfose van boosdoener tot heilige in zijn ban waren geraakt, hadden nooit geloofd dat hij schuldig was aan de moord op het congreslid. Amanda was gefascineerd door zijn autobiografie, maar ze had van haar vader genoeg geleerd over de tekortkomingen van beroepsmisdadigers en trad de beweringen van de goeroe dan ook met een gezonde dosis scepsis tegemoet.

De deur van het appartement van *World News* ging open zodra Amanda aanklopte. Een mager joch, zo te zien amper uit de puberteit, tuurde door een kier in de deur en keek angstvallig de gang achter Amanda's schouder in, alsof hij verwachtte dat er elk moment een arrestatieteam achter haar zou opduiken om het appartement te bestormen.

'Mevrouw Jaffe?' vroeg hij op nerveuze toon.

Amanda knikte. 'En u bent zeker Dennis Levy?'

'Komt u binnen,' zei Levy. Hij ging een klein stukje achteruit, zodat Amanda zijdelings een grote woonkamer kon betreden met een verbazend mooi uitzicht op Central Park. Achter haar klikten verschillende sloten dicht. Een ogenblik later voelde Amanda de ijskoude lucht die als een orkaan door het appartement woei.

'Wat is er met de airconditioning aan de hand?' vroeg ze aan Levy, terwijl ze een opwelling om haar armen voor haar borst te slaan onderdrukte.

De verslaggever, die ingepakt zat in een dikke trui, maakte een hoofdgebaar in de richting van een slanke blonde man in een donkerblauw trainingspak, die op de rand van een bank voor een enorme flatscreen-tv langs de kanalen zat te zappen.

'Hij zegt dat hij de pest heeft aan hitte en aan alles wat hem aan Afrika doet denken.'

Het beeld dat Amanda van Marsh had, was gebaseerd op de foto van de auteur op de achterkant van *Het licht in jezelf* en vage herinneringen aan de voortvluchtige tijdens tv-programma's. Marsh leek helemaal niet op de zelfverzekerde, dynamische spreker over zelfbewustzijn die ze zich herinnerde. Hij zag er uitgemergeld uit en zijn huid was net zo gelooid als die van mensen die zonder zonnebrandcrème te lang in de zon hebben gezeten.

'Charlie, je advocaat is er,' zei Levy.

Toen Marsh zijn naam hoorde, draaide hij zijn hoofd in de richting van Amanda, maar zijn lichaam en de afstandsbediening bleven op de televisie gericht.

'Ik kan er niet bij dat je hier zo veel zenders kunt ontvangen,' zei Charlie. 'Wist je dat je thuis op HDTV gratis naar pornofilms kunt kijken?'

'Ja, meneer Marsh, daar ben ik helemaal van op de hoogte,' zei Amanda, onwillekeurig glimlachend. De verbazing en het ontzag dat haar cliënt voor de moderne technologie aan de dag legde, herinnerden haar eraan dat hij twaalf jaar in ballingschap had geleefd. Marsh zette de tv uit en kwam overeind. 'Waarom heb ik uw vader niet gekregen?'

Amanda was niet beledigd. 'Hij heeft mevrouw Pope, uw medeverdachte, vertegenwoordigd. Als hij u ook zou vertegenwoordigen, zou er sprake zijn van een belangenconflict.'

Marsh nam Amanda nauwkeurig op. 'U ziet er jong uit. Hebt u genoeg ervaring om een grote zaak als deze te behandelen?'

'Denkt u dat een belangrijk blad als *World News*, met alle middelen waarover het beschikt, mij zou vragen u te vertegenwoordigen als ze dachten dat ik daartoe niet in staat was?' antwoordde ze rustig.

'Oké, dat snap ik. Maar u kunt toch met uw vader overleggen? Ik bedoel, hij kan zich toch ook met de zaak bemoeien, ook al kan hij mijn advocaat niet zijn?'

'Ik overleg altijd met mijn vader als ik een ingewikkelde zaak te behandelen krijg. En hij overlegt met mij als hij er een heeft. U hoeft zich dus geen zorgen te maken. U krijgt twee advocaten voor de prijs van één.'

'Oké, dat wilde ik alleen maar even weten. Trek het u niet aan, maar mijn leven staat op het spel.'

'Daar ben ik me van bewust. Ziet u, meneer Marsh, u bent de cliënt en wij doen alleen wat u zegt. Als u er moeite mee hebt dat ik u vertegenwoordig, staat het u volkomen vrij om iemand anders in dienst te nemen.'

'Nee, nee, daar gaat het niet om. Ik neem zonder meer aan dat u goed bent. Ik hoopte alleen maar dat ik uw vader zou krijgen omdat hij Sally vrij heeft gepleit. Maar ik vind het ook prima als ik u krijg.'

'Dat is dan geregeld. We hebben een heleboel te bespreken. Laten we dus maar meteen beginnen. Waar kunnen we ongestoord praten?'

'Dat kan hier wel,' zei Dennis Levy. Amanda hoorde de gretigheid in zijn stem en besloot dat ze niet langer kon wachten met de verslaggever enige richtlijnen te geven.

'Meneer Levy, u kunt onmogelijk bij mijn overleg met de heer Marsh aanwezig zijn.'

'Daar hoeft u zich geen zorgen over te maken. Ik sta aan de kant van

Charlie. En u moet niet vergeten dat hoe authentieker het boek is dat ik aan het schrijven ben, hoe beter het verkoopt, dus daar wordt iedereen beter van.'

'Dat kan zijn, maar de heer Marsh kan geen beroep meer doen op de vertrouwelijkheidsregels als er bij ons overleg derden aanwezig zijn. Dat houdt in dat de officier van justitie u kan dwingen de jury alles te vertellen waarvan de heer Marsh dacht dat hij het mij in vertrouwen had meegedeeld. Dat kan ik niet toestaan.'

'U begrijpt me niet. Dit wordt een héél groot verhaal. We hebben het hier over journalistiek die prijzen in de wacht sleept. En u krijgt er meer publiciteit door dan u aankunt, dus waarom komt u me niet een beetje tegemoet?' Levy glimlachte samenzweerderig. 'Wie zal ooit weten wat zich in dit appartement heeft afgespeeld als niemand erover praat?'

'Ik zou het wel weten,' zei Amanda, 'en ik zou niet liegen als mij gevraagd werd of u bij onze gesprekken aanwezig was. U bent verslaggever. Ik begrijp dat u heel graag verslag wilt doen van een verhaal als dit, maar het leven van de heer Marsh staat op het spel en ik ga niets doen om dat in gevaar te brengen. U kunt niet aanwezig zijn bij onze gesprekken. Is dat duidelijk?'

Levy's gezicht was tijdens Amanda's terechtwijzing vuurrood geworden.

'Goed, goed, maar wilt u wel met me praten over zaken die de zaak niet in gevaar brengen?'

'Natuurlijk, en ik zal u ook zo veel mogelijk op de hoogte houden,' zei ze om Levy te sussen, 'maar de heer Marsh komt voor mij op de eerste plaats.'

'Hé, Dennis,' kwam Marsh tussenbeide, 'kun je me een plezier doen?'

'Natuurlijk, Charlie,' zei Levy, die zijn broodwinning maar al te graag van dienst was.

'Ik verrek van de honger. Kun je een kaasburger met spek voor me gaan halen? Ik heb in twaalf jaar geen fatsoenlijke hamburger gegeten.'

Het leek Levy te ergeren dat hij de rol van loopjongen kreeg toegewezen, maar hij hield zijn mond.

'Met patat. Ik wil patat en cola.'

'Oké,' zei Levy met tegenzin.

'En jij, Amanda?' vroeg Charlie. 'Ik mag je toch wel Amanda noemen?'

'Natuurlijk.'

'Noem mij dan maar Charlie. Heb jij ergens trek in? Heb je honger?'

'Sinds ik langs de Carnegie Deli reed, heb ik al de hele tijd vreselijk trek in roggebrood met warme pastrami.'

'Voor elkaar. Heb je die bestelling, Dennis?'

'Die Levy is een vreselijke etter,' zei Charlie zodra de voordeur achter de verslaggever dichtging.

'Hij is gewoon opgewonden over zijn verhaal.'

Een van Marsh' wenkbrauwen ging omhoog. 'Jij hebt de afgelopen paar dagen geen vierentwintig uur per dag met hem opgesloten gezeten.'

'Ik begrijp wat je bedoelt,' zei Amanda terwijl ze naar een tafel liep die naast een van de grote ramen met uitzicht op het park stond. Marsh ging aan de ene kant zitten en Amanda pakte een pen en een opschrijfblok uit haar attachékoffertje.

'Vertel eens, wat gaat er met me gebeuren als ik in Oregon aankom?' vroeg Marsh. Hij probeerde ontspannen te klinken, maar zijn lichaamstaal zei Amanda iets anders.

'Ik heb een regeling getroffen met Karl Burdett, de aanklager.'

'Heeft hij Sally niet vervolgd?'

Amanda knikte. 'En hij is nog steeds officier van justitie. Karl heeft me beloofd dat hij je niet bij aankomst laat arresteren. Bij de hoorzitting over de borgtocht kun je je aangeven.'

'Oké, dat is prima. En ik heb genoeg geld om een borg te storten.'

'Bij moordzaken is er geen automatisch recht op borg, Charlie. De rechter kan bepalen dat je zonder borg wordt vastgezet als Burdett hem ervan overtuigt dat er heel duidelijke bewijzen zijn dat jij de moord op congreslid Pope hebt gepleegd.'

'Maar dat heb ik niet. Ik ben onschuldig.'

'Waarom ben je dan gevlucht?'

'Delmar pakte me beet op het moment dat het schot viel en sleepte me de limousine in. Hij deed wat een lijfwacht moet doen. We maakten dat we wegkwamen en hij begon kriskras rond te rijden om eventuele achtervolgers af te schudden. Toen we uiteindelijk stilhielden, waren we mijlenver bij de sociëteit vandaan en had ik tijd gehad om na te denken. Ik ben een ex-veroordeelde; Pope gaf me een klap omdat ik met zijn vrouw naar bed ging en ik vluchtte van de plaats van het misdrijf weg. Wat zullen ze daarvan denken? Schuldig, schuldig en nog eens schuldig was het enige wat ik kon bedenken. Ik was er zeker van dat ik het slachtoffer zou worden als ik me aangaf, zeker nadat ze Sally gearresteerd hadden. Ik ging dus naar Canada, zorgde dat ik valse papieren kreeg en ben met een vrachtvaarder naar Batanga vertrokken. De rest van het verhaal ken je.'

'Ik ben nieuwsgierig, Charlie. Je weet toch dat je de doodstraf kunt krijgen?'

Marsh knikte.

'Waarom ben je dan teruggekomen? In Batanga zat je veilig.'

Marsh lachte. 'Amanda, ik zou veiliger zijn als ik op de elektrische stoel zat vastgebonden dan in dat afgrijselijke oord met zijn muskietenplagen.'

'Waarom leg je me dat niet even uit?'

'Liever niet, als je het niet erg vindt.'

'Ik begrijp dat je daar een slechte ervaring hebt gehad...'

Marsh snoof verachtelijk. 'Daar weet je nog niet eens de helft van.'

'Het zou van belang kunnen zijn bij de hoorzitting. Je bent al een keer het land uit gevlucht. Als de rechter een borgsom vaststelt, zal Burdett aanvoeren dat de kans groot is dat je opnieuw vlucht.'

'Geloof me, ik ga nooit van m'n leven terug naar Afrika. Je zult me er zelfs nooit op betrappen dat ik naar een Tarzan-film zit te kijken.'

'De rechter zal je niet op je woord geloven als je zegt dat je niet zult vluchten. Dat zul je uit moeten leggen.'

Marsh reageerde niet en Amanda gunde hem de tijd om na te denken. Toen hij haar aankeek, had hij een vastberaden trek om zijn lippen.

'Ik vertel je dit maar één keer, dus schrijf het goed op en vraag me nooit meer iets over Batanga. Maar voordat ik je over Batanga vertel, wil ik dat je iets voor me doet.'

'En dat is?'

'Ik heb iets meegebracht uit Batanga en ik wil dat je dat voor me bewaart. Als we in Oregon zijn, wil ik dat je het in een kluis opbergt.'

Amanda fronste haar voorhoofd. 'Wat is het precies?'

'Dat kan ik je niet vertellen.'

'Het zijn toch geen drugs, hè?'

'Nee. Je doet niets wat in strijd met de wet is, maar je doet er iets belangrijks mee voor een heleboel onschuldige mensen. Meer kan ik je niet vertellen. Doe je het?'

Amanda aarzelde. Om hem als advocaat op een doeltreffende manier van dienst te kunnen zijn, moest ze eerst Marsh' vertrouwen zien te winnen. Maar aan de andere kant was ze niet plan om medeplichtig te zijn aan een misdaad.

'Zweer je dat je me niet vraagt om iets misdadigs te doen?' zei ze, hoewel ze volledig besefte hoe belachelijk het was om die vraag te stellen aan een misdadiger die als oplichter de kost had verdiend.

'Ja.'

'Goed dan. Geef het me maar.'

Charlie ging naar zijn slaapkamer en kwam even later terug met een in bruin papier verpakte doos met een touwtje eromheen. Amanda stopte hem in haar grote handtas.

'Kun je nu over Afrika praten?' vroeg ze toen de doos uit zicht was.

Charlie zuchtte. 'Hoe eerder dit achter de rug is, hoe beter.'

In het uur daarop vertelde Marsh zijn advocaat over zijn jaren in ballingschap. Hij beëindigde zijn relaas met een verslag over hoe hij op het nippertje van het geïmproviseerde vliegveldje was ontsnapt.

'Jezus, Charlie, je boft dat je nog leeft.'

'Ik wil dat jij ervoor zorgt dat dat ook zo blijft.'

'Ik ga beslist mijn best voor je doen, maar vertel me eens, als jij Pope niet hebt vermoord, wie dan wel?'

'Dat weet ik niet.'

'Iedereen zegt dat het schot bij jou uit de buurt kwam en het wapen werd gevonden op de plek waar jij stond.'

'Weet je, Amanda, het was donker en met al dat gedoe met Werner en Delmar die aan het vechten waren, Pope die naar me schreeuwde en al die gillende mensen eromheen... het was een compleet gekkenhuis.'

'Dus je zegt dat je geen idee hebt wie Arnold Pope vermoord heeft?'

'Geen flauw idee.'

Tegen de tijd dat Amanda bij haar hotel incheckte, was ze doodop. Haar reis van de ene kant van het land naar de andere en het langdurige gesprek met Charlie hadden haar uitgeput, en Dennis Levy had het haar er niet gemakkelijker op gemaakt. Hij had een paar keer geprobeerd hun gesprek af te luisteren en ze had een heleboel energie besteed aan het afweren van zijn voortdurende pogingen haar ervan te overtuigen dat het niet echt een probleem zou zijn als hij wat meer toegang tot haar cliënt kreeg.

Amanda nam een hete douche om de ijzige kou kwijt te raken die haar dankzij het poolklimaat in Charlies appartement tot op het bot had verkleumd. Er was een bericht van Martha Brice, die wilde weten wat de laatste ontwikkelingen waren. Amanda bracht haar op de hoogte terwijl ze in een badstoffen kamerjas van het hotel heerlijk languit op haar bed lag. Ze kwam in de verleiding om Mike Greene te bellen, alleen maar om even over iets anders dan de zaak te kunnen praten, maar ze bedacht dat het tijdverschil tussen New York en Oregon drie uur bedroeg, zodat hij, zo realiseerde ze zich, op dat moment waarschijnlijk in de rechtszaal was. In plaats daarvan belde ze Karl Burdett om hem te vertellen dat Marsh op woensdag terug naar Oregon zou vliegen. Burdett ging ermee akkoord dat de hoorzitting over Marsh' borgtocht op donderdag plaats zou vinden. Amanda was bang geweest dat de officier van justitie op zijn belofte terug zou komen en ze slaakte een zucht van verlichting toen ze de hoorn op de haak legde. Na het telefoontje met Burdett belde ze naar haar kantoor om erachter te komen of er iets was wat haar aandacht vereiste. Ze sprak even met Kate Ross.

Toen Amanda haar gesprek met Kate had beëindigd, voelde ze zich wat meer ontspannen en was ze ook zover dat ze haar eerste indrukken van Charlie Marsh op een rijtje kon zetten. Zijn opluchting over zijn ontsnapping uit Batanga was beslist niet gefingeerd. Uit wat hij haar over zijn jaren in dat land had verteld, maakte ze op dat het een hel geweest moest zijn. Amanda kon zich geen voorstelling maken van het afgrijzen dat hij had gevoeld toen hij het zwaar verminkte lichaam van zijn minnares in Baptistes martelkamer zag.

Marsh maakte ook een hulpbehoevende en onzekere indruk. Hij had zich tegenover Amanda groot proberen te houden, maar ze kon zien dat hij doodsbang was. Gezien zijn situatie was dat een volkomen normale reactie. Het zou niet meevallen om Charlie op borgtocht vrij te krijgen. En hem uit de dodencel houden ook niet.

Waar Amanda zich nog het meest zorgen over maakte, was of Charlie zo gespannen was omdat hij Arnold Pope Junior had vermoord. In het Amerikaanse juridische systeem is de staat de enige partij die tijdens een proces met bewijzen moet komen. De staat moet de jury ervan zien te overtuigen dat een verdachte schuldig is aan het in de aanklacht ten laste gelegde. Een verdachte hoeft zelf niets te bewijzen, zodat een verdediger niet hoeft te weten of de cliënt het misdrijf heeft gepleegd waarvan hij of zij beschuldigd wordt. Maar dat betekende niet dat Amanda niet net zo nieuwsgierig was naar de rol van haar cliënt als naar de inhoud van de doos die hij haar had gegeven. Charlies beweringen dat hij onschuldig was, klonken overtuigend, maar hij was een oplichter en oplichters verdienen hun brood door met een uitgestreken gezicht te liegen.

27

Naarmate Frank Jaffe dichter in de buurt van het landgoed van Sally Pope kwam, voelde hij zijn ingewanden steeds meer samentrekken. Aan de ene kant wilde hij haar graag weerzien, maar aan de andere kant ook weer niet. Toen Frank Amanda had beloofd dat hij met Sally zou gaan praten, was hij er vast van overtuigd geweest dat hij het weerzien met haar aankon, maar nu was hij daar niet meer zo zeker van. Sally woonde midden op het platteland. Hier en daar graasden koeien, schapen en paarden in omheinde weilanden en nu en dan zag hij een schuur of een boerenhuis. Er waren lage heuvels en gecultiveerde gele en groene akkers, vierkant of rechthoekig van vorm, waarop gewassen werden verbouwd of donkerbruine plekken waar de akkers waren omgeploegd om de grond opnieuw gereed te maken voor bebouwing.

Frank had de afspraak gemaakt via Jimmy Pavel, de advocaat die Sally's juridische zaken behartigde. Een paar uur nadat Frank had gebeld, belde Pavel terug om hem aanwijzingen te geven hoe hij moest rijden en het tijdstip van het gesprek door te geven. Terwijl Frank op Pavels telefoontje zat te wachten, zocht hij op internet naar gegevens over Sally. Er waren talrijke verwijzingen naar haar uit de tijd vóór, tijdens en vlak na het proces. Het aantal zoekresultaten nam drastisch af nadat ze naar Europa was vertrokken, maar er waren verwijzingen die haar in verband brachten met Liam O'Connell, een Ierse auteur die op de shortlist voor de Booker Prize had gestaan en in Groot-Brittannië een kleine beroemdheid was. Er waren erg weinig treffers sinds ze naar de Verenigde Staten was teruggekeerd.

Een lage stenen muur gaf de grenzen van het landgoed aan. Een onderbreking in de muur bood toegang tot het terrein via een onverharde weg die zich door een groepje dicht op elkaar staande bomen slingerde. Een eindje verder maakte het bos plaats voor een goed onder-houden uitgestrekt gazon en kwam er een witgeverfd, vooroorlogs plantershuis in zicht, dat vanaf een kleine verhoging neerzag op nieu-we bezoekers. Frank zag in gedachten even een beeld voor zich van zuidelijke schonen in hoepelrokken, die zich in de zomerse hitte met waaiers koelte zaten toe te wuiven terwijl hun vrijers op de veranda van muntcocktails zaten te nippen.

De weg maakte een bocht en kwam voor een zuilengang bij de in-gang uit. Frank parkeerde en stapte uit. Een witbruine collie kwam langzaam op hem af, lui met zijn staart kwispelend. Frank bukte om de hond te aaien en belde vervolgens aan. Na dat beeld uit *Gejaagd door de wind* was Frank enigszins teleurgesteld toen hij zag dat de vrouw die de deur opende gekleed was in een spijkerbroek en een lichtblauw T-shirt. Ze had steil, zwart haar, een innemende glimlach en een zwaar Italiaans accent.

'U moet meneer Jaffe zijn.'

Frank knikte.

'Ik ben Gina, de persoonlijk medewerker van mevrouw Pope. Ze verwacht u. Ze is aan de achterkant van het huis. Als u het pad volgt, kunt u haar niet missen.'

Frank volgde een pad van onregelmatig gevormde stukken grijze leisteen, dat om het drie verdiepingen tellende huis heen liep. De col-lie trippelde naast hem mee. Frank hoorde een plons en gelach en zag dat er drie tienerjongens in een groot zwembad aan het spelen waren. Het urenlang in de zomerzon zitten had hun lichaam gebronsd. Twee van de jongens hadden een wilde bos zwart haar. De chloor en het zonlicht hadden het glanzende haar van de langste jongen koperblond gekleurd. Aan de diepe kant van het zwembad bevond zich een duik-plank, en de jongens maakten om de beurt gekke duiksprongen. De blonde jongen bleef even op de rand van de duikplank staan. Hij was lenig en gespierd. Na een paar keer op en neer springen zette hij af en ging met een sierlijke beweging omhoog. Op het punt waar een wed-strijdduiker zich zo klein mogelijk zou hebben gemaakt en een salto zou hebben uitgevoerd, maakte hij een paar dolle bewegingen met zijn armen en kwam plat op het water neer, waarbij hij een golf veroor-zaakte die zijn vriendjes nat spatte. De jongens lachten en Frank glim-lachte.

'Dat is Kevin.'

Frank draaide zich om. Sally Pope keek hem aan van onder een slappe strohoed met een brede rand. Ze had tuinhandschoenen aan en hield een plantschopje in haar hand. Sally droeg een opgelapte spijkerbroek en een hemd met korte mouwen dat onder de vieze vlekken zat. Ze had geen make-up op en haar gezicht droop van het zweet. Er zat een vuile vlek op haar wang, op de plek waar ze die met haar handschoen had aangeraakt. Desondanks vond Frank haar nog altijd een van de mooiste vrouwen die hij ooit had gezien.

'Zo te zien heeft hij een paar keer les gehad,' zei Frank terwijl hij keek hoe Sally's zoon een baantje vlinderslag trok.

Sally glimlachte. Haar glimlach bekoorde hem nog net zo als al die jaren geleden.

'Hij is lid van het highschoolteam.' Ze trok haar handschoenen uit en veegde haar voorhoofd af. 'Laten we op de patio verder praten. Trek je jasje uit en doe je das af. Het is veel te heet voor formele kleding.'

Sally ging hem voor naar een ronde glazen tafel op een grote stenen patio, die gelukkig in de schaduw lag. Frank trok zijn jasje uit en was net bezig zijn das los te maken toen Gina met een kan ijsthee aan kwam lopen. Sally legde haar hoed op een stoel en schudde haar haren los. Op een paar grijze streepjes na was haar haar nog steeds hoogblond.

'Je ziet er goed uit, Frank.'

'Ik zie er oud uit.'

Ze glimlachte. 'Zo oud ook weer niet. Hoe gaat het met Amanda?'

'Prima. Ze is compagnon bij ons kantoor.'

'Toen ik in Italië woonde, probeerde ik op de hoogte te blijven van het nieuws uit Oregon en heb ik over een paar van haar grote zaken gelezen.'

'Ze heeft er weer een. Daarom ben ik hier.'

'Jimmy zei dat het om een zaak ging, maar hij zei ook dat je dat niet nader uit wilde leggen.'

'Ik wilde het je persoonlijk komen vertellen. Charlie Marsh komt terug om terecht te staan.'

Alle kleur trok uit Sally's gezicht weg.

'Ik wilde je van tevoren waarschuwen voordat de pers erachter komt dat hij weer hier is.'

'God, ik wil dat niet allemaal nog een keer meemaken.'

'Ik ben bang dat je dat niet kunt vermijden. Karl Burdett zal je vast en zeker als getuige oproepen.'

Sally draaide haar hoofd in de richting van het zwembad. 'Dan gaan ze ook achter Kevin aan.'

'Hij was toen nog veel te jong. Het kan haast niet dat hij iets weet wat Karl kan gebruiken.'

'Ik bedoel niet Burdett, maar de verslaggevers. Ik heb geprobeerd hem af te schermen, maar nu komt alles over Arnie en mij en mijn verhoudingen in de openbaarheid.'

Ze zag eruit alsof ze moest overgeven.

'Dat spijt me,' zei Frank, maar hij wist dat dat een cliché was dat volkomen ontoereikend was en er niets toe zou bijdragen om de vreselijke wolk weg te nemen die binnenkort boven Sally en haar zoon zou komen te hangen.

'Waarom doet hij dit?' vroeg Sally. 'Ze zullen proberen de doodstraf voor hem te krijgen. Waarom komt hij terug?'

'Dat weet ik niet. Amanda is op dit moment bij hem. Ze zal het wel te horen krijgen, maar het zou kunnen zijn dat ze je dat niet kan vertellen.'

Sally balde haar vuisten. Ze keek naar iets wat Frank niet kon zien. Na een paar tellen haalde ze diep adem en Frank zag dat de koele afstandelijkheid die ze tijdens haar proces had getoond ook nu de andere emoties verdrong.

'Je komt hier wel doorheen,' verzekerde Frank haar. 'En Kevin ook.'

'Ja, dat zullen we zeker,' antwoordde Sally vastberaden. 'Zeg eens, Frank, ben je alleen maar hierheen gekomen om me te waarschuwen?'

Frank haalde de afstandsverklaring uit de zak van zijn jasje. 'Amanda is voorzichtig en ze doet graag alles correct. Omdat ik jou heb vertegenwoordigd en zij mijn compagnon is, heeft ze mij gevraagd om jou te benaderen met de vraag of je wilt verklaren dat er geen sprake is van een belangenconflict, zodat zij Charlie kan vertegenwoordigen.'

'Kan het geen gevaar opleveren voor Kevin of voor mij als ik teken?'

'Dat denk ik niet. De vertrouwelijkheidsregel is nog steeds van toepassing en jij hebt altijd volgehouden dat je onschuldig was. Ik kan me niet herinneren dat je mij iets hebt toevertrouwd wat belastend was. Maar als je je daar zorgen over maakt, kun je een advocaat raadplegen.'

'Wat gebeurt er als ik niet teken?'

'Dan kan het zijn dat Amanda zich terug moet trekken, maar daarmee is de zaak niet afgelopen. Dan neemt Marsh gewoon een andere advocaat.'

'Heb je een pen?' vroeg Sally.

'Fijn dat je meewerkt. Deze zaak betekent heel veel voor Amanda.'

Sally glimlachte. 'Wil ze bewijzen dat ze net zo goed is als haar ouweheer?'

Frank glimlachte terug. 'Ik weet zeker dat dat er iets mee te maken heeft.'

'Als dat haar doel is, heeft ze nog een lange weg te gaan.'

'Misschien niet zo lang als je denkt. Ze is een verdomd goeie advocaat.'

De glimlach verdween van Sally's gezicht. Ze keek aandachtig naar de man aan de overkant van de tafel. 'Hoe gaat het met jou, Frank?'

Hij haalde zijn schouders op. 'De praktijk loopt uitstekend.'

'Dat bedoel ik niet.'

'Sinds jij vertrokken bent, is er geen belangrijk iemand meer in mijn leven geweest, als je dat soms bedoelt.'

'Je weet dat het me pijn deed om te vertrekken, maar ik moest Kevins belangen vóór alles laten gaan. De roddelbladen zouden voortdurend hun aandacht op hem hebben gericht, en dan was Senior er ook nog. Hij heeft me zelfs tot in Italië achtervolgd. Als ik niet het geld voor de beste advocaten had gehad, zou het allemaal nog veel erger zijn geweest.'

'Je bent me geen uitleg schuldig.'

'Ik wilde dat je dat wist.'

'Dank je. Ik begrijp dat je iemand hebt gevonden.'

Sally knikte. 'Liam. Hij is er momenteel niet, omdat hij lesgeeft bij een zomercursus in Berkeley.'

'Hoe lang zijn jullie al samen?'

'Vijf jaar alweer. Kevin aanbidt hem.'

Frank dwong zichzelf te glimlachen. 'Dat vind ik erg fijn voor je.'

'Onder andere omstandigheden had het allemaal heel anders kunnen zijn.'

'Jij en ik zijn oud nieuws, Sally.'

Sally pakte de pen die Frank op de tafel had gelegd en ondertekende de afstandsverklaring.

Frank knikte in de richting van het zwembad. 'Wat weet Kevin over wat er met zijn vader is gebeurd?'

'Hij weet dat Arnie congreslid was en dat hij werd vermoord. Hij weet dat ik terecht heb gestaan en dat de aanklacht werd ingetrokken.'

Ze zweeg even. 'We praten maar zelden over de zaak, maar ik denk dat dat nu wel zal moeten. Hij zal er in de krant over lezen, en op school zal er ook over gesproken worden.'

'Is hij net zo flink als zijn moeder?'

'Ik denk van wel. Ik hoop het, want het zal niet makkelijk zijn.'

'En wat betreft Charlie Marsh: weet jij iets waar Amanda wat aan zou kunnen hebben?'

'Eerlijk waar, dat weet ik niet. Tijdens die vechtpartij heb ik alleen maar op Arnie gelet. Ik heb geen idee wie hem vermoord heeft.'

'Als Amanda met je wil praten, kan dat dan?'

'Natuurlijk.'

Frank stopte de afstandsverklaring in zijn attachékoffer en stond op. 'Ik vond het fijn je weer eens gesproken te hebben, Sally.'

'Wil je niet blijven? Gina kan wat te eten voor ons maken.'

'Ik wou dat het kon, maar ik heb een afspraak in de stad. Een cliënt.'

Sally nam hem aandachtig op. Ze probeerde erachter te komen of hij de waarheid sprak. Frank liet haar het gezicht zien dat jury's te zien kregen, een gezicht dat geen emoties toonde, ook niet als de gebeurtenissen in de rechtszaal een plotselinge of afschuwelijke wending namen. Ze kwam overeind en stak haar hand uit. Haar hand was warm en hij hield hem iets langer vast dan voor een afscheid noodzakelijk was.

'Ik ben blij dat ik Kevin even heb kunnen zien,' zei Frank.

'Ik ben blij dat ik jou weer eens heb gezien.'

Sally liep met Frank naar zijn auto en zwaaide toen hij wegreed. Toen ze hem niet meer kon zien, liet Frank de adem ontsnappen die hij samen met zijn emoties een hele tijd had ingehouden. Hij had tegen Sally gelogen. Er zat geen cliënt op hem te wachten. In haar aanwezigheid verkeren was pijnlijk voor hem geweest en hij had die pijn niet onnodig willen rekken.

28

Op dinsdagmiddag belde Kate Ross, na een kort telefonisch overleg met Amanda, naar Tony Rose om een afspraak te maken voor een gesprek. Ze had niet verwacht dat de directeur van Mercury Enterprises daarmee in zou stemmen. Rose stond aan het hoofd van een internationaal concern en zij was een detective bij een klein, plaatselijk advocatenkantoor. Toen Kate het parkeerterrein voor bezoekers van Mercury op reed, vroeg ze zich nog steeds af waarom Rose' medewerker een kwartier na haar telefoontje had teruggebeld met de mededeling dat de heer Rose haar over een uur te woord zou staan. Het enige antwoord dat ze kon bedenken was dat de namen Sally Pope en Charlie Marsh wat Rose betrof gelijk stonden aan 'Sesam, open u'.

Op het terrein van Mercury Enterprises bevond zich een uitgestrekte verzameling milieuvriendelijke gebouwen van staal en glas, met daartussen tennisbanen, voetbalvelden, basketbalvelden (zowel in de open lucht als overdekt) en een atletiekbaan. Door de glazen muren van een piramidevormige constructie waar ze op weg naar het administratiegebouw langs kwam, zag Kate een overdekt zwembad van olympische afmetingen. Landelijk bekende atleten namen deel aan Mercury's beroemde trainingsprogramma, en het terrein bood onderdak aan trainingskampen voor opkomende sterren van de NBA. Kate kwam al snel tot de conclusie dat de vroegere playboy en tennisfanaat het een aardig eind had geschopt.

De receptieruimte van het administratiegebouw had, met zijn grote open ruimten, glazen muren en zijn drie verdiepingen hoge atrium, iets weg van een botanische tuin. Kate gaf de bewaker aan de receptiebalie haar naam. Nadat hij even met iemand had gebeld, gaf hij haar een bezoekerspasje om op haar revers te bevestigen en vroeg of ze even wilde gaan zitten. Terwijl ze een exemplaar van *Sports Illustrated* doorbladerde, liepen er energieke mannen en vrouwen voorbij, die zo te zien met heel belangrijke zaken bezig waren. Iedereen zag er, ondanks zijn of haar leeftijd, ongelooflijk fit uit. Kate nam zich voor dat ze, zodra dit gesprek achter de rug was, haar eigen trainingsprogramma weer ging oppakken.

Haar korte moment van zelfkastijding werd onderbroken door de verschijning van een ongelooflijk mooie brunette in een duur, op maat gemaakt kostuum, die met haar naar een aparte lift naast de grote bezoeksliften liep.

De lift bracht hen naar de directiekantoren, waar de deuren toegang boden tot een wachtruimte die gesierd werd door vitrines waarin medailles en trofeeën van door Mercury gesponsorde atleten tentoongesteld waren. De muren waren bedekt met vergrotingen van advertenties van Mercury en actiefoto's van sporters. Kate herkende de meeste afgebeelde sterren. De brunette leidde Kate langs de vitrines naar het heiligdom van Tony Rose.

Het kantoor was op dezelfde manier ingericht als de wachtruimte. Twee muren hingen vol vitrines met daarboven foto's van bekende sporters. De overige muren waren van glas en boden degene die hier werkte een fenomenaal uitzicht op de Columbia-rivier. Tony Rose stond op en liep om een groot, modern bureau van glas en smeedijzer heen. Het was hem niet aan te zien dat hij sinds de zaak-Pope ouder was geworden, bedacht Kate.

'Hartelijk dank dat u me op zo'n korte termijn te woord wilt staan,' zei Kate terwijl ze elkaar de hand schudden.

'Toen mijn medewerker zei dat u bij het advocatenkantoor van Frank Jaffe werkte en met me over Sally Pope en Charlie Marsh wilde praten, móést ik gewoon weten wat er aan de hand was.'

Rose gebaarde dat Kate moest gaan zitten en nam zelf plaats op de rand van het bureau, zodat hij hoger zat dan zij. Hij liet even een ontwapenende, jongensachtige glimlach zien. Kate begreep meteen waarom hij misschien voor sommige dames bij de Westmont onweerstaanbaar was geweest.

'Welnu, mevrouw Ross, wat is er aan de hand?'

'Charlie Marsh komt terug naar Oregon om de aanklacht tegen hem onder ogen te zien.'

'Meent u dat? Gaat Frank Jaffe hem vertegenwoordigen?'

'Dat kan niet. Hij heeft mevrouw Pope vertegenwoordigd, zodat er sprake is van een belangenconflict.'

'Dat is erg jammer. Ik heb me steeds afgevraagd hoe ik het er afgebracht zou hebben als hij me had ondervraagd. Ik had me erop verheugd de degens met hem te kruisen. Maar als Frank dus niet Marsh' advocaat is, wie dan wel?'

'Franks dochter, Amanda.'

Rose knikte. 'Dan zit het wel goed. Ze zeggen dat zij ook behoorlijk goed is. Maar vertel eens, wat kan ik voor u doen?'

'Ik wilde met u praten omdat Karl Burdett u waarschijnlijk als getuige gaat oproepen.'

'Om te vragen of Sally me wilde inhuren om Junior te vermoorden?'

Kate knikte. 'U was toch ook bij de Westmont toen congreslid Pope vermoord werd?'

'Ja, maar ik kan uw cliënt daar niet mee helpen.'

'O?'

'Ik stond een eind uit de buurt van de actie op het parkeerterrein. Ik was bijna bij mijn auto toen ik het schot hoorde. Ik draaide me om, maar ik kon niet veel zien vanwege de mensen die tussen mij en het congreslid stonden, en het was donker.'

'Waarom was u die avond bij de club?'

'Waarschijnlijk had ik laat doorgewerkt. Ik had administratieve taken die verband hielden met mijn baan als tennisleraar bij de club. Maar dat weet ik niet zeker meer. U moet niet vergeten dat het allemaal twaalf jaar geleden is.'

'Daar kan ik in komen. Maar misschien kan ik u helpen. Ik heb nog maar net het dossier doorgenomen, dus voor mij is het meeste ook nieuw. Er zat een verslag in dat de verklaring bevatte die Sally Pope op de avond van de moord tegenover de politie heeft afgelegd. Ze beweert dat u met haar probeerde te praten op het moment dat de limousine met Marsh en zijn gevolg aan kwam rijden.'

Rose haalde zijn schouders op. 'Als zij zegt dat dat zo is, zal ik het niet ontkennen.'

'Waarom wilde u met haar praten? Ik zou denken dat u liever zo ver mogelijk bij haar uit de buurt wilde blijven nadat ze geprobeerd had u het congreslid te laten vermoorden.'

'Ik kan me echt niet herinneren dat ik met haar heb gepraat, dus daar kan ik u niet bij helpen. Maar wilt u mij ook iets vertellen?'

'Als ik dat kan,' zei Kate.

'Wat voor afspraken zijn er met Marsh gemaakt? Waarom komt hij na al die jaren terug? Ik dacht dat hij veilig en wel in... Hoe heet dat land ook alweer waar hij zich verborgen hield?'

'Batanga. En ik heb werkelijk geen flauw idee waarom hij heeft besloten terug te komen.'

'Misschien werd het hem allemaal te veel,' mijmerde Rose. 'Dat gebeurt wel vaker. Je leest wel dat extremisten uit de jaren zestig die jarenlang ondergedoken hebben gezeten en getrouwd zijn en kinderen hebben, last krijgen van hun geweten en zich aangeven.'

'Dat zou kunnen,' zei Kate. 'Ik weet het echt niet. Maar om op de zaak terug te komen, houdt u nog steeds vol dat Sally Pope u heeft gevraagd haar man te vermoorden?'

'Zo is het gegaan.'

'Bent u daar zeker van?'

Rose schoot in de lach. 'Misschien kan ik me een paar dingen uit die tijd niet meer herinneren, maar als iemand je vraagt of je iemand wilt vermoorden... dat vergeet je niet.'

'En dat was in Dunthorpe, bij die bijeenkomst?'

'Precies.'

'Oké, terug nu naar de Westmont. Hebt u de heer Marsh opgemerkt toen u naar uw auto liep?'

'Misschien wel, maar dat kan ik me niet herinneren.'

'Wat vindt u persoonlijk van de heer Marsh?'

'Hoe bedoelt u?'

'Na die bijeenkomst in Dunthorpe heeft hij uw neus gebroken.'

Rose lachte. 'Hij heeft hem niet gebroken, ik had alleen maar een bloedneus, en dat is allemaal verleden tijd.' Rose maakte een weids armgebaar. 'Kijk om u heen. Het zal u misschien zijn opgevallen dat ik een heleboel omhanden heb. Wat mij betreft, is dat geval met Sally en die goeroe een eeuwigheid geleden. Als u hem morgen spreekt, wilt u hem dan vertellen dat ik geen enkele wrok koester?'

'Dat zal ik doen.' Kate stond op. 'Dank voor het gesprek. Ik stel het zeer op prijs, want ik weet dat u het druk hebt.'

Rose ging ook staan. 'Dat zit wel goed,' zei hij terwijl hij met Kate naar de deur liep. Ze gaf hem haar kaartje.

'Als u nog iets te binnen schiet, belt u me maar.'

Rose bekeek het kaartje aandachtig. 'Dat zal ik zeker doen,' zei hij. 'Allison gaat met u naar beneden.'

Terwijl ze terug naar haar auto liep, liet Kate het gesprek in gedachten de revue passeren en kwam tot de conclusie dat ze niets wijzer was geworden. Maar er was iets wat Rose tegen haar had gezegd dat tijdens de terugrit naar kantoor aan haar bleef knagen. Ze kwam er alleen niet achter wat het was.

29

Amanda stapte uit de Gulfstream G550 en hield haar hand voor haar ogen tegen de zon. Zodra haar ogen aan het felle zonlicht gewend waren, zag Amanda televisiereportagewagens, een menigte verslaggevers en Karl Burdett, die samen met twee politieagenten bij de achterdeur van het gebouw van het servicebedrijf stond. Amanda staarde Burdett even aan en draaide zich toen om. Ze wierp Dennis Levy een woedende blik toe.

'Wat doen die hier?'

'Als we het publiek op onze hand willen krijgen, moeten we beginnen met de verkoop van Charlies kant van het verhaal,' legde Levy uit, alsof zijn verraad heel verklaarbaar was.

Amanda duwde Levy terug het vliegtuig in, waardoor Charlie gedwongen werd een paar stappen achteruit te doen.

'Idioot dat je bent. Is het dan helemaal niet tot je stomme harses doorgedrongen dat een van die verslaggevers wel eens met de officier van justitie zou kunnen gaan bellen om zijn mening over de terugkeer van Oregons meest gezochte voortvluchtige te horen?'

'De officier van justitie?'

'Ja, Dennis. Dat is die meneer die daar naast die twee agenten staat. Burdett is waarschijnlijk hier om Charlie te arresteren omdat hij denkt dat ik hem heb belazerd door een persconferentie te beleggen om onze kant van het verhaal in de openbaarheid te brengen voordat hij de kans daarvoor kreeg.'

'Ik… Het is nooit…' stamelde Levy.

'Als je nog eens zoiets flikt, stuur ik je met het eerstvolgende vliegtuig terug naar New York.'

'Ik werk niet voor jou,' antwoordde Levy strijdlustig.

'Dat klopt. Jij werkt voor *World News*. Ik werk voor Charlie Marsh en níét voor *World News*. Als je nog een keer iets achter mijn rug om doet, zal ik Charlie aanraden om *Newsweek* de exclusieve rechten op zijn verhaal te geven.'

Levy werd bleek. 'Geen overhaaste dingen doen. Ik dacht alleen maar dat Charlie door de publiciteit in een goed licht zou komen te staan.' 'Ik behandel mijn zaken niet via de pers, Dennis. Dat doe ik in de rechtszaal. En ik weet precies waarom je dit mediacircus op poten hebt gezet. Jij wilt exemplaren van *World News* verkopen en je boek promoten. Kom dus niet bij me aan met het smoesje dat je als een soort Moeder Teresa de media hebt gebeld om Charlie te helpen.'

'Nee, nee, ik wilde Charlie echt helpen. Ik bedoel, ik weet dat het ook goed voor mij is, maar dat was niet mijn voornaamste reden.'

Amanda besloot geen energie meer aan Levy te verspillen. Ze keek over zijn schouder naar haar cliënt.

'Geen woord als de camera's beginnen te lopen, begrepen? Als we geluk hebben, kan ik Burdett ompraten en word je niet gearresteerd.'

'Ik praat met niemand,' verzekerde Charlie haar. 'De officier kan alles wat ik tegen de pers zeg tegen me gebruiken.'

Amanda keek Levy woedend aan. 'Eén van jullie heeft tenminste naar me geluisterd. We gaan. Ik loop voorop en jullie blijven achter me. Ik ga proberen om Charlie uit de gevangenis te houden.'

Toen Amanda in de opening was verschenen, was de menigte naar voren gedrongen en nu stond men aan de voet van de vliegtuigtrap te wachten. Amanda bleef halverwege staan, zodat ze hoger stond dan de verslaggevers.

'Goedemorgen. Ik ben Amanda Jaffe, de advocaat van Charlie Marsh. Ik ben blij dat ik officier van justitie Burdett hier aantref. Ik wil hem bedanken dat hij ermee heeft ingestemd dat de heer Marsh zich morgen tijdens zijn hoorzitting over vrijlating op borgtocht vrijwillig ter beschikking van justitie stelt. Hij had hem ook vandaag kunnen laten arresteren. Het is altijd prettig als de verdediger en de aanklager het onderling eens kunnen worden.'

Vanuit haar ooghoek zag ze dat Burdetts gezicht de kleur van ernstige zonnebrand kreeg.

'Waarom heeft de heer Marsh twaalf jaar gewacht met zich aan te geven?' riep een verslaggever.

'We zijn allemaal doodop van de vlucht en leggen vandaag geen enkele verklaring af. Ik kan namens de heer Marsh zeggen dat hij heel blij is weer terug in Amerika te zijn en zich erop verheugt voor de rechter te verschijnen.'

'Waarom is hij weggevlucht, Amanda?' riep een andere verslaggever.

'Dit is niet de juiste plaats om de zaak van de heer Marsh te behandelen. De officier van justitie en ik zullen allebei in de rechtszaal aanwezig zijn om ons zegje te doen. Dank voor uw begrip.'

Hierna leidde Amanda haar gevolg verder de trap af. Karl Burdett ging voor haar staan.

'Ik had hier niets mee te maken, Karl,' zei Amanda voordat hij iets kon zeggen. Ze wees met haar duim over haar schouder. 'Dat is Dennis Levy. Hij is verslaggever bij *World News*. Hij heeft buiten mijn medeweten met de pers gebeld.'

Burdett was woedend, maar hij wist dat hij Charlie niet kon arresteren zonder een slechte indruk te maken. Amanda begon in de richting van de terminal te lopen en Burdett moest zich haasten om haar bij te houden.

'Je cliënt is er vandaag goed van afgekomen, Jaffe, maar je moet niet nog een keer zoiets proberen.'

'Ik ben er net zo door van streek als jij, Karl.'

Amanda baande zich een weg door de roepende verslaggevers, die haar verklaring dat ze geen vragen zou beantwoorden duidelijk niet serieus hadden opgevat. Een aantal van hen volgde haar het terminalgebouw in. Amanda zag dat Kate bij de hoofdingang stond te wachten. Zodra de detective haar baas zag, verliet ze het gebouw en startte de auto die ze voor de ingang had geparkeerd.

'Tot morgen bij de hoorzitting,' zei Amanda tegen Burdett toen ze de terminal uit liep. 'En nogmaals dank dat je Marsh niet hebt gearresteerd.'

Amanda hield het achterportier van Kates auto voor Charlie en Dennis open en ging zelf voorin zitten. Toen ze wegreden, stonden de verslaggevers nog steeds vragen te schreeuwen. Zodra Amanda buiten het bereik van de camera's was, leunde ze achterover tegen de hoofdsteun en slaakte een diepe zucht.

30

Gary Hass zat op een metalen klapstoel uit het raam van de verlaten bovenverdieping van de Space Needle te kijken terwijl hij wachtte tot Ivan Mikhailov weer bij kennis kwam. Het was een prachtige zomeravond en het verlichte, voor Seattle zo kenmerkende gebouw stak af tegen de sterrenhemel, maar Gary dacht niet aan de schoonheid van het moment. Hij zat te dagdromen over het bloedbad dat zou worden aangericht als de Space Needle door een serie zorgvuldig geplaatste explosieven zou worden opgeblazen.

De Russische drugshandelaar kreunde. Gary zuchtte. Het ergerde hem dat zijn mijmeringen werden onderbroken. Mikhailov was naakt. Hij zat met duct tape vastgebonden op een ongemakkelijke houten stoel, zodanig dat alle plekken waar Gary hem eventueel pijn wilde doen blootlagen. Gary wachtte geduldig tot Mikhailov bij kennis kwam en het langzaam tot hem doordrong in welke hachelijke situatie hij zich bevond.

'Goedenavond,' zei Gary. 'Hoe voel je je nu?'

Mikhailov keek hem even wazig aan, waarna zijn gezichtsuitdrukking verhardde tot een kille, starende blik.

'Weet je wie ik ben?' vroeg hij op een toon waar Gary's bloed van zou zijn gaan stollen als de rollen omgedraaid zouden zijn geweest, maar nu vond hij die toon alleen maar amusant, omdat de Rus immers naakt en hulpeloos was.

'Jij bent toch Bob Smith, uit Omaha, Nebraska?'

Mikhailov staarde Gary aan. Toen riep hij: 'Nee, idioot. Ik ben Ivan Mikhailov en jij laat me onmiddellijk vrij, anders laat ik je in stukken snijden en aan mijn honden voeren.'

'O, verdomme,' zei Gary. 'Wat erg, meneer. Ik dacht dat u Bob Smith uit Omaha was. Heb ik het weer even verkloot, zeg.'

'Dat heb je zeker, maar je kunt jezelf redden door me onmiddellijk los te maken,' zei Mikhailov op gebiedende toon.

Gary grijnsde. 'Weet je, Ivan, ik speel maar een spelletje met je. Ik wist wie je was toen ik je mannen doodde en jou in de parkeergarage met mijn stungun verdoofde. Jij bent Ivan de Verschrikkelijke, de gewelddadige drugshandelaar die het terrein van Julio Dominguez af liep te stropen en zijn dealers in elkaar heeft geslagen. Heb ik dat goed?'

'Als ik je levend vil, vind Je Jezelf niet zo leuk meer.'

'Ga je dat doen voordat je me aan je honden voert, of daarna?'

De Rus probeerde zich met alle macht uit zijn boeien te bevrijden. Gary keek er even naar voordat hij naar zijn gevangene toeliep en hem een paar klappen in zijn gezicht gaf. De klappen deden Mikhailov niet veel pijn, maar hij werd erdoor vernederd en het gemak waarmee ze werden uitgedeeld benadrukte zijn hulpeloosheid des te meer.

'Schei daarmee uit en gedraag je fatsoenlijk, Ivan. Trouwens, als je de hele tijd krampachtig gaat zitten draaien en op en neer springen, kun je geen aandacht besteden aan wat ik te zeggen heb.'

'Wil je geld?'

'Nou, eh… wie niet? Maar ik heb geen behoefte aan losgeld of steekpenningen, want Julio heeft me al betaald.'

'Ik verdubbel wat hij je heeft gegeven.'

'Daar twijfel ik geen moment aan, maar ik zou je niet kunnen martelen als ik jouw steekpenningen aannam, en ik doe dit net zo goed voor de lol als voor het geld. Ik bedoel, als je je werk niet leuk vindt, moet je wat anders gaan doen, toch?'

Gary keek naar het gezicht van de Rus. Het zweet dat plotseling op het voorhoofd van zijn gevangene verscheen en de manier waarop zijn ogen heen en weer schoten, alsof hij naar een manier zocht om te ontsnappen, zeiden Gary dat Mikhailov eindelijk begreep wat hij bedoelde.

'Zie je, Ivan, jij bent nadelig voor Julio's winst en dat kunnen we niet hebben. Voordat jij opdook, deed Julio goede zaken. Hij heeft een leverancier in Colombia die erg blij met hem is, een chic huis en een heleboel seks, om nog maar te zwijgen van de grootste televisie die ik ooit heb gezien. Als je nog ogen zou hebben als ik met je klaar ben, nam ik je zeker mee om naar een wedstrijd te kijken. Maar goed, Julio wil dat ik ervoor zorg dat hij zijn kabelabonnement niet hoeft op te zeggen omdat jouw streken een nadelige invloed op zijn saldo hebben.'

Gary ging achter Mikhailov staan en deed een stuk tape voor zijn mond. Op dat moment begon de Rus te schreeuwen, maar zijn gedempte kreten waren nauwelijks hoorbaar.

'Daarom heb ik je mond ook afgeplakt, Ivan,' zei Gary. 'Ik wist dat je de buren wakker zou maken en ik ben niet zoals jij. Ik houd namelijk wél rekening met andere mensen.'

Na een paar uur was het spelletje met de Rus Gary gaan vervelen. De zogenaamde harde jongen was achteraf toch niet zo hard geweest en voordat Gary met het eigenlijke werk begon, vormde hij ook geen uitdaging meer. Gary zou hem hebben gedood om een eind aan zijn gejammer te maken, maar Julio wilde dat zijn rivaal zou lijden en dus had hij zich zonder er echt van te genieten uitgesloofd om ervoor te zorgen dat Julio waar voor zijn geld kreeg.

Nadat hij de boel had opgeruimd, belde Gary anoniem naar het alarmnummer van de politie. Julio wilde dat de moord in de publiciteit kwam, zodat niemand anders zou proberen zijn markt te veroveren, en als niemand erachter kwam wat er met Ivan was gebeurd kon hij ook niemand de stuipen op het lijf jagen.

Gary was moe en niet bijzonder tevreden over de avond toen hij de deur van zijn smerige hotelkamer op slot deed. De verf bladderde af, de matras zakte door, het enige raam bood uitzicht op een luchtkoker en er waren stukken uit het porselein van de wastafel. De kamer was deprimerend, maar dit was een hotel waar niemand iets in de gaten had en hij zou de volgende morgen vertrekken.

Nadat hij zich in de krappe badkamer had gedoucht zette hij de televisie aan om te kijken of de media al van zijn ambachtelijke bedrijvigheid op de hoogte waren. Een paar tellen nadat Gary gezien had wat het hoofdonderwerp op het late journaal was, was hij meteen klaarwakker. Charlie Marsh was terug in de Verenigde Staten en als je de snelweg van Washington County naar Oregon volgde, was hij maar een paar uur bij Seattle vandaan. Dezelfde Charlie Marsh die ertussenuit was geknepen zonder Gary voor zijn diensten te belonen en die ergens op een strand in Afrika had liggen zonnebaden en pina colada's had zitten drinken, terwijl Gary de kost bijeen had moeten schrapen door andere mensen van hun problemen te verlossen.

Gary liep naar het raam en staarde naar het vuil dat zich in al die jaren aan de voet van de luchtkoker had verzameld. Hij kon zich gemakkelijk voorstellen dat Charlies gebroken lichaam daar ergens beneden lag weg te rotten.

31

Kate reed met Dennis Levy naar de hoorzitting, zodat Amanda de zaak met Charlie kon bespreken, maar tijdens de rit naar het gerechtsgebouw van Washington County had Charlie niet veel zin om te praten. Hij zat het grootste deel van de tijd naar de omgeving te staren. Hoewel Amanda's auto over airconditioning beschikte, had hij het raam opengedaan. De wind in zijn gezicht en de geur van frisse lucht waren fysieke tekenen van de vrijheid die hem later die ochtend ontnomen zou kunnen worden als Amanda er niet in zou slagen de rechter ervan te overtuigen dat hij hem op borgtocht moest vrijlaten. Charlie besefte dat hij tussen zijn tijd in de gevangenis en de psychologische gevangenis waarin hij in Afrika vast had gezeten in de afgelopen vijftien jaar erg weinig echte vrijheid had genoten. Hij zat zich af te vragen wat voor soort leven hij had geleid.

Amanda maakte zich zorgen hoe ze zich een weg moest banen langs de horden verslaggevers bij het gerechtsgebouw, maar Karl Burdett had onbedoeld voor afleiding gezorgd door bij de hoofdingang tegen de pers te gaan staan oreren, wat het voor Amanda gemakkelijk maakte om Charlie via een weinig gebruikte zijingang naar binnen te smokkelen. Ze had kwaad kunnen worden op de officier, omdat hij de media gebruikte om de kandidaten voor de jury een vooroordeel aan te praten, maar ze kon zich na het fiasco van gisteren op het vliegveld ook weer niet al te star opstellen.

Amanda zei kortaf 'geen commentaar' tegen de verslaggevers die zich voor de deur van de rechtszaal hadden opgesteld en leidde haar cliënt haastig naar de betrekkelijke veiligheid van de tafel van de verdediging. Charlie hield zijn hoofd voorover, zodat hij de slanke Afrikaanse man op de achterste rij van de publieke tribune niet zag. Hij zag hem pas toen hij zich omdraaide en Karl Burdett samen met een vrouwelijke aanklager door de deuren van de rechtszaal zag komen. Op het moment dat hij oogcontact maakte met Nathan Tuazama voelde Charlie een hevige drang om naar het toilet te rennen. Een paar tellen later kwamen Burdett en zijn medewerkster langs en onttrokken Tuazama aan het zicht. Charlie wendde zich snel af en huiverde.

'Gaat het?' vroeg Amanda toen ze Charlies asgrauwe gezicht zag.

'Ik ben een beetje zenuwachtig,' loog Charlie, die zich voorstelde hoe Tuazama's ogen zich dwars door zijn rug in zijn ziel boorden.

'Goedemorgen, Karl,' zei Amanda toen Burdett zijn attachékoffer op de tafel van de aanklager smeet.

Burdett knikte, maar beantwoordde haar groet niet. Vervolgens keerde hij Amanda de rug toe en begon zijn papieren op orde te brengen. Amanda vroeg zich af waarom de officier er zo gespannen uitzag terwijl hij bij de hoorzitting over vrijlating op borgtocht toch duidelijk in het voordeel was, maar voordat ze dat had uitgedokterd sloeg de griffier met zijn hamer en haastte de edelachtbare Marshall Berkowitz zich vanuit de raadkamer naar de stoel van de rechter. De rechter was een korte, veel te zware man. Hij hijgde terwijl hij naar zijn plaats op het podium waggelde.

'Goedemorgen,' zei hij, vriendelijk naar beide partijen knikkend. Als rechter Berkowitz al onder de indruk was van de grote schare verslaggevers in zijn rechtszaal en de publiciteit die zijn zaak kreeg, liet hij daar niets van merken.

'Goedemorgen, edelachtbare,' zei Burdett terwijl hij ging staan om het hof toe te spreken. 'Dit is het tijdstip dat is vastgesteld voor de hoorzitting in verband met borgtocht in "de staat versus Charles Lee Marsh alias goeroe Gabriel Sun". Ik verzoek u in het verslag te laten vastleggen dat de Staat vertegenwoordigd wordt door Karl Burdett en Rebecca Cromartie. De verdachte is aanwezig en wordt vertegenwoordigd door zijn advocaat, Amanda Jaffe.'

'Goedemorgen, edelachtbare,' zei Amanda. 'Om te beginnen wil ik het hof verzoeken om de alias van de heer Marsh te schrappen. Hij heeft die naam jaren geleden gebruikt om de verkoop van zijn boek en zijn cursusbijeenkomsten te bevorderen, maar hij heeft die naam al meer dan tien jaar niet gebruikt.'

'Dat is de naam waaronder hij bij het publiek bekend is, edelachtbare,' wierp Burdett tegen. 'Wij hebben getuigen die naar hem zullen verwijzen als Gabriel Sun of de goeroe. Bovendien heeft mevrouw Jaffe me hiervan niet in kennis gesteld en dus ben ik niet bereid om deze kwestie vanmorgen te bespreken.'

'Ik ben geneigd om het met de heer Burdett eens te zijn,' zei de rechter tegen Amanda, 'maar als het een probleem voor u is, kunt u een met juridische redenen omkleed verzoek indienen.'

Amanda had niet echt een probleem met het naar verhouding niet ongunstige pseudoniem in de aanklacht. Waar ze zich wel zorgen om maakte, was de mogelijkheid dat een van de juryleden die zich Charlies pseudoniem herinnerde, zich ook zou herinneren dat de roddelbladen haar cliënt op het moment dat hij van moord werd beschuldigd 'de goeroe van de duivel' waren gaan noemen. Maar ze besloot die strijd op een andere dag uit te vechten.

'Laten we ons over de kwestie van de borgtocht buigen,' zei de rechter.

'Ik denk dat ik het hof wat tijd kan besparen,' antwoordde Burdett voordat Amanda iets kon zeggen. 'Als de heer Marsh zijn paspoort inlevert, zal de staat geen bezwaar maken tegen vrijlating op borgtocht, gezien zijn vrijwillige terugkeer om een proces onder ogen te zien.'

Amanda was ontsteld door Burdetts toeschietelijkheid, maar zijn toon verbaasde haar ook. De officier klonk alsof het hem speet dat hij Charlie niet had laten arresteren. Als hij er zo over dacht, waarom stemde hij dan in met de borg?

'Daarmee wordt zo te zien aan uw verzoek tegemoetgekomen, mevrouw Jaffe,' zei rechter Berkowitz.

'Zeker, en ik wil de heer Burdett danken voor zijn redelijkheid.'

Burdett reageerde niet op Amanda's opmerking. In plaats daarvan zei hij tegen de rechter dat Charlie bij de gevangenis moest worden ingeschreven, zodat ze zijn vingerafdrukken konden nemen en hem fotograferen. De officier stelde vervolgens een borgsom voor die ruim binnen Charlies budget bleef. Amanda ging snel met het bedrag akkoord en de rechter verzocht zijn griffier de papieren in orde te maken. Zodra Amanda en Burdett het eens waren geworden over een datum voor het proces, verlieten de officier en zijn assistent de rechtszaal, op de voet gevolgd door een horde verslaggevers.

'Ben ik nu vrij?' vroeg Charlie, niet helemaal zeker van wat er zojuist was gebeurd.

'Zodra we de borgsom hebben gestort.'

Charlie grijnsde, maar die grijns verdween toen hij zich Nathan

Tuazama herinnerde. Hij speurde de menigte af, maar de Afrikaan bevond zich niet meer in de rechtszaal.

'Is er iets?' vroeg Amanda.

'Nee, nee. Ik ben alleen maar eh… een beetje van streek omdat het allemaal zo snel ging.'

'Dan ben je niet de enige.'

'Ik wed dat je dat niet had zien aankomen,' zei Kate toen ze samen met Dennis bij Amanda en Charlie aan de tafel van de verdediging ging zitten.

'Nee, dat had ik zeker niet,' antwoordde Amanda, nog steeds in de war vanwege Burdetts toeschietelijkheid.

Een hulpsheriff kwam aanlopen om met Charlie naar de gevangenis in het gerechtsgebouw te gaan voor de inschrijving.

'Kate, kun jij met Charlie meegaan?'

'Geen probleem.'

'Ik kom naar de gevangenis zodra ik je borgsom heb gestort,' zei Amanda tegen haar cliënt. 'Tegen niemand iets zeggen over je zaak, begrepen?'

'Ik zwijg als het graf.'

'Prima. Dan zie ik je over een uur of zo.'

'Ik neem aan dat dit niet was wat je verwachtte?' zei Dennis Levy.

'Het kwam wel erg onverwacht, ja. Ik had gedacht dat Burdett tot het bittere eind zou doorvechten om Charlie in hechtenis te houden.'

'Heb je enig idee waarom hij terugkrabbelde?'

'Dat dééd hij niet, Dennis, en waag het niet om het zo te stellen. Ik wil niet dat Karl er spijt van krijgt dat hij ons ter wille is geweest doordat jij hem als een lafaard afschildert.'

'Nee, nee, daar heb je gelijk in. Ik zal het omschrijven als een welwillende tegemoetkoming.'

'Prima.'

'Maar waarom krabbelde hij terug?' vroeg Levy grijnzend.

'Geen idee. En wil je me nu excuseren? Ik wil Charlie zo gauw mogelijk op vrije voeten zien te krijgen.'

Drie kwartier later liep Amanda met Charlie de gevangenis uit het zonlicht in. Hij bleef even in de warme zomerlucht staan, sloot zijn ogen en haalde diep adem. Amanda merkte dat er een groepje verslaggevers hun kant uit kwam. Kate stond aan de stoeprand te wachten om

Amanda terug naar haar auto te brengen. Amanda pakte Charlies elleboog beet en liep haastig met hem naar de straat. Ze waren er bijna toen Kates voorruit uit elkaar spatte. Kate sloeg haar arm voor haar gezicht. Charlie bleef als aan de grond genageld staan. Amanda gaf hem een duw met haar schouder en drukte hem op het trottoir, vlak voordat er nog een kogel langs de plek vloog waar zijn hoofd zich een tel eerder had bevonden. De kogel sloeg een brok beton uit de voorgevel van het gerechtsgebouw. Een verslaggever gilde. Anderen zochten dekking. Een cameraman draaide zich om en was zo dom om door zijn lens op zoek te gaan naar de schutter. Twee hulpsheriffs hurkten met getrokken revolvers bij de ingang van het gerechtsgebouw.

'Hou je hoofd omlaag,' riep Amanda terwijl ze haar cliënt half onder de auto duwde.

'Wat is er gebeurd?' vroeg Charlie.

'Iemand heeft op je geschoten. Niet bewegen. De schoten kwamen van de andere kant van de auto. Ze kunnen je achter het chassis niet zien.'

Dennis Levy lag doodsbang op de vloer achter in Kates auto. Kate kroop over het glas waarmee de voorbank bezaaid lag. Ze wachtte tot ze haar pistool kon trekken, duwde vervolgens het portier aan de passagierskant open en liet zich op het trottoir rollen.

'Alles in orde met je?' vroeg Amanda.

'Ja.'

Amanda hoorde een sirene. Kate kwam half overeind en gluurde even over de motorkap. Een ziekenauto kwam in volle vaart op hen af rijden en de cameraman die de schutter had proberen te vinden wees de politie naar een rij van twee verdiepingen hoge kantoorgebouwen een paar straten verderop. Toen Kate er zeker van was dat het gevaar was geweken, wenkte ze Amanda. Beide dames hielpen Charlie overeind.

'Je hebt mijn leven gered,' zei Charlie tegen Amanda.

'Jaffe, Katz, Lehane & Brindisi doen alles voor hun cliënten,' grapte ze. Ze probeerde luchtig te klinken terwijl ze de rillingen probeerde te onderdrukken, die erger werden naarmate haar adrenaline zijn uitwerking begon te verliezen.

'Ik zal een verklaring moeten afnemen,' zei een politieagent tegen Charlie. Charlie keek naar Amanda.

'Dat is goed,' zei ze. 'Jij bent hier het slachtoffer. Heb je gezien wie er op je schoot?'

'Nee, ik keek naar het portier van de auto. Ik wilde net instappen toen de voorruit uit elkaar spatte, en jij me op de grond duwde.'

'Ik ben bang dat ik niets kan toevoegen aan wat de heer Marsh heeft gezegd. Ik heb niets gezien. Op het moment dat de voorruit aan stukken vloog, heb ik hem tegen de grond gegooid. Daarna kon ik niets zien doordat de auto mij het zicht benam.'

'Ik zal u toch moeten vragen mee naar binnen te gaan om de rechercheurs een verklaring te geven,' zei de agent tegen Amanda.

'Dat is goed. Als we buiten blijven, worden we toch alleen maar door verslaggevers belaagd,' zei Amanda op het moment dat Karl Burdett, op de voet gevolgd door enkele van zijn medewerkers, het gerechtsgebouw uit stormde.

'Wat is er gebeurd?' vroeg hij aan Amanda.

'Er heeft een sluipschutter op de heer Marsh geschoten.' Burdett werd bleek. Amanda wees naar de plek waar de politie heen was gegaan. 'Waarschijnlijk zat hij in een van die gebouwen.'

'Wat vreselijk,' zei Burdett, meer tegen zichzelf dan tegen Amanda. Hij zag er aangeslagen uit toen hij naar een van de politieagenten liep om met hem te overleggen, Amanda in verwarring achterlatend. Ondanks de schokkende gebeurtenis waarvan ze zojuist getuige was geweest, leek de reactie van de officier van justitie haar op de een of andere manier niet op zijn plaats.

32

Amanda had kamers voor Charlie en Dennis gereserveerd in een hotelletje aan de rand van het centrum van Portland. Tijdens de rit naar het hotel zat Levy onafgebroken te kletsen, maar Charlie zei amper een woord. Amanda dacht dat hij zweeg vanwege het psychische trauma dat de moordpoging teweeg had gebracht, maar Charlie zat aan Nathan Tuazama te denken.

Toen Amanda bij het hotel parkeerde, was Charlie volkomen uitgeput. Levy nodigde hen uit voor een drankje in de bar, maar nog langer naar de eindeloos over zichzelf zeurende verslaggever luisteren was meer dan ze op konden brengen. Amanda excuseerde hen door te zeggen dat ze nog verschillende zaken met haar cliënt te bespreken had.

De lift stopte op Charlies verdieping. Ze liepen de gang door naar zijn kamer en Charlie stond op het punt zijn sleutelkaart in de gleuf te stoppen toen hij zag dat de deur op een kier stond. Zijn mond werd droog en zijn pols ging sneller slaan. Hij had weg moeten rennen, maar hij kon niet normaal nadenken en duwde de deur open.

De kamer zag eruit alsof orkaan Katrina er doorheen was getrokken. De matras was van het bed gehaald en met een mes bewerkt. De vulling van de matras en spullen uit Charlies laden en zijn kast lagen over de hele vloer verspreid. De televisie was gesloopt en de airconditioning was van de muur getrokken en uit elkaar gehaald.

Amanda belde de receptie en zei dat ze de politie moesten bellen. Nadat ze had opgehangen, wendde ze zich tot haar cliënt.

'Oké, Charlie, wat is hier aan de hand? Heeft het soms iets te maken met de doos die ik net in mijn nieuwe kluis heb gestopt?'

'Waarschijnlijk wel,' antwoordde Charlie nerveus.

'Breng ik mezelf in gevaar omdat ik je heb geholpen?'

Voordat Charlie kon antwoorden ging Amanda's mobieltje over. Ze viste het uit haar handtas en zag dat het Mike Greene was die belde. Amanda verontschuldigde zich en liep de gang op.

'Ik heb net van de schietpartij bij het gerechtsgebouw gehoord. Is alles in orde met je?' vroeg Mike.

Amanda kon de bezorgdheid in zijn stem horen. Dit was niet de eerste keer dat Amanda op het nippertje aan de dood was ontsnapt. Mike was meteen naar haar toe gekomen nadat ze ternauwernood aan de seriemoordenaar was ontsnapt die de pers de bijnaam de Chirurg had gegeven en ook kort nadat beroepsmoordenaars haar huis waren binnengedrongen in de tijd dat ze Jon Dupre verdedigde. Amanda was blij dat hij belde. De wetenschap dat Mike zich zorgen om haar maakte, werkte net zo kalmerend als een kop kamillethee.

'Ja hoor, alles is in orde. Ik was wel erg van streek vlak nadat er geschoten werd, maar ik ben helemaal niet gewond of zo.'

'Wil je dat ik vanavond langskom? Ik kan wat halen bij de chinees.'

'Dat lijkt me prima. Moet je horen, ik ben net met iets bezig. Ik bel je wel als ik klaar ben, dan kunnen we verder over vanavond praten.'

Amanda verbrak de verbinding op het moment dat de directeur en de veiligheidsmensen van het hotel uit de lift stapten. Nadat de directeur even had rondgekeken zei hij tegen Charlie dat hij hem een andere kamer zou geven. Even later kwamen er twee agenten van de Portlandse politie binnen. Terwijl ze Amanda ondervroegen, werd er weer op de deur geklopt. Charlie draaide zich om. De man in de deuropening kwam hem bekend voor. Toen hij zag dat Charlie hem niet meteen herkende, stak hij zijn handen omhoog, alsof het feit dat hij meer van zichzelf liet zien Charlie op een idee zou brengen.

'Ik ben het, Charlie,' zei de man. 'Mickey Keys, je agent.'

Charlie nam zijn vroegere agent en partner in de misdaad goed op terwijl hij met hem naar het eind van de gang liep, waar ze ongestoord zouden kunnen praten. Keys was mager, niet op een manier die een uitstekende lichamelijke conditie deed vermoeden, maar zoals iemand eruitziet die niet goed eet omdat hij geen eten kan betalen. De kraag van zijn overhemd was gerafeld en de ellebogen van zijn jasje glommen. Hij had rimpels op zijn gezicht die hij twaalf jaar geleden niet had gehad. Zijn huid was wasachtig bleek en hij had donkere wallen onder zijn ogen.

'Wat kom jij hier doen?' vroeg Charlie.

'Wat bedoel je, Charlie?' vroeg Keys op zijn beurt. Hij glimlachte op een gespannen manier, waardoor hij er eerder wanhopig uitzag. 'Ik ben je agent, ik behartig je zakelijke belangen. Zodra ik hoorde dat je terug in de Verenigde Staten was, heb ik het eerstvolgende vliegtuig naar het westen genomen. Ik dacht dat je wel iemand kon gebruiken die lezingen voor je regelt en je contracten behandelt. Net als vroeger, weet je nog?'

'Ik heb al een contract voor een nieuw boek. Als ik niet in de dodencel zit, kan mijn uitgever afspraken voor een tournee maken.'

'Je kunt me niet buitensluiten, Charlie. Wij hebben ook een contract,' zei Mickey terwijl hij een verfomfaaid en onder de vlekken zittend bundeltje papieren uit zijn jaszak haalde. 'Dit is een kopie, voor het geval je dat van jou kwijt bent geraakt. In het contract staat dat ik jouw agent ben.'

'Toen jij een schikking met de FBI trof, kwam er een eind aan onze overeenkomst.'

Keys duwde Charlie de papieren toe. 'In het contract staat niets over een ontsnappingsclausule. Ik heb recht op vijftien procent van alles.'

Charlie stak zijn hand op. Hij weigerde het contract aan te raken. 'Je krijgt geen cent. Jij hebt me verraden.'

'Ik moest wel. Ze zouden me in de gevangenis hebben gestopt als ik niet alles had opgebiecht over de Innerlijk Licht-zwendel en de tweede serie boeken. Jij zat in Batanga, jij werd daar beschermd. Ik had niemand, ik stond er alleen voor.'

'Voor een zakelijke relatie heb je vertrouwen nodig, Mickey. Hoe kan ik je vertrouwen na wat je gedaan hebt?'

'Wat ik gedaan heb, is drie jaar in een federale gevangenis zitten terwijl jij je op een tropisch strand liet pijpen.'

'Ho even. Ik vind het erg dat je in de gevangenis hebt gezeten, maar in Batanga was het ook geen pretje. Als ik had geweten waar ik in verzeild zou raken, zou ik meteen met je geruild hebben. Waarom denk je dat ik hier ben terwijl me de doodstraf boven het hoofd hangt?'

Keys liet zijn harde opstelling varen en liet zijn schouders hangen. 'Luister, Charlie. Ik zal het je eerlijk zeggen: ik zit aan de grond. De FBI heeft alles ingepikt. Ik heb als telefonisch verkoper gewerkt, omdat niemand een ex-veroordeelde aanneemt om iets anders te doen. Ik heb in een hotelkamer vol kakkerlakken gewoond. Jij hebt nog steeds dat geld op je Zwitserse bankrekening staan en alles wat er in de tussentijd is bijgekomen. Ik moest mijn geld teruggeven als onderdeel van mijn schikking met het Openbaar Ministerie. Ik heb niets.'

'Ik kan je wel een paar dollar geven, als dat de reden is waarom je hier bent.'

Keys' gezicht werd rood. 'Ik wil geen aalmoes. Ik wil weer meedoen. Ik wil het spel weer gewoon meespelen.'

'Dan kan ik je niet helpen.'

'Ik neem een advocaat in de arm en span een proces aan. Dat win ik gegarandeerd.'

'Doe maar wat je niet laten kunt,' zei Charlie voordat hij terug naar de chaos in zijn kamer liep.

Keys leunde achterover tegen de muur. Toen hij weer een beetje tot zichzelf was gekomen, liep hij met zijn hoofd omlaag naar de lift. Hij maakte een volkomen verslagen indruk.

'Meneer Keys.'

Mickey keek op en zag dat Charlies advocaat hem de weg versperde.

'Kan ik even met u praten?' vroeg Amanda.

'We praten wel in de rechtszaal als ik uw cliënt ga vervolgen wegens contractbreuk,' antwoordde Keys, waarbij hij probeerde te klinken als de keiharde onderhandelaar die hij voor zijn ondergang geweest was.

'Ik weet niets over uw zakelijke problemen met de heer Marsh. Ik ben zijn strafpleiter.'

'Wat wilt u dan van me?'

'U was toch bij de Westmont toen congreslid Pope werd vermoord?'

'Ja.'

'Bent u bereid om met mijn detective te praten?'

'Waarover?'

'Over alles wat u gezien hebt wat ons kan helpen om greep op de gebeurtenis te krijgen.'

Keys keek haar ongelovig aan. 'Wilt u dat ik die ondankbare hond ga helpen na wat hij me net heeft aangedaan?'

'We willen alleen maar uw versie van wat er gebeurd is horen.'

'Mijn versie, hè?' Keys zweeg en Amanda kon zien dat zijn hersens op volle toeren werkten. 'Daar kunnen we het wel over hebben. Mijn herinnering is momenteel een beetje vaag, maar misschien kan ik me de dingen beter herinneren als ik er financieel wat beter voorsta. Waarom praat u niet even met Charlie? Als ik wat van u hoor, zal ik – afhankelijk van wat u me te zeggen hebt – beslissen met wie ik verder praat. Of met uw detective óf met de officier van justitie.'

33

Op de ochtend na de aanslag door de sluipschutter stond Amanda laat op. Ze arriveerde pas om negen uur op het kantoor van Jaffe, Katz, Lehane & Brindisi. Toen ze de deur van de receptieruimte opende, stond Dennis Levy opgewonden in zijn mobieltje te praten. Zodra hij Amanda zag, brak hij het gesprek af en sprong overeind uit zijn stoel. Hij sloeg de latte die ze bij zich had bijna uit haar hand toen hij haar een exemplaar van *World News* onder de neus duwde.

'Wat vind je hiervan?' vroeg hij trots.

'Nu even niet,' antwoordde Amanda. 'Eerst mijn koffie.' Ze deed een stap achteruit, bij de opgewonden journalist vandaan.

'Kijk,' zei Levy, naar het bijschrift onder de foto van Charlie Marsh wijzend die het omslag van de tijdschrift sierde, waarop in helderrode blokletters DE TERUGKEER VAN DE GOEROE werd verkondigd. Onder de titel van het verhaal stond de naamregel: DENNIS LEVY.

'Dat heb ik geschreven,' legde Levy uit.

'Gefeliciteerd,' zei Amanda. Ondanks haar weerzin tegen de verslaggever was ze geïmponeerd.

Levy sloeg het blad open op de pagina's met zijn verhaal en wees Amanda op een kort artikel op de tweede pagina ervan. 'Ik zei toch dat je hier een heleboel publiciteit mee zou krijgen,' zei hij.

Amanda las het artikel. Het was duidelijk dat ze erin op de voorgrond werd geplaatst als de advocaat die Charlie Marsh had gekozen om hem te verdedigen.

'Mevrouw Brice heeft me dit exemplaar per nachtpost gestuurd. Het komt letterlijk vers van de pers.'

Amanda forceerde een glimlach. 'Het ziet ernaar uit dat je het helemaal gaat maken, Dennis.'

'Wat gaan we vanmorgen doen?'

'Dat weet ik nog niet,' loog Amanda. 'Ik heb ook nog andere zaken. Waarom wacht je hier niet even terwijl ik wat cafeïne naar binnen werk en probeer mijn schema op orde te brengen? Door al die opwinding bij het gerechtsgebouw is dat nogal in de war geraakt.'

'Maar natuurlijk,' zei Dennis.

Terwijl Amanda naar Kates kantoor liep, wierp ze even een blik over haar schouder. Levy zat breed te grijnzen terwijl hij zijn tijdschriftartikel herlas. Ze kon het hem niet kwalijk nemen dat hij trots was op zichzelf.

Amanda klopte op Kates deurpost. 'Ik zit met een probleem,' zei ze tegen haar detective. 'Ik heb een gesprek met Sally Pope en ik wil niet dat het boze tweelingbroertje van die Jimmy Olsen uit de Superman-strips daar bij is.'

'Levy wil het dossier van de zaak-Pope bekijken. Ik kan hem naar de vergaderzaal sturen, dan kun jij ertussenuit knijpen terwijl hij het zit door te nemen.'

'Je bent een genie.'

'Daarom verdien ik ook zo veel.'

'Zorg dat hij begrijpt dat hij het dossier net zo achterlaat als hij het heeft aangetroffen. Ik heb zelf nog niet de kans gehad om het door te nemen.'

'Komt in orde. Ik neem hem ook wel mee naar mijn gesprek met Ralph Day.'

'Met wie?'

'Ralph Day. Dat was de uitdager bij Juniors laatste verkiezing.'

'Prima. Dan heb ik tenminste geen last van hem.'

Terwijl Dennis wachtte tot de receptioniste hem koffie kwam brengen, bestudeerde hij de berg informatie die over de hele vergadertafel lag uitgespreid. De taak om het allemaal door te nemen zou ieder ander de moed hebben ontnomen, maar Levy hield van onderzoek. Hij geloofde dat zijn aandacht voor details hem tot een betere verslaggever maakte dan zijn collega's bij *World News*.

Kates draaiboek maakte het voor Dennis een stuk gemakkelijker om zich een weg door alle gegevens te banen. Ze had uitgelegd hoe ze alles uit het dossier had gerangschikt in stapels die betrekking hadden op verschillende onderwerpen. Omdat hij nog nooit een misdaadverhaal had verslagen en nieuwsgierig was, begon Levy met het autopsierapport en de foto's. Bij het doorbladeren voelde hij niet meer dan een lichte emotionele reactie, wat hem een zelfvoldaan gevoel gaf. Toen hij klaar was met het materiaal dat betrekking had op de doodsoorzaak, trok hij een andere stapel naar zich toe.

Een uur later had Dennis een deel van de rapporten gelezen. Hij stond op en rekte zich uit, waarbij zijn oog viel op iets wat uit een stapel getuigenverslagen stak. Hij trok het eruit en keek er even vluchtig naar. Hij wilde het net terugstoppen toen iets zijn aandacht trok. Hij trok het document naar zich toe en tuurde er aandachtig naar. Toen hij besefte wat hij zag, werden zijn ogen groot en begon zijn hart sneller te slaan.

'Hoe is het om voor de Jaffes te werken?' vroeg Dennis Levy terwijl hij en Kate naar het kantoor van Ralph Day reden. De verslaggever was sinds hij in Kates auto was gestapt onafgebroken aan het woord geweest en hij had ook geen moment stilgezeten. Het voortdurende geklets en het gedraai begonnen op Kates zenuwen te werken.

'Het grootste deel van de tijd is het gewoon routinewerk. Gesprekken met getuigen en zo, net als vandaag. Zoeken op internet.'

'Het moet behoorlijk opwindend zijn om aan een grote zaak als die van Charlie te werken.'

'Ach ja, het heeft z'n charmes,' zei Kate, zich op de vlakte houdend. Ze gaf er de voorkeur aan de details van de hachelijke situaties waarin ze zich had bevonden sinds ze bij Jaffe, Katz, Lehane & Brindisi was komen werken voor zich te houden.

'Kun je me wat meer over Amanda vertellen? Dingen die niet algemeen bekend zijn, waarmee ik mijn verhalen misschien wat levendiger kan maken.'

'Bedoel je dingen als haar verhouding met Brad Pitt of de identiteit van de vader van haar onwettige kind?' antwoordde Kate, haar ogen op de weg houdend.

Levy's lach klonk geforceerd. 'Ja hoor, dat is prima. Daar verkoop je tijdschriften mee.'

'Ik vrees dat Amanda niet veel geheimen heeft en als ze die had, zou zij toch degene moeten zijn om ze aan jou te vertellen.'

'Kom nou, er moet toch wel iets zijn?'

'Hoe kom je op het idee dat ik over een goede vriendin zou willen roddelen?'

'Dus er is wel degelijk iets?' zei Dennis op gretige toon. 'Weet je, *World News* kan veel voor je betekenen. Je hoeft niet je hele leven bij een klein kantoor te werken. De publiciteit die ik je kan geven zou beslist goed voor je carrière kunnen zijn.'

Kate hield zich in. 'Daar zit wat in,' zei ze op vlakke toon. 'Ik weet zeker dat elk groot advocatenkantoor in dit land maar al te graag een privédetective in dienst wil nemen die bereid is om al hun geheimen aan de grote klok te hangen. Ik zal eraan denken dat ik in mijn cv zet dat ik gemakkelijk te koop ben.'

Dennis' gezicht werd rood toen hij besefte dat hij te ver was gegaan. 'Zo bedoelde ik het niet.'

'Dat neem ik onmiddellijk aan,' zei Kate. Ze nam niet eens de moeite om haar afkeer niet te laten merken.

'Zeg, het spijt me als we verkeerd van start zijn gegaan. Ik weet niet wat er in mij omging. Laten we opnieuw beginnen. Waarom vertel je me niet iets over de getuige die we gaan interviewen?'

'Wíj gaan niemand interviewen, Dennis. Weet je nog wat de afspraak was? Jij gaat alleen maar zitten luisteren en je zegt geen woord tenzij ik zeg dat dat kan.'

'Goed, goed. Ik begrijp het. Ik bedoelde het meer bij wijze van spreken.'

'Ik ben blij dat we dat met elkaar eens zijn. Ralph Day was bij de verkiezingen Juniors tegenkandidaat. Pope heeft hem de eerste keer dat hij aan de verkiezingen voor het Congres meedeed verslagen, maar na de moord op Junior heeft Day gewonnen. Day was ook bij de Westmont op de avond dat de moord werd gepleegd.'

'Denk je dat hij ons... dat hij jou... iets kan vertellen wat van belang is voor Charlies zaak?'

'Geen idee.'

'Over ideeën gesproken, ik kreeg er ook een paar toen ik het dossier van de zaak-Pope zat door te nemen.'

'Zoals?'

'We zouden eens met Werner Rollins moeten praten. Nadat hij een schikking met de politie had getroffen, zei Rollins dat hij heeft gezien dat Marsh Pope neerschoot, maar het kan zijn dat hij onder druk stond om Charlie te verlinken. We zijn nu twaalf jaar verder. Wie weet wat hij nu zegt. Als hij zijn verklaring intrekt, zou dat echt helpen om Charlies naam te zuiveren.'

Kate had Levy nooit dom gevonden – alleen maar onaangenaam – en ze was onder de indruk van zijn inzicht.

'Goed denkwerk, Dennis. Ik heb geprobeerd Rollins op het spoor te komen. Misschien is hij in Denver. Naar aanleiding van een tip heb ik een privédetective in Colorado gevraagd naar hem op zoek te gaan.'

'Fantastisch! Als je hem vindt, mag ik dan mee?'

'Dat zal ik aan Amanda moeten vragen.'

'Natuurlijk. Doe je dan een goed woordje voor me? Dat zou ik erg op prijs stellen.'

'Dat zal ik zeker doen.'

Het verzekeringskantoor van Ralph Day bevond zich in een winkelpromenade aan de rand van Hillsboro. Een paar tellen nadat zijn secretaresse hem had opgeroepen, kwam Day de wachtruimte binnen. Day was een grote, vriendelijke man van voor in de zestig. Hij was een beetje te zwaar en had een volle bos wit haar. Hij droeg een zwartgrijs kostuum met een klassieke stropdas en leek in alles op een geslaagde verzekeringsagent. Toen ze in zijn kantoor zaten, legde Kate uit wat Dennis' betrokkenheid bij de zaak was. Het voormalige congreslid had er geen bezwaar tegen dat er een verslaggever bij het gesprek aanwezig was.

'Ik heb over die schietpartij bij het gerechtsgebouw gelezen,' zei Day. 'Waren er gewonden?'

'We hebben geboft. De sluipschutter schoot beide keren mis.'

'Goddank.' Day zweeg even. Hij keek bedachtzaam. 'Kunt u me vertellen waarom Marsh na al die jaren terugkomt?'

'Dat wil iedereen graag weten,' antwoordde Kate.

'Dat komt denk ik bij het proces wel naar voren. Wat wilde u me eigenlijk vragen? Ik weet niet waar ik u mee kan helpen. Het is allemaal zo lang geleden.'

'Ik denk dat ik moet beginnen met vragen wat uw relatie met Arnold Pope Junior was rond de tijd dat hij vermoord werd.'

'Dat kan ik u zo vertellen. Ik had de pest aan Pope. Nee, laat ik dat anders zeggen. Ik had de pest aan zijn vader. Junior stelde niets voor. Hij was gewoon een marionet van zijn ouweheer. Er waren momenten dat ik medelijden met Junior had. Hij kon niet zelfstandig denken en hij had ook geen eigen leven.'

'Kunt u dat uitleggen?' vroeg Kate.

'Natuurlijk. Arnie Junior had voor de politiek net zo veel te betekenen als die door de platenmaatschappijen samengestelde voorverpakte jongensbands voor de muziek. Senior begon hem meteen na zijn geboorte klaar te stomen voor het presidentschap.'

'Ik heb wat onderzoek gedaan. Bij uw eerste verkiezingsstrijd zei u dat Junior zijn overwinning aan het geld van Senior te danken had.'

'Dat staat buiten kijf. Ik had een behoorlijk bedrag ingezameld voor mijn campagne, maar daar kon ik niet tegenop. Ik kon het niet bewijzen, maar ik weet dat Senior alle regels voor de financiering van verkiezingscampagnes heeft overtreden. Hij sluisde geld via vrienden, werknemers en actiecomités die hij met behulp van stromannen had opgezet. Verdorie, ik had wat geld voor televisiespots, maar je kon geen tv aanzetten zonder dat je het glimlachende gezicht van Junior voor een Amerikaanse vlag zag staan.'

'Zou hij een tweede termijn hebben gewonnen als hij niet vermoord was?'

'Ik sta ver genoeg buiten de politiek om u daar een eerlijk antwoord op te kunnen geven. Junior zou de vloer met me hebben aangeveegd. Die knul had geen enkele inhoud, maar dat viel niet hard te maken tegenover een kiezerspubliek dat niet veel aandacht aan onze strijd schonk. Toen hij vermoord werd, trok dat natuurlijk alle aandacht, en kreeg ik een heleboel gratis zendtijd op de televisie.'

'U hebt de zetel gewonnen, maar misschien had u dat anders ook wel gedaan.'

'Nee, geen sprake van. Als Junior niet was gestorven, zou ik verloren hebben, maar de partij van Junior moest alle moeite doen om een tegenkandidaat te vinden en ze konden niets beters vinden dan een gepensioneerde districtsambtenaar die niemand echt mocht. Senior heeft me nooit vergeven dat ik Arnies congreszetel heb ingepikt. De keer daarop probeerde hij me weer onder zijn geld te bedelven. Ik was beter voorbereid en ik heb de herverkiezing ook gewonnen, maar wel op het nippertje, en hij heeft het om de twee jaar geprobeerd tot hij me na mijn derde termijn uiteindelijk wist te verslaan.'

'Mist u het congreslidmaatschap?' vroeg Kate vol sympathie.

'Eerst wel, maar daar ben ik nu overheen. Het is me in het leven vrij goed gegaan. Ik heb die tegenslag verwerkt en achter me gelaten.'

'Ik begrijp dat u op de avond dat Junior werd vermoord bij de Westmont was.'

Day knikte.

'Wat kunt u zich van de vechtpartij en de moord herinneren?'

'Tjonge, dat is een moeilijke vraag. Het was donker en erg chaotisch, en ik had toen al niet echt een duidelijke indruk van wat er gebeurde.'

'Dat geeft niet. Probeer mijn vraag maar zo goed mogelijk te beantwoorden.'

'Goed dan, ik was niet naar de club gegaan om naar de goeroe te luisteren. Ik had niet zo veel met al dat gedoe over zelfverbetering. Ik was er omdat ik gezien wilde worden, als onderdeel van het politieke spel. Ik kwam bij de Westmont aan op het moment dat Marsh' gevolg arriveerde. Ik had net mijn auto op het parkeerterrein gezet. Ik was bijna bij de hoofdingang toen de vechtpartij begon.'

Day staarde even in de ruimte. Zijn gezicht vertoonde geen enkele uitdrukking, maar toen leefde hij op.

'Ik herinner me wel dat er een grote zwarte man met een veiligheidsbeambte aan het vechten was. De mensen verdrongen elkaar om uit de buurt te komen en ik werd weggeduwd. Toen hoorde ik een schot. Toen ik me omdraaide, zag ik dat Junior stond te wankelen. Ik herinner me dat Sally naar hem toe liep, maar ik heb niet veel gezien van wat anderen deden, omdat al mijn aandacht op Junior gericht was.'

'Kunt u zich iemand anders uit de menigte herinneren, een getuige die misschien iets gezien kan hebben met wie we kunnen praten?'

Day fronste zijn voorhoofd terwijl hij zich de beelden van twaalf jaar daarvoor probeerde te herinneren. Even later noemde hij een paar namen die Kate uit de politierapporten herkende.

'Dat zijn al de namen die ik me op dit moment kan herinneren. Ik zal er nog eens over nadenken en als ik…' Day zweeg even. 'O ja, ik weet er nog een. Tony Rose was er ook.'

'Hebt u Rose gezien?'

'Hij stond aan de rand van de menigte, bijna recht tegenover mij, maar veel dichter bij de winkel.'

'Bij de plek waar u de veiligheidsmedewerker en de zwarte man had zien vechten?'

'Precies. Misschien heeft hij de schietpartij beter kunnen zien. U zou het hem eens moeten vragen.'

'Dat zal ik zeker doen,' zei Kate.

'Volgens mij was het gesprek een flop. Day weet niet veel,' zei Dennis.

'Ja, maar dat wisten we niet voordat we met hem gingen praten,' zei Kate. Ze zei niets tegen Dennis over de tegenstrijdigheid tussen wat Tony Rose haar had verteld over de plek waar hij had gestaan toen Junior vermoord werd en de herinnering van Day.

'Weet je, ik heb een rotgevoel over de manier waarop ik me gedroeg toen we naar Day onderweg waren,' zei Levy. 'Ik wil het graag goedmaken.'

'Niet meer aan denken. Dat doe ik ook niet.'

'Nee, even serieus. Wat dacht je ervan om vanavond uit eten te gaan? Kies maar een restaurant. Ik kan het allemaal declareren. Kies maar iets duurs en romantisch uit.'

Kate keek heel even opzij. De grijns op Levy's gezicht had iets van die van een roofdier. De detective bedacht dat ze Amanda om gevarengeld moest vragen.

'Bedankt, Dennis, maar ik woon met iemand samen.'

'Hij hoeft het toch niet te weten. Zeg maar dat het om een werkdiner gaat.'

'Dennis, ik wil het je op de man af vragen: probeer je me te versieren?'

De grijns op Levy's gezicht veranderde van roofdierachtig in sluw. 'Misschien.'

'Niet doen.'

'Ik garandeer je dat ik over een jaar rijk en beroemd ben. Je zou het slechter kunnen treffen.'

'Dennis, ik probeer aardig tegen je te zijn, maar ik wil ook graag duidelijk zijn. Ik heb een serieuze verhouding en dat is niet met jou. En ik peins er ook niet over om iets met jou te beginnen. Begrijp je wat ik net tegen je heb gezegd? En terwijl je over je antwoord nadenkt, moet je niet vergeten dat ik een pistool bij me heb en dat ik weet hoe ik dat moet gebruiken.'

34

Twaalf jaar geleden had Sally Pope grote indruk gemaakt op de studente die vanaf de publieke tribune van een rechtszaal in Washington County had toegekeken hoe haar vader zijn grootste proces voerde. In de media werd Sally afgeschilderd als femme fatale. Ze belichaamde de geheime fantasieën van ieder fatsoenlijk schoolmeisje. Vrouwen als Sally speelden hoofdrollen in de soaps op televisie en in de romantische verhalen die serieuze jonge vrouwen lazen als er niemand keek. Ze zag er adembenemend uit en haar figuur was een uitstekende reclame voor seks; ze was geheimzinnig én misschien was ze een moordenares.

Maar er was nog iets anders waardoor Amanda's aandacht aan één stuk door op mevrouw Pope gericht bleef. De manier waarop haar vaders blik afdwaalde naar zijn cliënt en de manier waarop Sally Pope haar hand op haar vaders onderarm legde als ze zich naar elkaar toe bogen om te overleggen ontgingen Franks dochter niet. Amanda woonde die zomer bij Frank in huis. Na afloop van het proces was hij 's nachts opvallend vaak afwezig en kwam hij pas in de vroege ochtenduren thuis.

Amanda stelde zich uiterst beschermend op tegenover haar vader en ze voelde zich niet prettig bij het idee dat hij misschien een serieuze verhouding met iemand had. Elke keer dat Frank verdween, deed de mogelijkheid dat de vrouw om wie het ging misschien haar man had vermoord Amanda's angst alleen maar toenemen.

Amanda wist nooit zeker of haar vader een romantische relatie met Sally Pope had en ze kon nooit de moed opbrengen om hem ernaar te vragen. Toen Amanda weer terugkeerde naar haar gedisciplineerde studentenleven en de eisen die het zwemteam aan haar stelde, vergat ze Sally bijna. Ze was erg opgelucht geweest toen Sally naar Europa vertrok. Maar toen de aanklachten tegen Charlie Marsh weer werden opgerakeld, waren ook haar oude emoties teruggekomen.

De felle zon stond recht boven haar hoofd toen Amanda haar auto op de oprijlaan voor het huis van Sally Pope parkeerde. Terwijl ze zich naar de schaduw van het voorportaal haastte, kneep ze haar ogen half dicht om aan het felle schijnsel te ontkomen. Gina, Sally Popes persoonlijk assistente, liet Amanda een grote woonkamer binnen die door twee openslaande deuren uitzicht bood op een kleurrijke bloementuin. Even later kwam Sally Pope de kamer binnen.

'Wat goed je weer te zien, Amanda,' zei Sally met een vriendelijke glimlach. Ze droeg een donkerbruine korte broek, sandalen en een geel T-shirt. Ze had haar blonde haar bijeengebonden in een paardenstaart. Amanda kon zien dat ze ouder was geworden, maar ze was nog steeds onder de indruk van haar schoonheid en haar waardigheid.

'Ik kijk ervan op dat u nog weet wie ik ben,' zei Amanda terwijl ze elkaar de hand schudden.

'Natuurlijk weet ik dat nog. Je was elke dag in de rechtszaal en Frank had het de hele tijd over je. Hij is erg trots op je.'

Amanda bloosde en Sally wees naar een lange beige zitbank. 'Laten we gaan zitten. Wil je koffie of ijsthee?'

'IJsthee lijkt me heerlijk,' zei Amanda.

Gina had onopvallend bij de huiskamerdeur staan wachten. Zodra ze hoorde wat Amanda wilde drinken, liep ze weg.

'Ik begrijp dat je Charlies leven hebt gered,' zei Sally.

'Ik heb hem alleen maar op de grond geduwd toen het eerste schot viel.'

'Dan heb je heel snel gereageerd.'

Amanda haalde haar schouders op.

'Is Charlie in orde?'

'Hij was erg overstuur, maar hij is niet gewond.'

'Geweldig. Frank zei dat je met mij over zijn zaak wilde praten.'

'Kan dat?'

'Natuurlijk, maar ik weet niet of ik je iets kan vertellen waar je wat aan hebt.'

'Laten we beginnen met hoe u Charlie hebt leren kennen.'

Sally lachte. 'Hij heeft me na een van zijn bijeenkomsten op een landgoed in Dunthorpe van Tony Rose "gered". Dat was niet echt nodig, maar hij wilde graag laten zien wat voor macho hij was. Hij heeft Tony zelfs een klap op zijn neus gegeven.'

'Was dat toen u hem volgens Rose hebt gevraagd uw man te vermoorden?'

Sally's glimlach verdween. 'Niets waar die hufter verklaringen over heeft afgelegd bevatte ook maar een greintje waarheid.'

'Waarom heeft hij dat dan volgens u gezegd?'

'Is dat niet duidelijk? Senior heeft hem voor zijn leugens betaald. Wie denkt je dat Mercury heeft gefinancierd?'

'Kunt u dat bewijzen?'

Sally schudde haar hoofd. 'Als het over de manier gaat waarop hij zaken doet, is Senior een geheimzinnige figuur. Net als bij de Verschrikkelijke Sneeuwman denk je dat je een deel van een voetafdruk in de sneeuw hebt gezien, maar het beest zelf zie je nooit. En als de wind opsteekt en de voetsporen uitwist, sta je met lege handen.'

'Als ik u oproep, verklaart u dan dat u Charlie nooit hebt gevraagd uw man te vermoorden?' vroeg Amanda toen Gina binnenkwam met haar ijsthee.

'Natuurlijk. De enige bewijzen die Karl Burdett had, waren die foto's en dat briefje, en Frank heeft bewezen dat dat allemaal doorgestoken kaart was.'

'Maar u had wel een verhouding met Charlie?' vroeg Amanda.

'Amanda, ik heb een heleboel dingen gedaan waar ik niet trots op ben, en met iedereen naar bed gaan staat boven aan die lijst. Voordat ik met Arnie trouwde, deed ik dat omdat ik dacht dat mijn lichaam het enige was dat in mijn voordeel werkte. Na ons huwelijk sliep ik met andere mannen om aandacht van Arnie te krijgen. Charlie was gewoon de zoveelste, meer niet. We hebben nooit iets voor elkaar betekend.'

'Wat hebt u bij de Westmont gezien?' vroeg Amanda.

'Ik heb niet gezien wie Arnie heeft neergeschoten, als je dat soms wilt weten.'

'Vertel me alleen maar wat u zich kunt herinneren.'

Sally deed even haar ogen dicht en Amanda nipte van haar ijsthee.

'John Walsdorf, de manager van de club, stond samen met mij bij de hoofdingang toen Charlies limousine aan kwam rijden.'

'Hebt u voordat de limousine arriveerde een gesprek met Tony Rose gevoerd?'

'Dat is waar ook! Dat was ik helemaal vergeten. Het was alleen geen gesprek. Hij wilde praten, maar ik niet. Zeker niet op dat moment, toen de eregast net aankwam.'

'Wat gebeurde er toen?' vroeg Amanda.

'Ik zei tegen Tony dat ik niet met hem kon praten en toen liet hij me met rust.'

'Hebt u gezien waar hij heen ging?'

Sally fronste haar voorhoofd. Na een paar tellen schudde ze haar hoofd.

'Dat spijt me. Op het moment dat Tony wegliep, kwam Charlies limousine aanrijden. Toen ging Arnie moeilijk doen en werd er gevochten. Ik heb niet meer aan Tony gedacht.'

'Dus u herinnert zich niet dat u hem nog gezien hebt nadat hij met u probeerde te praten?'

'Ik ben er vrij zeker van dat Frank me kort nadat ik hem had aangenomen heeft gevraagd wie ik me herinnerde gezien te hebben en waar ze stonden. Waarschijnlijk heeft hij aantekeningen gemaakt.'

'Die heb ik gezien. Ik wilde nu graag uw indrukken horen.'

'Ik herinner me dat ik Charlie zag uitstappen. Er waren moeilijkheden met een man die iets weg had van een motorrijder. Hij heeft bij het proces een verklaring afgelegd, maar ik weet niet meer hoe hij heet. Toen kwam Arnie aanrennen en smeet die foto's in m'n gezicht. Op dat moment begon die vechtpartij.'

'Hebt u gezien dat uw man werd neergeschoten?'

Sally knikte. Ze keek verdrietig. 'Ik stond tijdens de vechtpartij naar hem te kijken. Ik heb dus wel gezien dat hij werd neergeschoten, maar niet door wie omdat ik op dat moment naar Arnie keek.'

'En u weet niet meer wie er bij hem in de buurt stonden?'

'Ik heb alleen maar mensen gezien. Het was donker en het was erg chaotisch.'

'En die man die iets weg had van een motorrijder? Hebt u hem gezien?'

'Ja. Hij was met een van de veiligheidsmensen aan het vechten, net als Charlies lijfwacht, Delmar Epps.'

'Bent u die avond op enig moment dicht bij Epps in de buurt geweest?'

'Ik stond vlak naast hem toen hij uit de limousine stapte. Er was een of ander probleem met een man die Charlies portier opendeed. Het was niet zijn chauffeur. Ik kan me zijn naam niet herinneren. Hij was geen getuige bij het proces.

Hoe dan ook, de chauffeur kwam aanlopen om het portier te openen, maar die man liep naar de auto en trok het open. Toen stapte Delmar uit en leek het even of er moeilijkheden zouden komen. Ik liep naar de auto om de gemoederen te sussen.'

'Hoe dicht stond u bij de heer Epps toen u naar de auto liep?'

'Ik stond vlak voor hem. Ik kon hem bijna aanraken.'

'Hebt u gezien of hij een vuurwapen bij zich droeg?'

'In zijn hand?'

'Of ergens anders.'

Sally deed haar ogen dicht om zich te kunnen concentreren. Even later deed ze haar ogen open en schudde haar hoofd.

'Ik kan me niet herinneren dat ik een wapen heb gezien, maar ik heb ook niet goed gekeken. Misschien droeg hij een pistool onder zijn jasje.'

'En Charlie? Waar ging hij heen toen de vechtpartij begon?'

'Dat weet ik niet zeker. Ik heb niet gezien dat hij met iemand vocht, maar dat verbaast me niet. Charlie was een prater, geen vechter. Hij zou Tony nooit een klap hebben gegeven als zijn lijfwacht niet vlak achter hem had gestaan. En ik kan me eerlijk gezegd ook niet voorstellen dat hij iemand neer zou schieten.'

'Uw man had hem net een klap gegeven en rende naar hem toe.'

'Dat weet ik, maar ik geloof gewoonweg niet dat Charlie tot zoiets in staat was.'

35

Amanda besloot de rest van de dag te besteden aan het doornemen van het dossier over 'de Staat versus Pope'. Dennis Levy zat niet meer in de vergaderzaal en ze dankte God voor dit kleine blijk van barmhartigheid. Tegen de tijd dat ze het werk van die dag erop had zitten, was ze aan haar derde mok koffie bezig. Iedereen op kantoor was al naar huis. Mike Greene belde om te vragen of ze ergens iets wilde gaan eten, maar ze was zo moe dat ze besloot dat ze behoefte had aan een snelle maaltijd en een warm bad en dat ze vroeg naar bed zou gaan.

Amanda bestelde sushi bij een afhaalrestaurant vlak bij haar kantoor. Even voor achten zette ze haar auto neer op haar vaste plaats in de parkeergarage van een verbouwd roodstenen pakhuis in Portlands modieuze wijk Pearl en nam de lift naar haar zolderverdieping, een grotendeels open woonruimte van bijna 115 vierkante meter met hardhouten vloeren, hoge plafonds en grote ramen die uitzicht boden op de metalen bogen van de Freemont-brug, het scheepverkeer op de Willamette-rivier en de met sneeuw bedekte hellingen van Mount St. Helens, een actieve vulkaan. Het grootste deel van de kunst die haar koopappartement sierde, was afkomstig uit de vele galerieën tussen de restaurants en koffiebars die Pearl rijk was. Ze vond het fijn dat ze ergens woonde waarvandaan ze eventueel naar haar werk kon lopen of op de dagen dat ze haar auto niet nodig had de trolleybus kon nemen.

Amanda deed de voordeur open en begon de code van haar alarm in te toetsen. Het alarm stond niet aan. Ze wachtte even, met haar vingers boven het toetsenpaneeltje. Amanda had niet goed geslapen vanwege wat er bij het gerechtsgebouw was gebeurd. Ze hield het erop dat ze waarschijnlijk zo moe was geweest dat ze vergeten had het alarm aan te zetten toen ze naar haar werk ging. Ze deed het licht aan, legde de sushi op het aanrecht en liep naar haar slaapkamer om zich om te kleden. Halverwege de woonkamer bleef ze stokstijf staan. Vanaf haar zitbank zat een slanke zwarte man naar haar te kijken.

'Maakt u zich geen zorgen, mevrouw Jaffe,' zei Nathan Tuazama in zijn zangerige Afrikaanse Engels. 'Ik heb geen kwaad in de zin.'

Amanda nam haar bezoeker wat nauwkeuriger op. Hij droeg een duur kostuum en gepoetste schoenen. Ze dacht dat zijn das van zijde zou kunnen zijn. Dit was beslist niet de kledij van een inbreker.

'Voordat ik de politie bel, wil ik dat u me even uitlegt waarom u mijn appartement binnen bent gedrongen,' zei Amanda op kalme toon terwijl ze om zich heen keek of ze ergens iets zag wat ze eventueel als wapen kon gebruiken.

De mondhoeken van de indringer gingen omhoog, maar zijn glimlach had iets onnatuurlijks. Amanda moest denken aan de grimassen die ze op de gezichten van lijken op autopsiefoto's had gezien.

'Ik kan u verzekeren dat Charlie niet wil dat de politie van ons gesprek op de hoogte wordt gebracht.'

Amanda haalde haar mobieltje tevoorschijn. 'Ik toets een negen en een één in. Als ik geen goede verklaring voor deze inbraak krijg, toets ik nog een één in.'

'Gaat u toch alstublieft zitten, mevrouw Jaffe. Ik weet dat mensen van streek raken als ze iemand in hun huis aantreffen, maar ik blijf niet lang en u bent volkomen veilig. Uw cliënt is degene die zich zorgen zou moeten maken.'

'Ik heb een kantoor met vaste openingstijden als u met mij over mijn cliënt wilt praten.'

'Maar u werkt zelf lang door, als ik kijk hoe lang ik hier op u heb zitten wachten. Het doet me genoegen dat Charlie zo'n toegewijde advocaat heeft. Maar nu ter zake. Het is al laat en u zult wel moe zijn.

Ik ben Nathan Tuazama. Ik sta aan het hoofd van president Jean-Claude Baptistes Nationale Bureau voor Opvoeding.' Amanda voelde haar maag omdraaien. 'U hebt over president Baptiste gehoord?'

Amanda knikte. 'Charlie heeft uw naam ook genoemd.'

'Dat kan ik me voorstellen.'

'Wat wilt u van me?'

'President Baptiste zou het erg op prijs stellen als u hem kunt helpen bij een probleem.'

'En dat is?'

'Toen Charlie uit Batanga vertrok, heeft hij iets meegenomen wat niet van hem is, maar van president Baptiste. Als Charlie nog in Batanga was, zou ik daar met hem in de kelder van het presidentiële paleis over praten, en dan zou het probleem snel uit de wereld zijn.'

Charlie had Amanda verteld wat er in de kelder van het paleis gebeurde en Amanda had al haar ervaring in de rechtszaal nodig om haar kalmte te bewaren.

'Helaas ben ik nu in Amerika, en dus wil ik u namens mijn president vragen als tussenpersoon voor ons op te treden en Charlie ervan te overtuigen dat hij datgene wat hij heeft meegenomen terug moet geven.'

De doos! Tuazama moest het over de inhoud van Charlies doos hebben.

'Stel dat ik u uw eigendommen kan terugbezorgen, wat gebeurt er dan met Charlie?'

'Als ik ze eenmaal in mijn bezit heb, heeft president Baptiste verder geen belangstelling meer voor uw cliënt,' loog Tuazama. 'Charlie is een onbelangrijk individu, aan wie we beter geen aandacht kunnen besteden, maar als hij probeert de eigendommen van de president in zijn bezit te houden, wordt hij voor mij wél belangrijk. Dat kunt u tegen hem zeggen. Zegt u maar tegen Charlie dat hij voor mij van groot belang wordt als ik niet krijg wat ik hebben wil. En zeg ook maar dat ik niet veel geduld heb als het om de belangen van mijn president gaat.'

'Wat heeft de heer Marsh volgens u in zijn bezit?'

Tuazama ging staan. 'Daar hoeft u zich niet druk om te maken. Trouwens, hoe minder u weet, hoe beter het voor u is. Neemt u maar van me aan dat u hier niet bij betrokken wilt raken. U hoeft alleen maar mijn boodschap over te brengen.'

'Hoe kan ik u bereiken om u te vertellen wat de heer Marsh wil?'

'De enige moeite die u zich hoeft te getroosten is de wensen van president Baptiste aan uw cliënt overbrengen. Ik heb uw mobiele nummer. U kunt erop rekenen dat ik binnenkort contact met u opneem. Het was een genoegen kennis met u te maken.'

Zodra de deur achter Tuazama dichtging, schakelde Amanda haar alarm in. Daarna ging ze zitten tot haar zenuwen een beetje tot rust waren gekomen. Amanda had geen idee waar Charlie mee bezig was, maar ze was ervan overtuigd dat Tuazama de chaos in Charlies hotelkamer had veroorzaakt. Amanda vroeg zich af of Tuazama de sluipschutter was en of hij opzettelijk mis had geschoten om Charlie de stuipen op het lijf te jagen. Dat had hij bij haar tenminste wel gedaan.

Een half uur later zat Amanda op de bank in de zitkamer van Charlies hotelsuite.

'Weet je nog dat je het met mij over Nathan Tuazama hebt gehad, het hoofd van Baptistes geheime politie?'

Charlies ogen schoten nerveus heen en weer en er verscheen een laagje zweet op zijn voorhoofd.

'Ik heb zojuist de gelegenheid gehad kennis met hem te maken, Charlie. Hij was mijn appartement binnengedrongen.'

'Hij heeft je hopelijk toch niets aangedaan?' vroeg Charlie met oprechte bezorgdheid.

'Nee, maar hij liet duidelijk blijken dat hij jou wat gaat aandoen als je niet teruggeeft wat je van president Baptiste hebt gestolen.'

'Ik heb niets gestolen.'

'Wat komt Tuazama hier dan doen?'

Charlie zag er beroerd uit. 'Hij wil de inhoud van de doos die ik je heb gegeven.'

'En wat zit er in die doos?'

'Wat diamanten die ik uit Batanga mee heb gesmokkeld,' antwoordde Charlie op nauwelijks hoorbare toon.

'Om hoeveel diamanten gaat het?'

'Dat weet ik niet precies.'

'Maak eens een schatting.'

Charlie keek omlaag, niet in staat haar in de ogen te kijken. 'Een heleboel. Ik heb nog geen kans gehad om ze aan iemand te laten zien die me kan zeggen wat ze waard zijn.'

'Zijn de diamanten in de doos eigendom van president Baptiste?'

'Nee, niet echt.'

'Waarom zei Nathan Tuazama dan van wel?'

'Dat is eh… een juridische kwestie.'

'Doe me een lol, Charlie. Stel je eens voor dat ik een advocaat ben die misschien slim genoeg is om te begrijpen wat je te zeggen hebt.'

Charlie bevochtigde zijn lippen. 'Kijk, in de Verenigde Staten hebben vrouwen een heleboel vrijheid. Ik bedoel, kijk maar naar jezelf. Je kunt stemmen en je kunt rechten studeren. Dat soort dingen. In Batanga kennen ze stammenrecht. De vrouw is min of meer eigendom van haar echtgenoot en als ze eenmaal getrouwd zijn, gaat al het bezit van de vrouw over op haar man.'

'Waren die diamanten van Bernadette?'

'Hij behandelde haar als een stuk vuil, Amanda. Hij heeft een erectieprobleem en dat reageerde hij regelmatig op haar af. Als we in bed lagen, huilde ze steeds. Ik heb gezien dat ze onder de blauwe plekken zat.'

'En daar heb jij misbruik van gemaakt door haar zover te krijgen dat ze je die diamanten gaf,' zei Amanda, niet eens de moeite nemend om haar afschuw te verbergen.

'Zo was het niet,' protesteerde Charlie. 'Die diamanten waren van Bernadette en zij heeft ze aan iemand gegeven die ze weer aan mij gegeven heeft.'

'Wie was dat?'

'Dat kan ik je niet vertellen.'

'Waarom niet?'

'Dat kan ik je ook niet vertellen. Als ik dat wel kon, zou ik het doen, echt waar, maar ik heb gezworen dat ik er niet over zou praten.'

'Vind je niet dat ik na dat bezoek van Tuazama recht heb op die informatie?'

'Alsjeblieft, Amanda, vraag me niets meer over die diamanten.'

'Loop ik gevaar, Charlie?'

'Als Tuazama ook maar zou vermoeden dat je iets wist, zat je hier nu niet. Zolang hij niet weet dat ik de diamanten aan jou heb gegeven ben je veilig.'

'Zou Tuazama het aandurven om jou in de Verenigde Staten te vermoorden?' vroeg Amanda.

'Zeker weten. Die vent is het kwaad in eigen persoon. Ik ben er ook niet helemaal zeker van of hij wel menselijk is.'

'Denk je dat hij de sluipschutter is geweest?'

'Dat zou kunnen. Ik zie hem er best voor aan dat hij met opzet mis heeft geschoten om me doodsbang te maken. Wist je dat hij in de rechtszaal zat?'

'Bij de hoorzitting?'

Charlie knikte.

'Waarom heb je dat niet tegen me gezegd?'

'Omdat ik jou er niet bij wilde betrekken.'

'Maar dat ben ik nu toch. Jij hebt me erbij betrokken toen je me die diamanten gaf.'

Amanda dacht even na. Vervolgens keek ze haar cliënt recht in de ogen.

'Laat mij hem die diamanten geven, Charlie, als dat ervoor zorgt dat hij weggaat. Als je dood bent, zijn ze voor jou toch niets waard.'

'En als ik dat niet doe? Wat moeten we dan? Kun je hem niet aangeven vanwege die inbraak in jouw appartement?'

'Tuazama heeft alleen maar huisvredebreuk gepleegd, en dat is geen misdrijf, maar meer een overtreding. Hij is niet binnengedrongen om een misdrijf te plegen. Hij heeft me alleen maar gevraagd of ik jou wilde vragen die diamanten terug te geven. Hij zou meteen op borgtocht vrijgelaten worden en nog gekker gaan doen dan hij al is. Je moet hem geen geintjes flikken, Charlie. Misschien kan Baptiste wettelijk aanspraak op de juwelen maken. Geef hem die diamanten maar.'

Charlie wreef aan zijn lip. Hij keek naar de vloer. Vervolgens schudde hij zijn hoofd.

'Dat kán ik gewoon niet doen.'

'Waarom in godsnaam niet? Zijn ze voor jou meer waard dan je eigen leven?'

'Als ik de diamanten teruggeef, is het of Bernadette voor niets is gestorven. Baptiste denkt dat niemand hem iets kan maken en dat hij mensen naar eigen goeddunken pijn kan doen zonder dat het gevolgen heeft.'

Charlie zweeg. Hij haalde diep adem en keek toen Amanda recht in de ogen. 'Als ik zijn diamanten houd, stelt dat niet veel voor, maar het is wel íéts.'

'Charlie, er zijn diamantmijnen in Batanga en die zijn allemaal in handen van Baptiste. Hij kan net zo veel diamanten krijgen als hij wil.'

'Maar deze niet. Ik weet dat het volgens jou nergens op slaat, maar ik ken Baptiste. Hij kan niet verkroppen dat iemand zich tegen hem verzet of hem te slim af is. Daarom betekenen mijn diamanten ook zo veel voor hem. Als hij ze niet krijgt, wordt hij gek.'

'Uit wat jij me verteld hebt, maak ik op dat hij al gek ís en dat hij geen eerbied voor het leven heeft. Als Tuazama net zo gevaarlijk is als jij zegt, loop je grote kans dat hij je vermoordt.'

Charlie verbrak het oogcontact met Amanda. Hij trok zijn schouders op en zat handenwringend voor zich uit te staren.

'Ik kán het gewoon niet.'

'Misschien moet je wel, als je daarmee je leven kunt redden. Tuazama gaat me bellen om te horen wat je antwoord is en ik denk niet dat hij daar lang mee wacht.'

Charlie staarde naar de vloer.

'We moeten ook nog iets anders bespreken,' zei Amanda toen haar duidelijk werd dat ze die avond niet verder zou komen met dit onderwerp. 'Ik wilde er morgen met je over praten, maar ik ben hier nu toch, dus kunnen we het net zo goed nu doen. Wat ben je met Mickey Keys van plan?'

'Hoe bedoel je?'

'Toen hij wegging, heb ik op de gang even met hem staan praten. Hij is behoorlijk overstuur en hij lijkt een en al wanhoop. Hij heeft gedreigd dat hij naar Burdett zou stappen als je het niet met hem in orde maakte. Is er iets wat hij tegen de officier kan zeggen wat schadelijk voor je kan zijn?'

'Dat denk ik niet.'

'Keys zat tijdens de rit naar de Westmont bij jou in de limousine. Zou hij weten wat er tussen het hotel en de club met het moordwapen is gebeurd?'

'Dat… dat weet ik niet.'

'Verzwijg je tegenover mij iets over het wapen, Charlie?'

'Nee. Ik weet niet wat er nadat ik uitstapte mee gebeurd is. Ik weet alleen maar dat ik het niet bij me had.'

'Kun je iets doen om Keys te sussen, zodat hij met Kate gaat praten?'

'Je bedoelt of ik hem een deel wil geven van wat ik verdien? Dat wil hij namelijk.'

'Keys heeft me een kopie gegeven van het contract dat hij met jou had. Verbintenissenrecht is niet mijn specialiteit, maar we hebben advocaten op ons kantoor die kunnen kijken of het bindend is. Als je de zaak verliest, kunnen we net zo goed een schikking met Keys treffen om hem tevreden te houden.'

'Die klootzak heeft me aan de FBI verraden.'

'Uit wat ik over Innerlijk Licht weet, maak ik op dat de FBI toch alles wat hij hun verteld heeft te weten zou zijn gekomen.'

Charlie wreef in zijn ogen en zuchtte. 'Ik ben doodop, Amanda. Ik wil gaan slapen. Ik kan niet meer normaal denken.'

'Prima, dan praten we morgenochtend verder, maar je moet wel een besluit nemen over wat ik tegen Tuazama moet zeggen. Ik denk niet dat we veel tijd bij hem kunnen rekken.'

36

Kate Ross deed de deur van Amanda's kantoor achter zich dicht voordat ze op een van de stoelen naast Mickey Keys plaatsnam.

'Bedankt dat u naar ons toe bent gekomen,' zei Amanda.

'Geen probleem. Kunt u me zeggen of Charlie van plan is zijn contract na te komen?' vroeg hij op gretige toon.

'Meneer Keys, u kunt niet langer als Charlies agent optreden. Dat moet u toch begrijpen.'

'Dat begrijp ik helemaal niet.'

'Agenten kunnen hun cliënten helpen omdat ze contacten hebben. U bent al meer dan tien jaar geen agent meer. Hoeveel mensen kent u nog in de uitgeverswereld?'

'Neemt u maar van me aan dat het met Charlie als cliënt niet moeilijk is om contacten te leggen.'

'U bent ook mogelijk een van de getuigen à charge bij Charlies proces. Als hij vervolgd wordt voor zijn aandeel in de Innerlijk Lichtzwendel is er sprake van een belangenconflict.'

'Belangenconflicten kunnen me niets schelen. Charlie heeft me gewoon laten barsten toen hij ervandoor ging. Ik ben alles kwijtgeraakt. Hij bulkt van het geld en hij is me nog heel wat schuldig.'

'Ik heb een advocaat van ons kantoor naar uw contract laten kijken. Volgens hem is het niet uitvoerbaar.'

'Dat was te verwachten, want hij werkt immers voor Charlie, toch?'

'Agenten hebben een geheimhoudingsplicht ten opzichte van hun cliënten,' zei Amanda op kalme toon. 'Toen u de FBI vertelde dat Charlie betrokken was bij belastingfraude en u uw zakelijke relaties met hem in de openbaarheid bracht, hebt u die plicht verzaakt. Daardoor raakte u het recht kwijt om als zijn agent op te treden.'

'Ik kon niet anders.'

'Natuurlijk wel. U had uw cliënt in bescherming kunnen nemen door uw medewerking te weigeren.'

'O ja, en dan zeker tien jaar in de gevangenis zitten.'

'Hoe dan ook, we denken niet dat u uitvoering van het contract kunt afdwingen.'

'Dat zullen we nog wel eens zien.'

'U kunt een advocaat in de arm nemen en een langdurig proces voeren dat u waarschijnlijk gaat verliezen,' zei Amanda.

'Ik waag het erop.'

Keys maakte aanstalten om op te staan.

'Of we kunnen dit probleem op een andere manier oplossen,' zei Amanda.

Keys ging weer zitten. 'Ik luister.'

'Charlie erkent geen enkele juridische verplichting uit het contract, maar hij staat niet onwelwillend tegenover uw situatie. Hij is bereid om zonder tussenkomst van de rechter aan uw eisen tegemoet te komen.'

'Over welk bedrag hebben we het?' vroeg Keys. Hij probeerde nonchalant te kijken, maar dat mislukte volkomen.

'Charlie is bereid u een cheque voor vijftigduizend dollar te geven als u van alle eisen uit uw oude contract afziet.'

'Vijftig! Dat is niets. Ik lees *Variety*. Ik weet hoeveel hij van zijn uitgever heeft gekregen.'

'Hij zal een groot deel van zijn voorschot moeten gebruiken om zijn verdediging te financieren. En vergeet de belasting niet. Die zullen hem achternazitten, net zoals ze u ook achterna hebben gezeten. Dus misschien houdt hij uiteindelijk niets over. Vijftigduizend dollar is veel meer dan vijftien procent van nul.'

Kate en Amanda bleven rustig zitten terwijl Keys zijn mogelijkheden afwoog. Zijn lichaamstaal zei meer over zijn dilemma dan woorden. Toen hij ten slotte iets zei, liet hij er gelaten zijn schouders bij zakken.

'Maak er dan vijfenzeventig van,' zei Keys.

'Akkoord,' zei Amanda na een korte aarzeling om Keys de indruk te geven dat haar besluit haar moeite kostte. Eerder die ochtend had Charlie haar een volmacht gegeven om tot honderdduizend dollar te gaan om Keys af te kopen.

'Ik wil vandaag een cheque.'

'Dat is geen probleem. Bent u bereid om een paar vragen over Charlies zaak te beantwoorden nadat ik u de cheque heb gegeven?'

'Ja, dat is best. Vraag maar raak,' antwoordde Keys. Hij klonk vermoeid.

'Ik zal de cheque uitschrijven terwijl u dit leest,' zei Amanda terwijl ze Keys een document overhandigde waarin hij ermee akkoord ging dat hij afzag van het recht om als Charlies agent op te treden.

Zodra hij het had ondertekend, gaf Amanda de cheque aan Keys. Vervolgens was het Kates beurt om het woord te voeren.

'Meneer Keys, hoe hebt u de heer Marsh leren kennen?'

Keys lachte. 'Dat is een mooi verhaal. Na die schietpartij in de gevangenis was Charlie groot nieuws, maar niemand kon hem bereiken. Technisch gezien zat hij nog steeds gevangen en in het ziekenhuis werd hij door agenten uit de publiciteit gehouden.' Keys grijnsde even triomfantelijk. 'Weet u wat ik gedaan heb?'

'Ik heb echt geen flauw idee,' antwoordde Kate.

'Ik heb een verpleegster een paar dollar toegestopt om het nummer van zijn kamer te weten te komen en zo'n pasje te krijgen dat je aan je jas kunt hangen. Ik verving de foto van de dokter op het pasje door die van mij en kleedde me om. Ik had een klembord, een stethoscoop en een witte jas.' Hij haalde zijn schouders op. 'Het was een fluitje van een cent. De agent bij de deur keek even naar het pasje en ik kon zo doorlopen. Charlie vond mijn lef wel leuk. Volgens mij had hij het idee dat als ik de agenten voor de gek kon houden, het mij ook zou lukken om de mensen van de uitgeverijen en de filmstudio's te belazeren. En ik had al een paar goede ideeën voor de merchandising.'

Keys zweeg even. Hij keek bedachtzaam. 'Charlie heeft de juiste keus gemaakt. Ik heb goed aan hem verdiend. Ik bedoel, het geld stroomde binnen.' Keys zweeg weer even. 'Misschien kan ik dat beter niet zo zeggen, vanwege de belasting en zo.'

'Van wie kwam het idee van de Innerlijk Licht-zwendel?'

'Dat heb ik bedacht. Ik had daar de boekhoudkundige achtergrond voor.'

'Heeft de heer Marsh ooit bezwaar gemaakt?' vroeg Kate.

'Wilt u weten of ik Charlie ergens toe heb moeten dwingen?'

Kate knikte.

'U moet niet vergeten dat Charlie in de gevangenis zat. Hij heeft zijn hele leven al mensen opgelicht. Hij had alleen nog nooit op deze schaal geopereerd.'

Amanda vroeg of Keys de fraude in het kort wilde samenvatten. Toen hij daarmee klaar was, stelde Kate Keys een vraag over de avond van de moord.

'Met wie was u samen met Charlie bij de sociëteit?'

'Even kijken... ikzelf, Charlie, Delmar Epps, en... er was nog iemand.'

Keys dacht even diep na. Toen rolde hij met zijn ogen. 'Ik was Moonbeam vergeten.'

'Wie?' onderbrak Amanda hem.

'Die groupie.' Keys schudde zijn hoofd. 'Een afgrijselijk gestoorde meid die zich aan Charlie had vastgeklampt. Ik neem aan dat ze in bed beter was dan wie ook, want ik kan geen andere reden bedenken waarom Charlie het met haar uithield. Hoe dan ook, zij zat ook bij ons in de auto.'

'Wat kunt u zich herinneren over de dure revolver waarmee congreslid Pope werd vermoord?' vroeg Kate.

'Die had Charlie van een of andere griet gekregen met wie hij in Texas naar bed was geweest. Haar man was een stokoude oliemagnaat annex wapenverzamelaar. Charlie zag de revolver toen hij bij haar thuis was. Hij vond hem meteen mooi. Toen Charlie wegging, heeft ze hem aan hem gegeven. Ik kafferde hem uit omdat hij hem had aangepakt. Jezus, hij was voorwaardelijk op vrije voeten. Ze hadden hem meteen terug naar de gevangenis kunnen sturen wegens wapenbezit.'

'Hoe kwam de revolver bij de Westmont terecht?'

'Delmar Epps had hem bij zich. Hij deed niets liever dan dat ding meesjouwen en doen of hij Wyatt Earp was. Ik weet nog goed dat hij hem in de auto rond zijn vinger liet draaien, want toen de limousine over een bult in de weg reed, liet hij hem vallen. Ik kreeg bijna een hartaanval. De loop van dat verdomde ding wees precies mijn kant uit toen hij op de vloer stuiterde. Ik dacht dat hij af zou gaan. Ik schreeuwde tegen Delmar dat hij die verdomde revolver weg moest stoppen en ik zie nog duidelijk voor me dat hij hem tijdens de rit naast zich op de zitting legde.'

'Had hij het wapen bij zich toen hij de auto verliet?'

Keys fronste zijn voorhoofd. 'Delmar had het wapen meestal tussen zijn broekriem zitten, maar ik weet niet of hij het bij zich had toen hij uit de limousine stapte. Een of andere bekende van Charlie deed in plaats van de chauffeur het portier van de limousine open en kreeg het met Delmar aan de stok. Toen ik uitstapte, was al mijn aandacht daarop gericht. Ik stapte zo snel als ik kon achteruit omdat ik niet tussen ze in wilde staan als ze gingen vechten.'

'Weet u waar Epps op dit moment is?' vroeg Kate.

'Dat weet ik toevallig. Hij is dood. Hij is bij een verkeersongeluk om het leven gekomen. Er stond een heel stuk over in de krant vanwege zijn relatie met Charlie.'

Toen Kate op het punt stond haar volgende vraag te stellen werd ze tegengehouden door een klop op de deur.

'Het spijt me dat ik u stoor, mevrouw Jaffe,' zei de receptioniste, 'maar er zit een agent van de FBI in de wachtkamer die u wil spreken.'

Amanda fronste haar voorhoofd. Ze had een paar zaken lopen bij het federale hof, maar ze kon geen reden bedenken waarom een agent contact met haar zou zoeken.

'Gaan jullie maar met z'n tweeën verder,' zei ze voordat ze de kamer verliet.

In de receptieruimte stond een stevig gebouwde, breedgeschouderde man met golvend zwart haar. Amanda kende hem niet. Hij droeg een marineblauw krijtstreepkostuum, een helderwit overhemd en een smaakvolle donkerblauwe das met rode en gele streepjes.

'Ik ben Amanda Jaffe,' zei ze terwijl ze hem haar hand toestak.

'Agent Daniel Cordova van het FBI-bureau in Seattle,' zei hij met een ontspannen glimlach. 'Blij kennis met u te maken. Op het bureau in Portland zeggen ze alleen maar goede dingen over u.'

'O, o. Dat betekent waarschijnlijk dat ik mijn werk niet zo goed doe,' antwoordde Amanda, op haar beurt glimlachend.

'Uit wat ik hoor, maak ik op dat u het juist té goed doet.'

'Agent Cordova, wat kan ik voor u doen?'

'Kunnen we ergens onder vier ogen spreken?'

Kate zat nog steeds met Mickey Keys te praten en het dossier van de zaak-Pope lag nog steeds op de tafel in de vergaderzaal. Frank was naar de rechtszaal, dus liep Amanda met de FBI-agent naar het kantoor van haar vader.

'U vertegenwoordigt Charles Marsh inzake een door de staat ingediende aanklacht wegens moord,' zei Cordova toen ze zaten.

'Ja, dat klopt,' antwoordde Amanda behoedzaam.

'Bent u in de loop van uw werk daaraan de naam Gary Hass tegengekomen?'

'Was hij niet een medeplichtige van Werner Rollins, een van de getuigen à charge in de zaak-Pope?'

'Dat klopt. En Hass is nog steeds op het misdadige pad. We willen hem heel graag arresteren. Een paar dagen geleden is er in Seattle een Russische drugshandelaar doodgemarteld die Ivan Mikhailov heette. Mikhailov probeerde een deel van de markt in te pikken die wordt bediend door Julio Dominguez. Dat is ook een handelaar, die banden heeft met een drugskartel in Zuid-Amerika. Een informant heeft ons verteld dat Hass Mikhailov heeft vermoord in opdracht van Dominguez.'

'Wat heeft dat met Charlie te maken?'

'Hopelijk niets. Maar we hebben Hass' hotelkamer doorzocht. Hij had een aantal krantenartikelen verzameld die betrekking hadden op de heer Marsh en diens terugkeer naar Oregeon om terecht te staan. Weet u of Hass en de heer Marsh onenigheid hadden voordat Marsh het land uit vluchtte?'

'Ik kan niets zeggen over wat mijn cliënten me in vertrouwen meedelen, maar waarom wilt u dat weten?'

'Hass is een merkwaardige figuur. Hij is erg slim en gebruikt vaak grof geweld. Hij staat erom bekend dat hij jarenlang een wrok blijft koesteren. Mogelijk is hij in Oregon om een oude rekening te vereffenen.'

'Hebt u gehoord dat er na Charlies hoorzitting een sluipschutter geprobeerd heeft hem te vermoorden?' vroeg Amanda.

'Dat is ook de reden van mijn komst.'

'Denkt u dat Hass de sluipschutter was?'

'We hebben geen bewijzen die dat ondersteunen, maar ik wil graag met uw cliënt praten om erachter te komen of hij iets weet wat ons kan helpen Hass in te rekenen. Als Hass probeert uw cliënt te vermoorden, kan zijn medewerking alleen maar voordelig voor hem uitpakken.'

'Wilt u hier even wachten terwijl ik Charlie bel?'

Amanda deed de deur dicht en wilde net de gang naar de vergaderzaal in lopen toen haar mobieltje overging.

'Hebt u al met uw cliënt gesproken, mevrouw Jaffe?' vroeg Nathan Tuazama. Amanda's hart begon sneller te slaan. Ze gaf het niet graag toe, maar de Batangees joeg haar de stuipen op het lijf.

'Hij denkt na over uw verzoek.'

'Ik bel u vanmiddag terug. Als u geen positief antwoord voor me hebt, treedt plan B in werking.'

Tuazama verbrak de verbinding. Amanda vloekte en haastte zich naar de vergaderzaal. Ze belde vanaf de telefoon op een laag kastje naar Charlies hotelkamer. Toen de telefoon twee keer was overgegaan, nam Marsh op.

'Er zijn twee redenen waarom ik je bel, Charlie, en die zijn allebei serieus. Er zit een FBI-agent die Cordova heet bij ons op het kantoor. Hij wil met je over Gary Hass praten.'

Amanda hoorde een diepe ademhaling aan de andere kant van de lijn. 'Charlie?'

'Wat is er met Gary?'

'Ze denken dat hij kort geleden in Seattle is geweest. Hij wordt verdacht van een moord die daar is gepleegd. Toen de FBI zijn hotelkamer doorzocht, hebben ze krantenartikelen over je gevonden. Zou er een reden kunnen zijn dat hij je wil vermoorden?'

'Denkt de FBI dat hij de sluipschutter is?'

'Ik geloof niet dat ze iets concreets hebben, maar Cordova wil met je over Gary praten om erachter te komen of hij misschien in Oregon is om jou op het spoor te komen. Wat wil je dat ik tegen hem zeg?'

'O, jezus. Dat had ik nog net nodig. Tuazama en Hass achter m'n reet.'

'Dat is het andere onderwerp waarover ik met je wilde praten. Nathan Tuazama heeft net gebeld. Hij wil in de loop van de middag een antwoord.'

'Als ik met de FBI praat, krijg ik dan bescherming van ze?'

'Dat weet ik niet, Charlie. Ik denk niet dat ze iets voor je kunnen doen zolang je tegen een aanklacht wegens moord zit aan te kijken, tenzij je met een of ander verbluffend bewijs op de proppen komt over een enorme zaak waar ze hulp bij nodig hebben. Ik krijg de indruk dat Cordova alleen maar wil weten of er een reden is dat Hass misschien in Oregon is. Wil je met hem praten? Ik zal ervoor zorgen dat hij je niets vraagt wat nadelig is voor je zaak. Als de FBI Hass arresteert, heb jij meteen een zorg minder.'

'Goed, kom maar met hem hierheen. Dan heb ik tenminste een verzetje.'

'Ik kom meteen. Trouwens, het probleem met Mickey Keys is opgelost. Hij heeft een verklaring ondertekend waarin hij afziet van alle rechten waarover hij als jouw agent eventueel zou kunnen beschikken.'

'Wat heeft me dat gekost?'

'Vijfenzeventig.'

'Verdomme, zo houd ik geen cent over.'

'Zie het maar als een probleem minder.'

'Ja, goed.'

'Weet je al wat je wilt dat ik tegen Tuazama zeg?'

'Nee, nog niet. Ik wil nog even nadenken over wat me te doen staat en dat gedoe met Gary maakt het er allemaal niet eenvoudiger op.'

'Meneer Marsh, hebt u enig idee waarom Gary Hass krantenartikelen over u in zijn hotelkamer heeft liggen?' vroeg agent Cordova meteen nadat ze aan elkaar waren voorgesteld.

'We kennen elkaar al een hele tijd en hij was erbij toen het congreslid werd vermoord. Ik kan best begrijpen dat hij belangstelling heeft om over mij en de zaak te lezen.'

'Waarom zou hij, nieuwsgierigheid daargelaten, in u geïnteresseerd zijn? Heeft hij een reden waarom hij u kwaad zou willen doen?'

Charlie dacht even na. 'Misschien wel. Op de dag dat Pope stierf, kwam Gary naar een van mijn signeersessies en bedreigde me.'

'Waar ging dat over?' vroeg Cordova.

Charlie leek zich opeens een stuk minder op zijn gemak te voelen.

'Niet antwoorden als het over iets gaat wat met criminaliteit te maken heeft,' waarschuwde Amanda hem.

'Mevrouw Jaffe, meneer Marsh, ik maak hier geen aantekeningen van en ik beloof u dat ik niets van wat de heer Marsh me vertelt zal gebruiken om hem in moeilijkheden te brengen. De FBI wil Hass graag inrekenen. Het gaat hier alleen om achtergrondinformatie.'

Charlie keek naar Amanda. Ze knikte.

'Gary zei dat er voorvallen in het boek stonden die aan zijn leven waren ontleend en daar wilde hij geld voor zien.'

'Wat voor voorvallen?' vroeg Cordova.

'Een hoofdstuk ging over een bankoverval. Dat is wat ik me kan herinneren.'

'Hoezo een bankoverval?'

'Ik heb geschreven dat ik een bank overviel, waarbij alles in het honderd liep en er ook een paar doden vielen. Hij zei dat ik daar niet bij was en hij wilde geld zien omdat, zo zei hij, ik met de eer ging strijken voor iets wat hij had gedaan.'

'Wat deed u toen hij u om geld vroeg?' vroeg Cordova.

'Ik zei dat ik niet van plan was om hem ook maar een cent te geven.'

'Hoe reageerde hij daarop?'

'Gary was woest. Hij kan niet verkroppen dat hem iets geweigerd wordt. Hij zei dat hij me tijd zou geven om na te denken en dat we later bij de sociëteit over het geld zouden spreken. Hij kwam daar wel opdagen, maar vanwege de moord kregen we geen kans om verder te praten.'

'Hebt u hem daarna nog gezien?'

'Nee. Ik was tot een paar dagen geleden in Afrika. Ik heb zelfs niet eens aan Gary gedacht.'

'Denkt u dat Hass na al die jaren nog steeds wrok koestert?' vroeg Cordova.

'Gary's hersens werken niet zoals die van een normaal mens,' legde Charlie de agent uit. 'Hij gelooft niet in vergeven en vergeten. Dus dat zou best kunnen.'

'Zou hij boos genoeg op u kunnen zijn om te proberen u te vermoorden?'

'Bedoelt u de sluipschutter?' Charlie schudde zijn hoofd. 'Daar zie ik hem niet voor aan. Gary hoort zijn slachtoffers graag gillen. Ik heb ook nooit gehoord dat hij een goede schutter was. Hij gebruikt liever een mes. Of een pistool. Hij zou er niet voor terugdeinzen om een van die twee te gebruiken, maar dan moet hij wel dicht in de buurt van het slachtoffer zijn.'

'Hoe denk je écht over de mogelijkheid dat Hass de sluipschutter is?' vroeg Amanda toen Cordova was vertrokken.

'Ik meende wat ik zei. Ik zie hem er helemaal niet voor aan. Gary is zwaar gestoord. Hij wil zijn slachtoffers van dichtbij zien lijden. Een schot van grote afstand lijkt me niets voor hem.'

'En hoe zit het met Tuazama?'

'O, die zie ik er best voor aan. Tuazama doodt niet voor de lol. Ik denk dat hij niet eens weet wat lol is. Hij is praktischer ingesteld. Als er iemand moet worden vermoord, doet Nathan dat. Voor hem is het net zoiets als een band verwisselen.'

'Als hij echt zo gevaarlijk is, wat moet ik dan tegen hem zeggen over de diamanten?'

'Ik kan ze niet aan hem geven. Dat zou een smet zijn op Bernadettes nagedachtenis.'

'Als dat je beslissing is, vind ik dat we een deel van het geld dat ik in beheer heb, moeten gebruiken om een lijfwacht in dienst te nemen.'

'Dat helpt geen moer. Als Tuazama wil dat ik doodga, kan niets hem tegenhouden. Dat is nog een reden waarom ik hem de diamanten niet kan geven. Als hij ze eenmaal heeft, heeft hij geen enkele reden om me in leven te laten. Die edelstenen zijn het enige wat me in leven houdt.'

37

Charlie werd knettergek, maar zolang Tuazama vrij rondliep, waagde hij zich niet uit zijn hotelkamer. Hij belde de roomservice voor zijn diner, keek naar een speelfilm op het interne televisiecircuit en probeerde vervolgens in slaap te komen. Op het moment dat hij zijn ogen dichtdeed, dacht hij aan Tuazama. Zijn hart ging sneller slaan. Om half twee, na verscheidene flesjes drank die hij in de minibar ontdekt had naar binnen te hebben gewerkt, viel hij ten slotte van vermoeidheid in slaap. Om zeventien minuten over twee sneed de doordringende bel van de telefoon naast zijn bed als een scheermes door zijn brein.

'Met wie, verdomme?' vroeg hij nadat hij op de tast de hoorn had gevonden.

'Charlie?' vroeg een vrouwenstem. Het was een stem die hij nooit zou vergeten. Charlie ging overeind zitten en deed de lamp op zijn nachtkastje aan.

'Sally? Wat is er? Het is twee uur in de ochtend.'

'Ik moet met je spreken.'

'Wanneer?' vroeg Charlie, nog steeds half verdoofd doordat hij diep had liggen slapen toen hij wakker werd gebeld.

'Nu, vannacht nog.'

Charlie vond dat Sally wanhopig klonk, maar hij piekerde er niet over om in het holst van de nacht zijn veilige hotelkamer te verlaten.

'Heb je niet gehoord wat ik zei? Het is twee uur in de ochtend. Ik sliep als een blok.'

'Het moet nu.'

Sally's stem trilde, wat Charlie deed weifelen. De Sally die hij kende had zichzelf altijd in bedwang.

'Wat is er zo belangrijk dat het niet een paar uur kan wachten?'

'Het gaat over je zaak. Er is iets wat ik je moet laten zien. Het kan niet tot morgenochtend wachten.'

'Ik weet niet eens waar je woont. Ik heb geen auto.'

'Neem een taxi. Ik breng je wel terug.'

Sally gaf hem aanwijzingen hoe hij bij haar huis kon komen.

'Dat is ergens in een uithoek,' zei Charlie. 'Ik ga niet midden in de nacht de rimboe in. Trouwens, als het over mijn zaak gaat, wil ik dat mijn advocaat erbij is.'

'Nee. Dit kan niet tot morgenochtend wachten. Het moet echt nu,' zei ze weer. 'En je moet alleen komen. Ik weet iets wat je kan helpen om je zaak geseponeerd te krijgen.'

'Wat weet je dan?'

'Dat kan ik je niet via de telefoon vertellen. Ik moet het je laten zien. Alsjeblieft.'

Charlie was klaarwakker en wijs genoeg om te beseffen dat het hem niet zou lukken weer in slaap te komen. Als hij niet ging, zou hij de hele nacht opblijven en zich voorstellingen proberen te maken van wat Sally hem wilde laten zien.

'Goed, ik kom, maar dan moet het wel de moeite waard zijn.'

'Dank je, Charlie. Dank je.'

Sally verbrak de verbinding. Charlie zat op de rand van het bed en dacht na over wat er zojuist was gebeurd. Ze had gezegd dat ze hem iets kon laten zien waardoor zijn zaak geseponeerd zou worden. Het klonk te mooi om waar te zijn. Wat kon ze in godsnaam nu weten dat ze twaalf jaar geleden niet wist?

Sally had niet blij of zelfverzekerd geklonken. Ze klonk wanhopig en leek in paniek, en dat waren gevoelens die hij nooit met haar in verband zou hebben gebracht. Waar was ze bang voor en waarom kon ze niet tot morgenochtend wachten om hem te laten zien wat voor bewijzen ze had? Het was erg verwarrend, maar hij was te moe om daar goed over na te denken en te opgewonden om weer in slaap te komen. Hij belde de receptie, vroeg of ze een taxi voor hem wilden bestellen en kleedde zich aan.

De taxichauffeur was een praatgrage grijsaard uit Oekraïne, die tijdens het eerste deel van de rit Charlie ongevraagd zijn mening verkondigde over de huidige stand van zaken in het Amerikaanse voetbal. Toen ze de snelweg hadden verlaten en de kenmerken van de beschaving uit het oog verdwenen, hield hij tot Charlies grote opluchting zijn mond. In het donker had de rit door het dunbevolkte platteland iets spookachtigs.

Ondanks Sally's aanwijzingen miste de chauffeur bijna de smalle afslag naar haar landgoed. Zodra ze de opening in de muur waren gepasseerd, reden ze door een dicht bos, wat Charlie het verwarrende, claustrofobische gevoel gaf dat hij zich in een doodskist van gebladerte bevond. Zijn angst werd er niet minder op toen ze het woud uit reden. Bij daglicht zag Sally's vooroorlogse landhuis er door de kleurige bloemperken en het heldergroene gazon vrolijk uit. 's Nachts leek het huis, dat alleen door het bleke licht van de halve maan werd verlicht, meer op een menselijke schedel.

Toen ze bij de voorkant van het huis aankwamen, keek Charlie of hij ergens een teken van leven zag. Ten slotte zag hij een vaag geel licht, dat door de gordijnen van een kamer op de benedenverdieping naar buiten viel.

'Stop hier maar,' zei Charlie toen de taxi bij de voordeur aankwam.

'Wilt u dat ik wacht?' vroeg de chauffeur.

Charlie dacht even na. Sally had gezegd dat ze hem terug naar de stad zou brengen en hij had ook zijn mobieltje bij zich.

'Nee, u kunt gaan.'

Charlie stapte uit en de taxi reed weg. Er stond een lichte bries en er hing een flauwe geur van pas gemaaid gras. Er klonken nachtelijke geluiden, maar verder was er niets te horen. Hij had een angstig gevoel en draaide zich langzaam om om zich ervan te overtuigen dat er niemand achter hem stond. Hij had zich bijna omgedraaid toen hij op de plek waar het woud ophield en het gazon begon iets meende te zien bewegen. Hij tuurde in het duister. Het was of hij de ruimte tussen de laaghangende takken van een boom het ene moment niet kon zien en het volgende moment wel. Hij tuurde in het duister om erachter te komen waardoor dat veroorzaakt werd, maar hij hoorde of zag niets. Hij schreef het verschijnsel toe aan zijn verbeelding en liep de trap naar de veranda op.

Er brandde nergens licht, zodat het even duurde voordat Charlie de bel had ontdekt. Het geluid weerklonk hol in de gang op de benedenverdieping. Terwijl Charlie op Sally stond te wachten, hoorde hij achter zich een zwak geluid. Hij draaide zich om in de richting van het erf, maar hij zag nog steeds niets. Toen hij zich weer omdraaide, waren zijn ogen aan het duister gewend geraakt en zag hij dat de voordeur op een kier stond. Hij duwde ertegen. De deur ging open. Charlie aarzelde voordat hij naar binnen ging. Aan het eind van een lange gang brandde licht. Charlie liep er voetje voor voetje naartoe en riep ondertussen Sally's naam. Hij stond op een reactie te wachten toen hij de hond zag. Hij lag op zijn zij, gedeeltelijk verborgen achter een lage cederhouten kist die bij de trap naar de eerste verdieping stond. Charlie nam aan dat de collie lag te slapen. Op dat moment drong het echter tot hem door dat als de hond had liggen slapen, hij wakker zou zijn geworden toen hij Sally's naam riep.

Charlie liep naar de kist en keek over de rand. Het hoofd van de collie lag in de schaduw en het duurde even voordat hij zag dat het in een grote plas bloed lag. Hij deinsde terug, bijna over zijn eigen voeten struikelend. Als Charlies DNA een gezond-verstand-gen had bevat, zou hij ervandoor gegaan zijn. In plaats daarvan pakte hij een koperen kandelaar die op de kist stond en liep verder de gang in, in de richting van het licht. Zijn voeten maakten geen geluid op het tapijt en hij kon zijn hart als een razende tekeer horen gaan. Charlies verhoogde bewustzijn richtte zich op de open deur aan het eind van de gang. Toen hij voorzichtig dichterbij kwam, kon hij een vloerkleed, het uiteinde van een bank en een deel van een tafel onderscheiden.

Charlie drukte zich tegen de muur en schuifelde zijdelings in de richting van de kamer, de kandelaar als een slaghout in de aanslag houdend. Toen Charlie bij de deuropening kwam, wachtte hij even en haalde diep adem. Vervolgens ging hij met een draaiende beweging en een arm boven zijn hoofd de kamer binnen.

Hij stond in een grote woonkamer en het licht dat hij vanaf de andere kant van de gang had gezien kwam van een schemerlamp die naast een telefoon stond. Naast het bijzettafeltje stond een houten stoel met een rechte rugleuning. Sally Pope was er met duct tape op vastgebonden. Haar hoofd was voorovergezakt. Ze droeg een witte nachtpon, zodat het bloed dat door de stof sijpelde des te meer opviel.

Charlie zag ook het lichaam van een donkerharige vrouw, dat languit op de vloer voor een lange zitbank lag. Hij kon niet zien of ze dood was of alleen maar bewusteloos. Hij wilde net naar haar toe lopen toen een gedempt geluid hem deed omdraaien. Op de vloer bij de open haard lag een jongen hem met wijdopen ogen aan te kijken. Hij was met hetzelfde grijze duct tape vastgebonden als waarmee Sally op haar stoel gebonden zat. Hij probeerde Charlie iets duidelijk te maken, maar door de tape waarmee zijn mond dicht was geplakt waren zijn woorden onverstaanbaar.

Charlie begon naar de jongen toe te lopen, die heftig met zijn hoofd bewoog in de richting van de gordijnen aan weerszijden van de tuindeuren die toegang tot de patio boden. De gordijnen bewogen en er kwam een man tevoorschijn. Hij was in het zwart gekleed en zijn gezicht zat verbogen achter een skimasker.

'Wie…?' was alles wat Charlie kon uitbrengen voordat de man de revolver die hij beethield omhoogstak. Vlak voordat de kogel hem raakte, hoorde Charlie achter zich iemand bewegen. Terwijl hij viel, hoorde hij meer schoten en het geluid van versplinterend glas. Toen verloor hij het bewustzijn.

38

'Pap,' zei Amanda zodra Frank Jaffe de telefoon opnam, 'Sally Pope is dood. Ze is vermoord.'

Amanda wachtte op een reactie. 'Pap?' zei ze nogmaals toen hij niet reageerde.

'Ik... Dat is... Wat is er gebeurd?'

Het was tweeëntwintig minuten voor zeven in de ochtend. Frank maakte zich gereed voor zijn werk. Hij kwam juist uit de badkamer en schrok toen de telefoon onverwacht overging. De woorden van zijn dochter hadden hem met stomheid geslagen. Hij liet zich op de rand van het bed zakken.

'Ik weet niet wat er precies is gebeurd, maar ik ben erachter gekomen omdat iemand Charlie Marsh heeft neergeschoten. Hij heeft me vanuit het ziekenhuis door iemand laten bellen. Sally is in haar eigen huis vermoord. Hij was daar ook.'

'Wat deed Marsh in Sally's huis?'

'Dat weet ik niet. Ik ga nu naar het ziekenhuis. Zo gauw ik meer weet, hoor je het.'

Amanda verbrak de verbinding. Frank bleef nog even met de hoorn in zijn hand zitten. Het kostte moeite om hem weer op de haak te leggen. Frank voelde zich plotseling heel oud. Hij liet zijn schouders zakken. Er kwam een snik over zijn lippen. Hij werd door verdriet overmand.

De politieagent die Charlies ziekenhuiskamer bewaakte, controleerde Amanda's legitimatie voordat hij haar naar binnen liet. Charlie zat, half overeind gehouden door kussens, in bed. Een heel assortiment draden en plastic buisjes verbond hem met monitors en zakjes intraveneuze voeding. Zijn zonverbrande huid was een paar tinten bleker en zijn linkerarm zat in een mitella.

'Hoe voel je je?' vroeg Amanda terwijl ze een stoel naast het bed trok.

'Als ik geweten had wat voor een fijn gevoel je van morfine krijgt, had ik me al een tijd geleden laten neerschieten,' antwoordde Charlie met een melige grijns. Meteen daarop werd hij serieus. 'Ze wilden me niets vertellen. Is Sally dood?'

Amanda knikte. 'En Gina, haar persoonlijke assistent, ook. Sally's zoontje heeft geen verwondingen, maar hij is zo getraumatiseerd dat de artsen niet willen dat hij door de politie wordt ondervraagd. Jij bent de enige andere overlevende. De rechercheur die belast is met het onderzoek zit in de wachtkamer. Hij wil je ondervragen. Ik heb tegen hem gezegd dat ik je zou vragen wat je wilt.'

'Wat vreselijk. Ik mocht Sally erg graag.'

'Wil je met de rechercheur praten? Ik blijf bij je om je te beschermen als hij te ver mocht gaan.'

'Ja, ik praat wel met hem.'

'Een van de dingen die ze zullen willen weten is waarom jij niet dood bent.'

'Dat is eenvoudig. Iemand heeft me gered.'

'Wie?'

'Geen idee. Dat heb ik niet gezien.'

'Wat deed je in het holst van de nacht in het huis van Sally Pope?'

'Ze belde me. Ze wilde dat ik meteen naar haar toe kwam. Ik moest alleen komen. Ze beweerde dat ze iets wist waardoor mijn zaak geseponeerd zou kunnen worden.'

'Wat voor iets?'

'Dat wilde ze me niet vertellen. Ze zei dat ze het me moest laten zien.'

'Hoe klonk ze tijdens dat gesprek?'

'Haar stem beefde. Ze klonk paniekerig.'

'Denk je dat ze gedwongen werd om te zeggen wat ze zei om jou naar haar huis te lokken?'

'Dat weet ik wel zeker. De moordenaar heeft waarschijnlijk haar zoontje bedreigd om haar te dwingen mij te bellen.'

Amanda knikte instemmend. 'Ga verder.'

'Ik heb een taxi genomen. Toen ik bij het huis aankwam, was alles donker. Ik ging naar binnen en zag dat iemand de hond had gedood en dat er licht uit de woonkamer kwam. Toen ik de kamer binnen ging, zag ik dat Sally met tape op een stoel was vastgebonden. Haar hoofd hing omlaag, zodat ik niet goed kon zien of ze dood was, maar haar nachtpon zat onder het bloed. Er lag nog een vrouw languit op de vloer.'

'Dat was Gina.'

'Sally's zoontje probeerde me te waarschuwen, maar de moordenaar had tape over zijn mond geplakt, zodat ik niet kon horen wat hij zei. Het volgende moment stapte die vent achter de gordijnen vandaan en schoot me neer.'

'Weet je zeker dat het een man was?'

'Vrij zeker. Hij droeg een skimasker en handschoenen, maar hij had de bouw van een man.'

'Goed. Wat is er daarna gebeurd?'

'Vlak voordat ik werd neergeschoten hoorde ik iemand achter me, maar ik werd geraakt voordat ik me om kon draaien. Voor en achter me werden nog meer schoten afgevuurd en ik hoorde brekend glas. Ik neem aan dat het het glas van de tuindeuren was. Het eerstvolgende wat ik me herinner, is dat ik hier wakker werd.'

'Er waren dus twee schutters,' peinsde Amanda. 'Dat kan misschien het telefoontje naar de alarmcentrale verklaren.'

'Wat voor telefoontje naar de alarmcentrale?'

'Het telefoontje dat ervoor heeft gezorgd dat je niet doodgebloed bent. Iemand heeft anoniem naar de alarmcentrale gebeld, anders hadden ze je nooit op tijd gevonden om je te kunnen redden. Toen de ziekenauto kwam, was je bijna dood door al het bloedverlies. Ik vermoed dat degene die je heeft gered ook het telefoontje heeft gepleegd.'

De deur ging open en de politieagent die de kamer bewaakte, kwam binnen. Hij zag er niet vrolijk uit.

'Er staat iemand op de gang die beweert dat hij deel uitmaakt van het team van de verdediging. Hij wil met meneer Marsh spreken.'

'Zeg tegen die agent dat ik met je samenwerk en dat ik het recht heb om met onze cliënt te spreken,' schreeuwde een woedende Dennis Levy vanaf de gang.

'Wil je me even excuseren?' vroeg Amanda aan Charlie. Ze liep de gang op en pakte Levy bij zijn elleboog.

'Kom mee,' zei ze terwijl ze Dennis de gang op leidde tot ze zo ver van de agent verwijderd waren dat hij hen niet kon horen.

'Jij bent géén lid van het team van de verdediging,' zei Amanda. 'Jij bent een verslaggever en je hebt geen wettelijk recht om met Charlie te praten.'

'Wacht even. Het gaat om een groot verhaal,' zei Levy terwijl hij van opwinding op en neer stond te springen.

'Kan het je helemaal niets schelen dat Charlie is neergeschoten?'

'Dat vind ik heel erg. Dat meen ik. Maar je hebt geen idee hoe groot dit verhaal is. Daar heb je écht geen idee van.'

'Ik weet hoe groot jij denkt dat het is, omdat je me dat al een paar keer hebt verteld. Waar ik niets van gemerkt heb, is ook maar een greintje medeleven met degenen die erbij betrokken zijn. Is het tot je doorgedrongen dat er de afgelopen nacht een aantal mensen is vermoord? Die zijn dood, Dennis.'

'Hé, verslaggevers hebben de hele tijd met de dood te maken. Als ik er emotioneel bij betrokken raakte, zou ik mijn werk niet meer kunnen doen.'

'Je gebrek aan emotionele betrokkenheid is vrij duidelijk te merken, maar ik kan mijn emoties niet afsluiten. Ik geef echt om Sally Pope en Gina en Charlie. Dat zijn allemaal mensen. Charlie had wel kunnen sterven. Ik wed dat dat je plannen echt in de war zou hebben gestuurd. Ga nu naar de wachtkamer en val de agent niet meer lastig. Als ik hier klaar ben, hoor je alles wat ik je kan vertellen.'

Amanda wachtte tot Dennis de hoek om was voordat ze de bewaker benaderde.

'Ik bied u mijn verontschuldigingen aan voor het gedrag van de heer Levy. Hij gaat soms wat al te voortvarend te werk.'

De agent knikte, maar hij keek nog steeds boos. Toen Amanda Charlies kamer weer binnen ging, zat hij diep in gedachten verzonken naar zijn deken te staren.

'Ik wil je nog wat vertellen,' zei Charlie.

'Ga je gang.'

'Ik lag hier na te denken over hoe ik bijna dood ben gegaan en wat ik met mijn leven heb gedaan. Voordat Freddy de kolder in zijn kop kreeg en die gijzelaars ontvoerde, was ik niemand, een kleine misdadiger. Toen werd ik iemand, maar dat kwam doordat ik loog.'

'Het kwam doordat je de gijzelaars hebt gered.'

'Weet je waarom ik boven op die bewaker ben gaan liggen? Hij kon me geen ene moer schelen. Ik deed het alleen voor mezelf. Ik wist dat ik de rest van mijn leven in de gevangenis zou zitten als Freddy hem vermoordde. De enige reden dat ik dat deed, was om mijn eigen huid te redden, niet die van hem.

En dan die onzin over innerlijk licht. Dat was het namelijk, onzin. Toen ik vannacht werd neergeschoten, heb ik geen enkel licht gezien, net zomin als toen ik werd neergestoken. Mickey Keys heeft dat trucje bedacht omdat ik ermee op televisie kon komen. En daar had hij gelijk in. Iedereen slikte het voor zoete koek, maar het is nooit echt gebeurd. Net als de helft van wat er in mijn boek staat. Tenminste niet met mij. Het was Freddy die de meeste van die misdaden beging en bij die vechtpartijen betrokken was. Ik ben een lafaard. Ik ben nooit betrokken geweest bij een gevecht waaraan ik me kon onttrekken en ik heb nooit een wapen gebruikt of... Nou ja, je begrijpt wel wat ik bedoel. Ik heb dus eens diep nagedacht. Ik moet in mijn nieuwe boek eigenlijk die zaken rechtzetten. Ik moet de waarheid vertellen. Hoe denk je dat Dennis reageert als ik dat doe?'

'Dat weet ik niet en dat kan me eerlijk gezegd ook niet schelen. Als puntje bij paaltje komt, moet je gewoon doen wat jij denkt dat goed is en je niets aantrekken van wat Levy ervan vindt. Maar je moet nu eerst met de politie praten zodat ze degene die Sally heeft vermoord en jou heeft proberen te vermoorden kunnen pakken.'

Amanda vertrok en Charlie dacht na over wat hij zojuist had gezegd. Hij kon de waarheid vertellen over een aantal van de dingen waarover hij had gelogen, maar hij zou alleen als hij geen andere keus had de hele waarheid vertellen over wat er op de avond dat Arnold Pope Junior was gestorven bij de Westmont-sociëteit was gebeurd.

39

Op de dag na de moord op Sally Pope belde de privédetective uit Denver Kate op om haar te vertellen dat hij Werner Rollins had gevonden. Tot een maand geleden had Rollins in de staatsgevangenis van Colorado een straf uitgezeten in verband met een gewapende overval, maar nu was hij op erewoord vrij. Kate sprak met Henrietta Swift, Rollins' reclasseringsambtenaar, die een uur later terugbelde om Kate te laten weten dat Rollins akkoord ging met een gesprek met haar.

Tijdens de tweeënhalf uur durende vlucht van Portland naar Denver viel Dennis Levy Kate niet één keer lastig en zat ook niet op te scheppen over hoe geweldig hij was. Hij had het niet eens over hoe beroemd hij ging worden. Terwijl hij op zijn laptop zat te werken of uit het raam zat te staren, leek het of hij door iets anders in beslag werd genomen. Kate vroeg zich af waarom de verslaggever zo stil was, maar ze wilde haar geluk niet op de proef stellen door het hem te vragen.

Het gesprek met Rollins vond plaats in een sportcafé in de buurt van Coors Field. Ze zouden diezelfde avond laat terug naar Portland vliegen, zodat Kate op het vliegveld een auto huurde en meteen Denver in reed. Het was een prachtige zomerdag en het duurde even voordat Kates ogen zich van de felle middagzon hadden aangepast aan het gedempte licht in het café, maar het duurde niet lang voordat ze Rollins tussen de menigte lunchgasten ontdekte. Hij was de enige die alleen aan een tafel in een rolstoel zat.

Rollins' reclasseringsambtenaar had Kate ingelicht over de waanzinnige achtervolgingsrit, die tot een gevangenisstraf had geleid wegens het plegen van een gewapende overval en Rollins beide benen had gekost, maar ze had Kate niet voorbereid op de werkelijke tol die het ongeluk van de gangster had geëist. De Werner Rollins uit Kates verbeelding was een slankere versie van Conan de Barbaar. Er was niets dreigends aan de man in het morsige T-shirt van de Denver Broncos, die aan zijn tweede kan bier bezig was. Wanhoop had Rollins alle levenslust ontnomen en een zwaar leven had de scherpe contouren van zijn door steroïden opgepompte lichaam veranderd in vetkwabben.

'Meneer Rollins?' vroeg Kate terwijl ze zijn tafel naderden.

Rollins wendde zijn blik af van de voetbalwedstrijd die op een van de breedbeeldtelevisies werd uitgezonden die op verschillende plaatsen in het café stonden opgesteld.

'Dit is Dennis Levy en ik ben Kate Ross. Ik werk als detective voor Charlie Marsh. Dank u dat u de tijd hebt willen nemen om met ons te praten.'

'Ach ja, mijn secretaresse kon een plekje voor u vinden in mijn drukke agenda en Henrietta zei dat u mijn bier zou betalen. Dus daar hoefde ik niet lang over na te denken.'

Kate glimlachte. 'Mogen we?' vroeg ze, naar een van de stoelen bij de tafel wijzend.

'Ga uw gang.'

'Dennis is verslaggever. Hij verslaat Charlies proces voor *World News*. Hebt u er bezwaar tegen dat hij bij ons gesprek aanwezig is?'

Rollins haalde zijn schouders op. Kate had de indruk dat niets hem nog veel kon schelen.

'Hoe gaat het met die goeie ouwe Charlie?' vroeg Rollins.

'Hij heeft een moeilijke tijd achter de rug. Ik weet niet hoe nauwkeurig u zijn zaak hebt gevolgd, maar er zijn tot nu toe twee moordaanslagen op hem gepleegd. Bij de tweede poging is hij door een kogel geraakt. Hij ligt in het ziekenhuis.'

'Da's rot voor hem,' zei Rollins zonder al te veel overtuiging.

'Ik begrijp dat u met Charlie bevriend was,' zei Kate.

'Dat hebt u dan verkeerd begrepen. We zijn nooit echt goeie maatjes geweest. Ik duldde hem vanwege Freddy.'

'Freddie Clayton?'

Rollins knikte. 'Ze waren net Batman en Robin. Freddy nam die kleine schurk overal mee naartoe. Als ik Freddy niet echt goed gekend had, zou ik hebben gedacht dat het flikkers waren.' Rollins keek even naar Dennis, grinnikte en voegde eraan toe: 'Niet kwaad bedoeld, hoor.'

Levy kreeg een rood hoofd, maar hij reageerde niet.

'Maar u hebt Charlie vrij goed gekend?' vroeg Kate.

'O, ja. Het was net als in dat kinderversje: Freddy had een lammetje, dat liep steeds met hem mee. En dat lammetje was Charlie.'

'Was u daarom bij de Westmont-sociëteit op de avond dat congreslid Pope werd vermoord? Was u daar samen met Gary Hass om de draad met een oude kennis weer op te pikken?'

Rollins lachte en nam vervolgens een slok uit zijn pul. Kate wachtte geduldig terwijl hij met zijn onderarm het schuim van zijn mond veegde.

'Dat met Charlie was een idee van Gary. Hij wilde hem uitschudden, proberen of hij hem zo bang kon maken dat hij wat geld zou schuiven. Toen Freddy nog leefde, kon niemand Charlie iets maken, maar Charlie was een klungel en Gary dacht dat hij een gemakkelijk doelwit zou zijn als hij niemand had die hem beschermde.'

'U was bij het proces tegen Sally Pope een van de getuigen à charge.'

'Ik moest wel, toch? Burdett dreigde dat ik de bak in zou draaien omdat ik die beveiligingsman had toegetakeld. Met mijn strafblad kon ik dat er niet nog eens bij hebben. Charlie was in het buitenland, dus wat ik zei kon hem geen kwaad doen, en ik was dat mens niets verschuldigd.' Rollins haalde zijn schouders op. 'Het was zij of ik, en ik heb voor mezelf gekozen.'

'Meneer Rollins, de Staat zal opnieuw een verklaring van u willen hebben, en deze keer kan Charlie door wat u zegt in de dodencel belanden. Ik wil u het volgende vragen: als u bij Charlies proces een verklaring aflegt, wat gaat u dan zeggen?'

Rollins wierp Kate een behoedzame blik toe. 'Als ik iets zeg wat ik de eerste keer niet heb gezegd, zit ik tegen een aanklacht wegens meineed aan te kijken, dus denk ik dat ik moet zeggen dat ik heb gezien dat Charlie Pope heeft vermoord.'

'Wat u toen hebt gezegd is verjaard, meneer Rollins. U kunt daarover een advocaat raadplegen als u me niet gelooft, maar dat heb ik gecontroleerd. Niemand kan u vervolgen als u bij het proces tegen Sally Pope onder ede hebt gelogen.'

Rollins dacht daar even over na. 'Misschien zeg ik dan wel iets anders,' zei hij tegen Kate.

'Wat bijvoorbeeld?'

Levy leunde voorover. Hij keek Rollins strak aan.

'Dat hangt ervan af,' zei Rollins. 'Het is u misschien opgevallen dat het niet al te best met me gaat. Ik heb verdomme geen benen meer, en dan is het moeilijk om werk te vinden.'

Rollins zweeg en de openlijke poging tot omkoping hing tussen de ex-gevangene en de detective in de lucht als een Goodyear-blimp boven een voetbalstadion. Kate glimlachte en wendde haar hoofd in de richting van Levy.

'Dit is vertrouwelijk, Dennis,' zei ze.

Toen Dennis geen bezwaar maakte, wendde Kate zich weer tot Rollins. Ze maakte zich geen enkele illusie over het soort man met wie ze te maken had. Rollins was een beroepsmisdadiger en een sociopaat. Een beroep doen op zijn betere ik was een hopeloze zaak, omdat mensen als Rollins geen betere ik hadden. Maar het waren mensen en mensen hoeven niet vierentwintig uur per dag slecht te zijn. Kate keek Rollins recht in de ogen en hield zijn blik lang genoeg vast om hem te laten merken dat ze niet iemand was die zich gemakkelijk liet afschrikken.

'Ik weet niet wat uw ervaring met andere advocaten is,' zei Kate op vlakke, neutrale toon, 'maar mijn kantoor betaalt getuigen niet voor hun verklaring. Wij willen de waarheid horen. Als u bij het proces van Sally Pope de waarheid hebt gesproken, moeten we ons daarbij neerleggen. Maar aan de andere kant zult u met Charlies doodstraf moeten leven als hij door uw toedoen en op grond van uw leugens wordt veroordeeld.

Ik heb geen idee of dat gemakkelijk voor u is, want ik weet maar heel weinig over u, maar wat ik wel weet is dat u hebt geleden en als u een normaal menselijk wezen bent, kan ik alleen maar hopen dat u niet wilt dat een bekende van u moet lijden als u hem kunt helpen zonder er zelf op achteruit te gaan.'

'Ik ben geen liefdadige instelling, mevrouw.'

Kate lachte. 'Ik heb uw strafblad en een paar politierapporten over uw daden gelezen, meneer Rollins, dus ik weet dat dat zeker niet het geval is.'

Rollins aarzelde even. Vervolgens glimlachte hij. 'Ja, ik denk niet dat het Rode Kruis me ooit als vrijwilliger zal vragen.'

'Maar het was wel interessante lectuur,' zei Kate met een samenzweerderige grijns.

De glimlach verdween van Rollins' gezicht. Hij staarde in de verte. 'Hiervóór was ik iemand,' zei hij, naar de plaats wijzend waar zijn benen hadden gezeten.

'Dat neem ik zonder meer aan. En als Charlies zaak voorkomt, zult u wéér iemand zijn. Iedereen zal naar u luisteren omdat u een belangrijke getuige in de zaak bent. Ik vraag me zelfs af of de staat u niet als hoofdgetuige zal aanmerken.'

Rollins nipte bedachtzaam van zijn bier en staarde naar het tafelblad. Toen hij opkeek, stond zijn gezicht ernstig.

'De officier zal het niet leuk vinden wat ik ga zeggen. Hij zal woest zijn. Maar hij heeft nog wat van me te goed omdat hij me gedwongen heeft over Charlie te liegen. De waarheid is dat ik niet weet wie het congreslid heeft vermoord. Ik zag dat hij werd neergeschoten, maar ik keek naar hem en niet naar Charlie en dat mokkel, en ook niet naar Gary of die nikker.'

'En het wapen? Hebt u gezien wie die revolver bij zich had?'

Rollins schudde zijn hoofd. 'Ik heb het schot wel gehoord, maar ik heb niet gezien wie de schutter was. Het kwam van rechts, dus ik keek die kant uit, maar voordat ik kon kijken hoorde ik de revolver op de grond stuiteren. Ik heb niet gezien wie hem neergooide.'

'Dus u hebt geen idee wie het schot heeft afgevuurd? En ook niemand die deed alsof hij had geschoten?'

Rollins lachte. 'Denkt u dat ik voor Sherlock Holmes speelde, iedereen door een vergrootglas bekeek en daarna mijn conclusies determineerde? Ik weet hoe de politie denkt. Eén blik op mij en ze zouden me meteen voorgoed achter de tralies hebben gestopt. Pope zakte in elkaar en Gary en ik maakten dat we wegkwamen. Net als de rest.'

'Bedankt voor uw eerlijke antwoorden, meneer Rollins,' zei Kate.

'Wat gaat er nu gebeuren?' vroeg Rollins.

'Van onze kant uit niets. U hebt niets gezegd wat Charlie kan helpen of nadelig voor hem is. Karl Burdett zal waarschijnlijk binnenkort contact met u opnemen omdat hij denkt dat u de beslissende factor voor zijn zaak bent. Zeg tegen hem wat u tegen mij hebt gezegd. Misschien dat hij u bedreigt, maar als u voet bij stuk houdt, denk ik niet dat hij u iets kan maken. Maar dat moet u niet zonder meer van me aannemen, hoor. Ik ben geen advocaat. Ik raad u aan om een advocaat te raadplegen voordat u met Burdett praat.'

Rollins knikte. 'Betaalt u mijn bier of is dat een vorm van omkoperij?'

Kate legde vijftig dollar op de tafel. 'Graag gedaan, meneer Rollins. Neem ook nog maar wat nacho's van me.'

Kate knipperde met haar ogen toen ze in het zonlicht stapte. Dennis liep vlak achter haar. Het verbaasde haar dat hij niet had geprobeerd Rollins voor zijn tijdschriftartikel te interviewen. Een hoofdgetuige die zijn verklaring introk was groot nieuws.

'Hoe ging het volgens jou?' vroeg Levy terwijl ze naar de auto liepen.

'Het had niet beter gekund.'

Levy grijnsde. 'Dat gevoel had ik ook.'

Kate nam Levy nauwkeurig op. Levy was opgewonden geraakt door iets wat Rollins had gezegd, maar ze had geen idee wat dat was.

Dennis had al zijn zelfbeheersing nodig om tijdens de rit naar het vliegveld niet op zijn stoel op en neer te wippen, maar hij kon niet voorkomen dat hij met zijn voet zat te tikken. Kate leverde de huurauto in en ze reden met de pendelbus naar de vertrekhal. Daar moesten ze inchecken en de veiligheidscontrole passeren. Tegen de tijd dat ze bij hun gate kwamen, ontplofte Dennis zowat.

'Ik ga even naar het toilet,' zei hij tegen Kate. Hij moest zichzelf dwingen om kalm te klinken. Terwijl hij door de hal naar de toiletten liep, dacht hij na over wat hij van plan was. Hij begon een licht gevoel in zijn hoofd te krijgen. Zodra Dennis er zeker van was dat Kate hem niet kon zien, haalde hij een paar keer diep adem. Vervolgens begon hij het nummer van Martha Brice op zijn mobieltje in te toetsen. Halverwege hield hij op. Als hij haar belde, was er geen weg terug meer. Wilde hij dat echt? Natuurlijk wilde hij rijk worden en successen boeken, maar was dit de manier om dat te bereiken?

Dennis' moed liet hem in de steek. Hij verbrak de verbinding. Zijn hart ging als een razende tekeer. Dankzij Werner Rollins wist hij nu zeker wie congreslid Pope had vermoord, maar hoe moest hij die kennis benutten?

40

Amanda kon de kleurrijke bloemperken en de smaragdgroene gazons rond het huis van Sally Pope en de helderblauwe hemel erboven maar moeilijk in overeenstemming brengen met het bloedvergieten dat binnen had plaatsgevonden. Als zich een drama van deze afmetingen voltrok, leek het onmogelijk dat het leven gewoon door kon gaan alsof er niets was gebeurd. Dood door geweld speelde echter al zo lang een grote rol in Amanda's leven dat ze wist dat het niet anders was, maar toch kreeg ze even een vreemd gevoel toen haar vader voor Sally's huis parkeerde.

Een paar tellen nadat Frank had aangebeld, werd de deur geopend door een man met een brede borstkas en een woeste rode haardos, die meer op een houthakker dan op een literaire romanschrijver leek. Hij zag er ook vermoeid en erg verdrietig uit.

'Dank dat jullie gekomen zijn,' zei Liam O'Connell. 'Normaal zou ik naar jullie kantoor gekomen zijn, maar ik wil Kevin niet alleen laten. Hij is erg zwak en ik moet dicht bij hem in de buurt blijven.'

'Daar heb ik geen enkel probleem mee,' zei Frank. 'Het was voor ons een kleine moeite om hierheen te komen.'

'Laten we in de studeerkamer praten. Ik kan daar niet naar binnen,' zei O'Connell, in de richting van de woonkamer knikkend.

Amanda kon niet nalaten een vluchtige blik te werpen in de richting van de plek waar Sally Pope gestorven was, de plek waar ze nog maar kort geleden samen met Sally van een koel drankje had zitten nippen.

'Zijn jullie op de hoogte van Sally's testament?' vroeg de Ier toen ze in de studeerkamer waren gaan zitten.

'Nee,' antwoordde Frank.

'Jimmy Pavel heeft het opgesteld,' zei O'Connell. 'Hij heeft me verteld dat Kevin alles erft, maar Sally heeft mij als voogd aangewezen.'

'Dat lijkt me logisch,' zei Frank. 'Ik was bij haar op bezoek toen jij in Berkeley was. Ze zei dat Kevin erg op je gesteld is.'

'Dat is wederzijds. Kevin is een geweldig joch.'

'Toen je belde, zei je dat je een probleem wilde bespreken dat met het testament te maken had,' drong Frank aan.

'Een van de advocaten van Arnold Pope heeft me gebeld. Pope wil de voogdij over Kevin.'

'Wat zei die advocaat precies?'

'Eerst werd ik gecondoleerd en daarna werd er even gebabbeld over hoe moeilijk het zou zijn om in m'n eentje een tienerjongen op te voeden, omdat ik zo veel op reis ben in verband met mijn boeken en het lesgeven. Het klonk allemaal erg sympathiek, maar ik kon zien welke kant het opging en dus zei ik dat dat geen probleem voor me was en heb ik hem bedankt voor zijn vriendelijke woorden.'

'Maar ik vermoed dat het gesprek daarmee niet afgelopen was,' zei Frank.

'Zeker niet. Het ging nog even door, waarbij erg de nadruk werd gelegd op de zorgen die de heer Pope zich om mij en zijn kleinzoon maakte en de financiële voordelen die mij ten deel zouden vallen als ik de opvoeding van Kevin aan de heer Pope zou overlaten.'

'Ik wed dat de advocaat een aanzienlijk bedrag noemde,' zei Frank.

O'Connell knikte. 'En het werd steeds groter naarmate het gesprek vorderde.'

'Wat gebeurde er toen je het aanbod afsloeg?'

'Tja... toen begonnen de dreigementen, allemaal heel subtiel, maar niet mis te verstaan.'

'Wat voor dreigementen?'

'Een strijd om het voogdijschap waar die arme jongen het ongetwijfeld moeilijk mee zou krijgen en die ik onmogelijk kon winnen, omdat ik geen bloedverwant ben. Ik was niet eens met Sally getrouwd.'

'Hoe reageerde je daarop?'

'Ik zei tegen de advocaat dat de heer Pope verantwoordelijk was voor de eventuele psychologische schade die Kevin zou oplopen als hij een proces aanspande en dat zijn pogingen om me te intimideren of me een schuldgevoel te bezorgen volledig mislukt waren. Daarna heb ik opgehangen.

Gelukkig heeft Sally voorzien dat Pope iets dergelijks zou proberen.

Er staat een bepaling in het testament waarin uitdrukkelijk wordt gesteld dat Arnold Pope Senior onder geen enkele voorwaarde contact met Kevin mag hebben. Het testament geeft Kevins voogd toestemming geld van de erfenis te gebruiken om Kevin te beschermen als het tot een proces komt, wat me bij mijn reden brengt waarom ik jullie hier heb uitgenodigd. Sally had groot vertrouwen in je juridische bekwaamheden, Frank. Ze heeft me verteld hoe je haar hebt gered toen ze beschuldigd werd van de moord op haar man en ze heeft me ook verteld hoe je Popes eerste poging om de voogdij over Kevin in handen te krijgen hebt verijdeld. Ik wil dat je hem ook nu weer tegenhoudt.'

'Met alle plezier, Liam. Ik kan niets bedenken wat schadelijker voor Kevin zou zijn dan bij Arnold Pope Senior in huis te moeten wonen. Ik zal alles doen wat in mijn macht ligt om dat te voorkomen.'

O'Connell glimlachte even opgelucht en de spanning die hem zijn schouders had doen krommen verdween. 'Dank je wel, Frank. Ik wist dat je Kevin niet in de steek zou laten.'

'En ik laat Sally ook niet in de steek. Ik weet hoe erg ze de pest aan Senior had.'

Frank deed zijn attachékoffertje open en pakte er een notitieblok uit. 'Als we dit willen winnen, moeten we het hof ervan zien te overtuigen dat er geen reden is om Sally's wensen niet te eerbiedigen. Senior zal genadeloos proberen het je zo lastig mogelijk te maken, dus je moet me vertellen op wat voor manieren hij kan proberen je goede naam in twijfel te trekken en wat daartegen de beste verdediging is.'

'Meneer O'Connell,' kwam Amanda tussenbeide. 'Ik ben met mijn vader hiernaartoe gekomen omdat ik Charlie Marsh vertegenwoordig. Wat hier gebeurd is, kan van invloed zijn op zijn zaak. Ik wil graag uw toestemming om met Kevin te praten terwijl jullie twee overleggen.'

De Ier aarzelde.

'Ik weet hoe erg het hem heeft aangegrepen. Maar Charlie Marsh zit tegen de doodstraf aan te kijken en Kevin weet misschien iets wat hem kan helpen. Ik beloof dat ik Kevin niet onder druk zal zetten. Zodra ik zie dat het hem te veel wordt, maak ik een einde aan het gesprek. Maar ik zou het zeer op prijs stellen als ik de kans kreeg om erachter te komen of hij iets weet wat kan helpen Charlies naam te zuiveren.'

O'Connell zuchtte. 'Kevin heeft gisteren met de politie gepraat. Ik had de indruk dat hij dat aankon. Ga uw gang, maar wees alstublieft aardig tegen hem. Hij maakt een vreselijke tijd door.'

Kevin lag op een ligstoel aan de rand van het zwembad. Hij droeg een T-shirt van zijn zwemploeg en een kaki bermuda. Hij had een science-fictionpocket bij zich, maar die lag ondersteboven op zijn dijbeen. Hij zat over het water in de verte te staren.

Amanda trok haar platte schoenen uit en liep op blote voeten langs de rand van het zwembad. De zon stond achter haar. Kevin tuurde naar haar en hield toen een hand boven zijn ogen. Amanda ging naast hem op de rand van een andere ligstoel zitten.

'Dag. Ik ben Amanda Jaffe. Ik ben hier ongeveer een week geleden ook geweest, maar toen hebben we niet met elkaar gesproken.'

Kevin keek haar aan, maar zei niets.

Amanda wees naar het T-shirt. 'Wat voor slag doe je?'

'Vlinderslag,' antwoordde hij zonder enig enthousiasme.

'Ben je lid van een team van je school?'

Kevin knikte.

'Zit je ook op een club of zwem je alleen maar voor het school-team?'

'Ik train bij Tualatin Hills,' zei hij al even ongeïnteresseerd.

'Daar heb ik ook bij gezwommen, en ook bij Wilson High. Mijn beste afstand was de tweehonderd meter vrije slag.'

Kevin keek Amanda recht in de ogen. 'Wie bent u?'

Amanda glimlachte. 'Ben je mijn geklets beu?'

Kevin antwoordde niet.

'Ik ben advocaat. Ik vertegenwoordig Charlie Marsh. Weet je wie dat is?'

'Hij werd aangeklaagd wegens de moord op mijn vader, maar hij is gevlucht.'

'Precies. Charlie is degene die naar jullie huis kwam op de avond dat je moeder werd vermoord. Je probeerde hem te waarschuwen.'

Toen Amanda de moord op zijn moeder ter sprake bracht, wendde Kevin zijn blik af.

'Hij is je erg dankbaar, Kevin. Een heleboel mensen zouden veel te bang geweest zijn om Charlie te waarschuwen, maar jij hebt je leven op het spel gezet door dat wél te doen. Dat is het belangrijkste.'

'Maar hij werd toch neergeschoten.'

'Soms hebben we de dingen niet in de hand en kunnen we alleen maar proberen er het beste van te maken.'

Kevin wendde zijn blik af en snikte. 'Het is niet eerlijk. Ze was zo lief.'

Amanda wilde iets zeggen om Kevin te troosten, maar ze wist dat de dood van Sally te recent was om hem met wat ze ook zei tot steun te zijn. Na een tijdje hield hij op met huilen. Kevin lag met zijn ogen dicht. Hij bewoog zich niet, alleen zijn borstkas ging zwaar op en neer.

'Kun je me vertellen wat er in jullie huis is gebeurd?' vroeg Amanda toen Kevin weer wat op adem begon te komen.

'Daar wil ik niet over praten.'

'Dat weet ik, maar iemand heeft al twee keer geprobeerd Charlie te vermoorden. De politie gaat ervan uit dat diezelfde persoon dat nog een keer gaat proberen. Degene die je moeder heeft vermoord is ook degene die achter Charlie aan zit. Misschien weet jij iets wat de politie kan helpen hem te pakken.'

'Ik heb ze alles verteld wat ik weet.'

'Kun je mij dat ook vertellen?'

Kevin deed zijn ogen dicht en haalde toen diep adem. 'Hij kwam mijn kamer binnen. Het was donker en hij had een masker op, zodat ik u niet kan vertellen hoe hij eruitzag.'

'Dat geeft niet.'

'Hij deed een stuk plakband voor mijn mond. Daar werd ik wakker van. Ik probeerde te gillen om mama te waarschuwen, maar dat lukte niet.'

'Dat zou niemand gelukt zijn.'

'Ik probeerde het wel, maar mijn mond zat dichtgeplakt en hij… hij was gewapend. Hij zei dat hij mama zou vermoorden als ik haar probeerde te waarschuwen. Ik… ik geloofde hem, maar hij heeft haar toch vermoord.'

Kevin begon weer te snikken. Amanda wachtte.

'Hoe klonk hij? Was er iets opvallends aan zijn stem?'

'Hij fluisterde toen hij tegen me praatte. Hij probeerde zijn stem onherkenbaar te maken.'

'Geeft niet. Wat gebeurde er toen?'

'Hij bond me vast en ging weg. Ik probeerde me los te wurmen maar dat lukte niet. Toen hij terugkwam, zei hij dat hij me niets zou doen als ik deed wat hij zei. Daarna bracht hij me naar de woonkamer.

Mama zat vastgebonden op een stoel. Gina lag... ze lag op de vloer.'

Kevin ging met zijn tong langs zijn lippen en keek uit over het zwembad.

'Wat gebeurde er toen?'

'Hij dwong mama om meneer Marsh te bellen. Hij zei dat hij me dood zou schieten als ze het niet deed. Hij zei wat ze moest zeggen en toen belde ze hem. Daarna wachtten we. We hoorden de voordeur opengaan. Toen... Toen heeft hij...'

'Daar hoef je niet over te praten. Ik weet wat er gebeurd is.'

Kevin knikte. Hij begon weer te huilen.

'Kevin, wat heb je gezien toen meneer Marsh de woonkamer binnenkwam?'

'Ik probeerde hem duidelijk te maken dat er iemand achter de gordijnen stond. Ik probeerde hem te waarschuwen toen die man erachter vandaan kwam en op meneer Marsh schoot. Toen werd er vanaf de andere kant van de woonkamer geschoten en gingen de tuindeuren aan scherven. Iedereen stond te schieten.'

'Heb je gezien wie meneer Marsh gered heeft?'

'Toen ze begonnen te schieten, liet ik me op de vloer vallen. Ik lag met mijn gezicht naar de tuindeuren. Ik heb niet naar de deur gekeken, maar ik zag wel een weerspiegeling in het glas. Het beeld golfde en er was niet veel licht, maar volgens mij was het een zwarte man.'

'Hoe zeker ben je ervan dat hij zwart was?' vroeg Amanda terwijl ze zich Nathan Tuazama als Charlies beschermengel probeerde voor te stellen.

'Vrij zeker,' zei Kevin aarzelend.

'Wat is er gebeurd met de man die je moeder heeft vermoord?'

'Hij rende weg. Hij is door een raam naar buiten geklommen.'

'Weet je of hij gewond was?'

'Nee. Ik drukte mijn gezicht tegen de vloer. Ik heb alleen zijn gymschoenen gezien toen hij ervandoor ging.'

Amanda kon zien dat Kevin uitgeput was en ze besloot dat het genoeg voor hem geweest was.

'Bedankt dat je met me hebt willen praten,' zei ze.

'Heeft het geholpen?'

'Ja. Je hebt een paar dingen voor me opgehelderd.'

Maar de waarheid was dat Kevins verhaal alleen maar alles overhoop had gehaald. Het was logisch dat Tuazama Charlie in leven wilde laten om de diamanten in handen te krijgen. Maar hoe had hij geweten dat Charlie in het holst van de nacht naar Sally's huis zou gaan? Ze vermoedde dat Tuazama mogelijk Charlies hotel in de gaten hield, maar het leek niet echt logisch dat hij om twee uur 's nachts bij het hotel op wacht stond. Tuazama moest tenslotte ook slapen.

En waarom had de moordenaar Kevin niet vermoord? Misschien was de moordenaar van plan geweest Kevin te vermoorden en had Charlies redder hem gedwongen te vluchten voordat hij de laatste getuige van zijn misdaad kon uitschakelen. Dat leek logisch, maar Amanda kon nog een andere reden bedenken waarom Kevin het had overleefd. En die reden was minstens zo aannemelijk.

41

Zodra Kate weer terug op kantoor was, ging Amanda naar haar toe.

'Hoe ging het in Denver?' vroeg ze.

'Prima. Rollins gaf toe dat hij bij Sally Popes proces had gelogen. Hij beweert dat Burdett hem onder druk zette om te zeggen dat hij Charlie Pope neer had zien schieten door te dreigen dat hij hem zou vervolgen omdat hij die bewaker te lijf was gegaan. Hij heeft tegen mij gezegd dat hij helemaal niet heeft gezien wie er schoot. Ik heb een verslag van het gesprek op je bureau gelegd.'

'Dat is fantastisch nieuws. De verklaring van Rollins was het enige concrete bewijs tegen Charlie. Nu hij die heeft herroepen, moet Burdett de aanklacht misschien intrekken.'

Plotseling verscheen er een gemeen glimlachje op Amanda's gezicht.

'Heb je nog problemen gehad met het wonderkind?' vroeg ze.

'Helemaal niet. Hij heeft me onderweg niet één keer proberen te versieren en hij heeft me ook niet verteld hoe geweldig hij is of op zitten scheppen over hoe rijk en beroemd hij gaat worden. Hij hield zich eigenlijk behoorlijk gedeisd.'

'Je moet een gegeven paard niet in de bek kijken,' zei Amanda.

'Daar heb je gelijk in. Vertel eens, wat heb jij gedaan terwijl ik bezig was je zaak voor je te winnen?' vroeg Kate. Amanda was meteen weer bij de les.

'Ik ben met papa bij Sally Pope thuis geweest. Senior gaat een proces aanspannen om de voogdij over Kevin te krijgen. Liam O'Connell wil dat papa hem vertegenwoordigt.'

'Heb je kans gezien om met Kevin te praten over wat er gebeurde toen Charlie werd neergeschoten?'

'Ja. Die arme jongen is er erg aan toe. Hij was zo verdrietig dat ik het gesprek kort heb gehouden.'

'Heeft hij iemand kunnen identificeren?'

'Kevin weet alleen maar dat zijn moeder door een man is vermoord, maar het was donker en de moordenaar droeg een masker. Maar het gesprek heeft toch een interessant detail opgeleverd. Kevin denkt dat degene die Charlie gered heeft zwart was.'

Kate fronste haar voorhoofd. 'Er zijn toch geen Afro-Amerikanen bij deze zaak betrokken?'

Amanda besloot Charlies vertrouwelijke mededelingen over Nathan Tuazama voor zich te houden.

'Nee, geen Afro-Amerikanen, voor zover ik weet,' antwoordde ze eerlijk.

Amanda ging staan. 'Ik moet verder met mijn andere zaken, anders word ik geroyeerd.'

'Oké, ik spreek je later,' zei Kate.

Amanda wilde zich omdraaien toen Kate iets te binnen schoot waarover ze haar vriendin iets wilde vragen.

'O ja, heb jij die foto van Charlie en zijn gevolg bij de bijeenkomst op het landgoed in Dunthorpe ergens voor gebruikt?' vroeg Kate.

'Welke foto?'

'Iemand heeft bij de bijeenkomst in Dunthorpe een foto van Charlie en zijn mensen genomen. Dat was de bijeenkomst waar hij Sally Pope heeft ontmoet.'

'Ik kan me niet herinneren dat ik die foto heb gezien toen ik het dossier doornam, maar Burdett heeft het origineel. We kunnen hem om een kopie vragen als je die nodig hebt.'

'Nee, het is niet belangrijk. Ik kan hem gewoon niet vinden en dat zit me een beetje dwars.'

'Wat vervelend.'

'Ik heb hem waarschijnlijk samen met een heleboel andere papieren in een map gestopt en over het hoofd gezien.'

'Die foto komt vast wel weer terecht. Ik spreek je nog wel.'

De zaak van Charlie had Amanda zo overrompeld dat haar praktijk er voor een groot deel door in beslag werd genomen. Jammer genoeg waren haar andere zaken niet verdwenen en een paar ervan vereisten haar onmiddellijke aandacht. Amanda werkte aan een verzoekschrift voor een onderwijzer die van cocaïnebezit werd beschuldigd tot haar honger haar naar een dichtbijgelegen Chinees restaurant dreef voor een afhaalmaaltijd. Terwijl Amanda op een manier die duidelijk niet bij een dame paste haar 'General Tso'-kip naar binnen zat te werken, las ze het inzageverzoek in een aandelenfraudezaak door die ze in behandeling had voor een makelaar die aanvankelijk eerlijk en rechtdoorzee had geleken, maar die nu duidelijk verdachte trekjes begon te vertonen.

Amanda had het inzageverzoek net doorgelezen toen de laatste zonnestralen achter de West Hills begonnen te verdwijnen. Ze overwoog of ze het voor vanavond voor gezien zou houden of dat ze nog een ander dossier zou doornemen toen haar mobieltje overging.

'Spreek ik met Amanda Jaffe?' vroeg een mannenstem. De man klonk zo onduidelijk dat Amanda hem amper kon verstaan.

'Met wie spreek ik?'

'Met Karl, Karl Burdett. Goddank dat ik je aan de lijn krijg. Ik weet dat het al laat is, maar we moeten met elkaar praten.'

Amanda fronste haar voorhoofd. De officier klonk bang en ze was ervan overtuigd dat hij gedronken had.

'Is er iets mis?'

'Ik heb juridisch advies nodig. Ik zit hopeloos in de problemen. Dat kreeg ik pas in de gaten toen Cordova me vanavond belde.'

'Die FBI-agent?'

'Je moet me helpen.'

'Kun je me vertellen waar het over gaat?'

'Niet via de telefoon. Kun je naar het parkeerterrein van de Tillamook Tavern komen?'

'Waarom daar?'

'Omdat ik daar nu ben. Ik durf niet naar huis. Ik zit in mijn auto. Ik sta in de achterste rij. Het is donker. Niemand kan ons zien.'

'Ik denk niet dat ik als jouw advocaat kan optreden, Karl. We staan in de zaak van Charlie tegenover elkaar.'

'Het gaat juist over Charlie. Daarom bel ik je ook. Alsjeblieft, Amanda, je moet me helpen.'

'Goed, Karl. Kalm blijven. Ik ben over twintig minuten bij je.'

'Dank je wel. Schiet op, alsjeblieft.'

Tijdens de rit naar het café probeerde Amanda te bedenken waarom Karl Burdett juridisch advies van haar wilde. Zij was, op haar vader na, de minst aangewezen persoon die Burdett zou willen raadplegen als hij juridische problemen had. Voordat ze haar kantoor verliet, was het bij haar opgekomen dat Burdett misschien door iemand werd gebruikt om haar in een val te lokken – net zoals dat met Charlie was gebeurd – en dus stopte ze een handvuurwapen in haar zak. Amanda was al een paar keer overvallen terwijl ze aan een zaak werkte en ze wilde niet ongewapend naar dit gesprek gaan.

De Tillamook Tavern, een arbeiderskroeg, was een laag gebouw van één verdieping in een zijstraat in de buurt van een industrieterrein. In dezelfde straat bevonden zich een doorlopend geopende supermarkt met getraliede ramen, waar bier, sigaretten en ongezond eten werden verkocht en een braakliggend stuk terrein dat vol lag met puin. De straatverlichting wierp een vaalgeel schijnsel over een zijgevel van het café, maar het enige andere licht kwam van de neonreclame met de naam van de kroeg en kleinere neonreclames voor verschillende merken bier in de smalle ramen aan de voorkant. Verspreid over het parkeerterrein van het café stonden twee open bestelauto's en een gehavende Chevrolet. Karls auto stond alleen aan de rand van een groot asfaltterrein op de laatste parkeerplek van de achterste rij. Toen Amanda een paar rijen van de auto van de officier verwijderd was, kon ze Burdetts silhouet onderscheiden. Hij zat door de voorruit in het duister te staren. Amanda zette haar auto zo neer dat er een parkeerplaats tussen beide auto's open bleef. De officier keek niet naar haar. Ze stapte uit en pakte de kolf van het pistool in haar zak beet. Toen Amanda dichter bij Burdetts auto kwam, merkte ze dat het raampje aan de bestuurderskant open stond.

'Karl?'

Burdett reageerde niet. Amanda voelde haar ingewanden samentrekken. Hier was iets mis. Ze riep de naam van de aanklager nog een keer. Toen zag ze waarom Burdett niet had gereageerd. Hij zat recht voor zich uit te staren, zijn mond stond open en er kleefde bloed rond de rand van het kogelgat in zijn slaap.

De blauwe ogen van Mike Greene stonden meestal helder, maar nu waren ze bloeddoorlopen omdat hij uit een diepe slaap was gewekt. Hij parkeerde in de straat voor de Tillamook Tavern en liep vervolgens achterom, waar hij met de eerstverantwoordelijke politieman en met de deskundigen van het gerechtelijk laboratorium sprak, die bezig waren de plaats van het misdrijf te conserveren. Toen hij genoeg had gezien ging hij het café binnen en trof daar Amanda in een van de zitjes achter in de bar. Tegenover haar zat Billie Brewster, een slanke zwarte vrouw met kortgeknipt haar en gekleed in een spijkerbroek, een zwart T-shirt met een portret van de vermoorde rapper Tupac Shakur en Mercury-sportschoenen. Billie was een van de toprechercheurs van de afdeling Moordzaken van het hoofdbureau van politie in Portland. Ze had het onderzoek geleid in een aantal van Amanda's zaken en de twee waren goed bevriend geraakt.

'Dit is wel een erg extreme manier om een afspraakje te maken, Jaffe,' zei Mike terwijl hij nog een stoel bijtrok en er schrijlings op ging zitten.

'Hé, joh, je vriendin is behoorlijk over haar toeren,' zei Brewster. 'Laat die galgenhumor dus maar zitten.'

'Hoe is het met je?' vroeg Mike, nu plotseling ernstig.

'Het gaat wel. Ik heb wel eens eerder een lijk gezien, dat doet me niets, maar het was zo'n schok om hém zo te vinden.' Amanda schudde haar hoofd. 'Ik heb Karl nooit gemogen. Hij kon soms een opgeblazen kikker zijn. Maar ik heb hem nooit een dergelijk einde toegewenst. Als ik hier eerder was geweest, had ik de dader misschien kunnen afschrikken.'

'Of misschien was je dan zelf ook vermoord,' zei Brewster.

'Hoe kwam het dat jij toevallig degene was die hem vond?' vroeg Mike. Amanda vertelde hem van het telefoongesprek.

'En heb je geen idee wat hij je wilde vertellen?' vroeg Greene toen ze was uitgepraat.

'Alleen maar dat het iets met Charlie Marsh te maken had.'

Amanda zweeg even. 'Er is toch iets.' Ze aarzelde.

'Ga verder,' drong Mike aan.

'Burdett deed de laatste tijd nogal…' Ze zweeg weer even. '"Vreemd" is denk ik het juiste woord om zijn gedrag te omschrijven.'

'Vreemd?' herhaalde Mike.

Amanda vertelde Mike en Billie wat er bij de hoorzitting was gebeurd.

'Het verbaasde me echt toen hij geen bezwaar maakte tegen Charlies vrijlating op borgtocht en ik kon al niet begrijpen waarom hij zo overstuur leek toen hij ermee akkoord ging. Als hij niet had gewild dat Charlie op borgtocht vrijkwam, had hij alleen maar bezwaar tegen mijn verzoek hoeven aan te tekenen. Omdat Charlie er in eerste instantie tussenuit was geknepen en het om een moordzaak ging, zou Karl er vrijwel zeker in zijn geslaagd rechter Berkowitz ervan te overtuigen dat hij helemaal geen borg moest toekennen.'

Amanda zweeg weer even terwijl ze in gedachten Burdetts gedrag bij de hoorzitting de revue liet passeren.

'Weet je, nu ik erover nadenk: Karl gedroeg zich meer als een ondergeschikte die een bevel moest uitvoeren waar hij het niet mee eens was dan als de officier van justitie van de county, de man die het voor het zeggen had. En dan is er ook nog de manier waarop hij zich gedroeg toen hij hoorde dat Charlie door een sluipschutter was beschoten. Hij was veel meer overstuur dan ik van hem gedacht zou hebben.'

'Ik zou ook erg overstuur zijn als er iemand op de stoep van het gerechtsgebouw van Multnomah County een moord probeerde te plegen,' zei Mike.

'Dat weet ik wel. Iedereen zou overstuur raken van zoiets. Maar Karl... Ik weet niet hoe ik het moet beschrijven. Ik had ergens het gevoel dat er meer achter zijn reactie zat dan alleen maar ergernis of sympathie voor Charlie.'

Amanda deed haar ogen dicht en slaakte een zucht. 'Ik ben óp, Mike. Als jij of Billie me niet meer nodig hebben, ga ik liever naar huis.'

'Ik heb haar verklaring opgenomen,' zei Brewster tegen Mike terwijl ze ging staan. 'En ik weet waar ik je kan vinden als ik nog iets nodig heb,' zei ze tegen Amanda, 'dus ik laat jullie tortelduifjes verder maar met rust.'

'Wil je dat ik vannacht bij je blijf?' vroeg Mike zodra de rechercheur buiten gehoorsafstand was.

'Ja, dat zou fijn zijn. Ik wil vannacht liever niet alleen zijn.'

'Dat is goed. Ik ga even kijken hoe ver de lijkschouwer ondertussen is en dan gaan we ervandoor.'

Zodra Amanda terug in haar appartement was, trok ze haar kleren uit. Ze floste en poetste zo snel mogelijk haar tanden voordat ze uitgeteld haar bed in dook. Mike stopte haar in en ze viel in een diepe, droomloze slaap. Voordat hij terugging naar de slaapkamer voerde de aanklager vanuit de woonkamer een paar telefoongesprekken om de voortgang van het onderzoek te controleren. Mike en Amanda hadden in het afgelopen jaar een hechte relatie opgebouwd. Hij glimlachte terwijl hij keek hoe ze lag te slapen. Toen kreeg zijn vermoeidheid echter de overhand en hij kroop naast haar het bed in. Een paar tellen nadat hij zijn ogen dicht had gedaan viel hij in slaap.

Even na drie uur in de ochtend ging er in Amanda's onderbewuste een belletje rinkelen dat haar wakker deed schrikken. Karl Burdett had tijdens zijn telefoongesprek iets gezegd en Amanda was vergeten dat aan Billie Brewster en Mike Greene te vertellen. Plotseling herinnerde ze zich wat het was. Ze kwam in de verleiding om Mike wakker te maken, maar hij lag zo vast te slapen dat ze hem liever niet wilde storen. Voorzichtig kroop ze het bed uit. Haar mobieltje zat in haar handtas op het aanrecht, samen met het kaartje dat Daniel Cordova haar had gegeven. Amanda liep zo ver mogelijk van de slaapkamer vandaan en gebruikte het licht uit de telefoon om het nummer op het kaartje te kunnen lezen.

'Agent Cordova, u spreekt met Amanda Jaffe,' zei ze zodra de FBI-agent de telefoon opnam. 'Hebt u gehoord wat er vannacht gebeurd is?'

'Waarmee?' antwoordde Cordova. Hij klonk slaapdronken en geërgerd, wat Amanda niet verbaasde.

'Karl Burdett is doodgeschoten.'

'O mijn god!' zei Cordova, meteen klaarwakker.

'Ik was nog laat aan het werk. Karl belde me. Hij was erg overstuur en het klonk alsof hij gedronken had. Hij zei dat hij zwaar in de problemen zat. Hij zei ook dat hij dat pas besefte nadat hij met u had gepraat. Weet u nog of u iets tegen Karl hebt gezegd waar hij van geschrokken is?'

'Nee.' Cordova klonk verbaasd. 'Ik heb wel met hem gesproken, maar dat was meer voor de vorm.'

'Dat begrijp ik niet.'

'We hebben Gary Hass in Sacramento gearresteerd. Hij was een van de grote jongens achter een grote heroïnehandel. Toen we dat zaakje oprolden, hebben we hem in de kraag gegrepen. Het blijkt dat hij in Californië was toen die sluipschutter uw cliënt heeft beschoten. Ik heb met Burdett gebeld om hem te vertellen dat hij geen tijd meer aan Hass hoefde te verspillen.'

'En dat is het enige waar u met hem over hebt gepraat?'

'Ja. Het was maar een kort gesprek.'

Amanda praatte nog een paar minuten met de agent en beëindigde toen het gesprek. Het was haar in eerste instantie niet duidelijk waarom Cordova's inlichtingen over Hass Karl Burdett zo hadden geschokt, maar gaandeweg begon zich de kiem van een idee te vormen.

Mike Greene begon een beetje achterdochtig te worden toen de geur van vers gezette koffie hem uit een diepe slaap deed ontwaken. Zijn achterdocht werd er niet minder op toen hij het eetgedeelte van Amanda's zolderverdieping betrad en zag dat er op de gedekte tafel een glas sinaasappelsap stond te wachten, maar toen Amanda hem vroeg wat voor omelet hij als ontbijt wilde, ging er pas echt een belletje rinkelen.

Amanda was geen slechte kok, maar Mike wist dat ze niet graag tijd in de keuken doorbracht. Meestal als hij bleef slapen, gingen ze ergens wat eten of maakte hij het ontbijt klaar. Als ze vroeg opstond om ontbijt voor hem te maken, was Mike er zeker van dat dat betekende dat ze iets van hem wilde wat hij haar liever niet wilde geven.

'Wat is er aan de hand?' vroeg hij.

'Kan ik niet eens meer een lekker ontbijt voor je maken zonder dat je achterdochtig wordt?'

Mike ging met zijn armen over elkaar zitten en staarde Amanda aan tot ze begon te blozen.

'Oké, ik heb wel een bijbedoeling, maar ik wilde je ook bedanken omdat je de afgelopen nacht zo aardig voor me bent geweest.'

'Voor jou zorgen doe ik met het grootste plezier. Laat nu de aap maar uit de mouw komen.'

Amanda plofte neer op een stoel tegenover Mike. Ze zag er sexy uit, met haar haar door de war en alleen een t-shirt en een slipje aan.

'Je ziet dat er verband is tussen de moord op Karl en de zaak-Marsh, hoop ik?'

'Dat is niet uitgesloten, maar het zou ook om een willekeurige moord kunnen gaan,' antwoordde Mike.

'Is Karl beroofd?'

'Hij had zijn portefeuille, ringen en een duur horloge nog bij zich, maar het kan ook zijn dat jij de moordenaar hebt laten schrikken toen je het parkeerterrein op reed. Het zou nog steeds om een willekeurige moord kunnen gaan.'

'Dat geloof je toch niet echt, hè?' vroeg Amanda.

'Ik weet niet wat ik moet geloven. Het onderzoek is nog in een te vroeg stadium om conclusies te kunnen trekken.'

'Je moet Karls dossiers van de zaak-Pope en de zaak-Marsh zien te krijgen. Misschien staan daar notities in die kunnen verklaren waarom hij mij gebeld heeft.'

'Dat was ik nou net van plan.'

'Laat mij er dan ook even naar kijken. Misschien kan ik je op dingen wijzen waarvan jij het belang niet inziet.'

Mike keek onaangenaam verrast. 'Je maakt zeker een grapje?'

'Ik ben bloedserieus.'

'Is er een bepaalde reden waarom je wilt dat ik ontslagen en geroyeerd word?'

'Wat weet jij over de zaak van Charlie?' vroeg Amanda.

'Niet veel. Ik weet dat die zaak hier veel stof heeft doen opwaaien en ik herinner me dat ik erover gelezen heb toen ik in Californië woonde.'

'Ik ben bijna onafgebroken met die zaak bezig geweest en mijn vader heeft in de zaak-Pope de verdediging gevoerd. Ik kan dingen in het dossier aanwijzen die jij misschien over het hoofd ziet.'

'Amanda, misschien zal het je verbazen, maar ik heb me al eens eerder in zaken van anderen moeten verdiepen, en dat deed ik zonder daarbij de regels van de beroepscode te overtreden. Begrijp je wat er zou gebeuren als iemand erachter kwam dat ik jou de dossiers liet lezen van de advocaat die jouw cliënt aan het vervolgen was? En ik zou niet de enige zijn die in moeilijkheden kwam. Het zou ons allebei de kop kunnen kosten.'

Amanda glimlachte koket. 'Wat zeg je dat mooi.'

'Je moet je vrouwelijke listen niet op mij uitproberen. Vleien, met je oogleden knipperen en verleidelijke blikken doen mij niets. Daar is dit veel te ernstig voor.'

Amanda glimlachte niet meer. 'Je hebt het door, Mike. Dit is verdómd ernstig. Ze hebben twee keer geprobeerd Charlie te doden en het is ze gelukt om Sally Pope, haar persoonlijk medewerker en haar hond te vermoorden. En nu hebben ze de aanklager in de zaak van Charlie vermoord. Je hebt alle hulp nodig die je kunt krijgen en ik ben bereid mijn carrière op het spel te zetten om de klootzak te pakken te krijgen die dit allemaal op zijn geweten heeft. Als ik ervoor kan zorgen dat hij gearresteerd wordt, kan het me niet schelen welke regels van de beroepscode ik overtreed.'

42

Derrick Barclay was in al die jaren niet veel veranderd, vond Frank terwijl Arnold Popes persoonlijk medewerker hem naar een zitkamer aan de achterkant van Popes landhuis bracht.

'Maak het u gemakkelijk. Ik zal tegen meneer Pope zeggen dat u er bent,' zei Barclay voordat hij de deur dichtdeed. De gordijnen waren gesloten en het gedempte licht van een kleine lamp aan het plafond gaf de kamer een muffe, benauwende sfeer. De meeste meubels waren antiek en het zou Frank niet verbaasd hebben te horen dat ze tot kort voor zijn bezoek met witte lakens afgedekt waren geweest. Hij bedacht ook dat hij hier waarschijnlijk niet hoorde te zijn, maar zijn nieuwsgierigheid had de overhand gekregen. Toen Barclay hem uitnodigde voor een gesprek met zijn werkgever was Frank verbaasd en achterdochtig geweest. Barclay beweerde dat hij alleen maar wist dat het gesprek over Kevin Pope zou gaan en dat Popes advocaat in de voogdijkwestie er niet bij aanwezig zou zijn. Toen Frank tegen Barclay zei dat het ongepast was dat hij met iemand van de tegenpartij sprak zonder dat diens advocaat aanwezig was, zei Barclay dat de heer Pope vooruitlopend op Franks bezwaar een notariële afstandsverklaring had laten opstellen. Frank had daar even over nagedacht en vervolgens ingestemd met het gesprek. Hij vroeg zich nu af of hij spijt van zijn beslissing zou krijgen.

Frank wachtte op zijn gastheer in een gemakkelijke leunstoel tegenover een kleine marmeren open haard. Toen hij na een tijdje op zijn horloge keek, merkte hij dat er pas vijf minuten waren verstreken. Naast de haard was een smalle boekenkast, die van de vloer tot het plafond liep. Frank stond op het punt Popes bibliotheek te inspecteren toen de deur opening en Pope naar binnen strompelde.

'Dank voor uw komst, meneer Jaffe.'

Frank merkte dat de stem van de oudere man beefde en dat het hem moeite kostte de kamer over te steken naar de leunstoel die naast die van Frank stond. Toen hij zich in de stoel liet zakken, vertrok zijn gezicht van de pijn.

'Wat kom ik hier doen, meneer Pope?'

Senior staarde naar Frank, zichtbaar geërgerd dat zijn gast het heft in handen had genomen door de gebruikelijke plichtplegingen die aan een zakelijk gesprek voorafgingen over te slaan.

'Ik merk dat u graag meteen ter zake komt.'

'Waar gaat het over?'

'U bent in een ideale positie om mij een dienst te bewijzen die mij grote voldoening zal schenken en die u een aanzienlijke beloning kan opleveren.'

'Gaat u verder.'

'Ik begrijp dat u Liam O'Connell vertegenwoordigt in het geschil over de voogdij.'

Frank knikte. Pope schudde langzaam zijn hoofd.

'Wat een trieste zaak. Die arme Sally. We hadden zeer zeker onze meningsverschillen, en die konden soms hoog oplopen, maar zij was een vechter en ik bewonderde haar pit. Waarschijnlijk heeft ze dat nooit geweten.'

Frank reageerde niet. Als Pope probeerde hem ervan te overtuigen dat hij het erg vond dat Sally dood was, slaagde hij daar niet in. Frank wist hoe Pope werkelijk over zijn schoondochter dacht en hij was niet van plan zijn mening te laten beïnvloeden door een vals vertoon van medeleven.

'Ik vind het heel erg dat Sally verkoos om na de tragische dood van mijn zoon de banden met mij te verbreken,' ging Pope verder.

'Als ik me goed herinner, meneer Pope, lag dat ook voor een deel aan uzelf.'

'Daar hebt u helemaal gelijk in, meneer Jaffe. Ik was na de dood van mijn zoon helemaal kapot. Ik ging na zijn overlijden soms ondoordacht te werk en mijn verdriet heeft mijn beoordelingsvermogen ook aangetast. Toen Sally wegens de moord op Arnold werd aangeklaagd heb ik al mijn haat op haar gericht en toen de aanklacht tegen haar niet ontvankelijk werd verklaard zag ik dat als een persoonlijke belediging.

Nadat de zaak was geseponeerd heb ik – toen ik eenmaal mijn emoties weer onder controle had – een detectiveteam ingeschakeld om de zaak opnieuw te bekijken. Ze kwamen tot de conclusie dat er een grote kans bestond dat Sally ten onrechte was beschuldigd.'

Frank merkte dat Pope gemakshalve zijn eigen betrokkenheid bij de valse beschuldigingen en de gefingeerde bewijzen die tot Sally's aanklacht hadden geleid vergat. Hij kwam in de verleiding om hem te herinneren aan de foto's en het briefje die zijn zoon naar zijn dood hadden gelokt en aan de sterke bewijzen dat Otto Jarvis was omgekocht om bij Sally's proces te liegen, maar hij besloot zijn mond te houden.

'Ik heb in al die jaren vele malen geprobeerd mijn excuses aan te bieden en ik heb vaak aangeboden onze vriendschap te hernieuwen, maar tot mijn grote verdriet wees ze dat steeds af.' Pope sloeg zijn ogen neer en deed het voorkomen alsof hij berouw toonde. 'Ik kan niet zeggen dat ik het haar kwalijk neem.'

'Waar wilt u met al dat misbaar naartoe, meneer Pope?'

Een woedende blik was Franks beloning voor zijn grove vraag, maar Pope had zijn emoties snel weer in bedwang.

'Ik maak me grote zorgen om mijn kleinzoon. Sally hield hem bij me weg, als straf voor de manier waarop ik haar heb behandeld, maar ik hou ontzettend veel van Arnie...'

'Sally's zoon heet Kevin,' onderbrak Frank hem, wat hem weer een woedende blik van Pope opleverde.

'Ja, meneer Jaffe. Hij heet officieel Kevin. Mijn zoon wilde hem Arnold Pope III noemen, maar Sally heeft hem Kevin genoemd om mij te pesten. Ik koester daar geen wrok over, maar voor mij zal hij altijd Arnie zijn.'

'U wilde net iets zeggen over de zin van ons gesprek,' drong Frank aan.

'Sally heeft in haar testament Liam O'Connell aangewezen als Kevins voogd, maar daar heeft hij het recht niet toe. Hij was niet met Sally getrouwd, hij is dus geen familie.'

'Kevin kijkt tegen de heer O'Connell op en hij mag Kevin erg graag. Voor zover ik heb kunnen zien, heeft mevrouw Pope een goede keus gemaakt.'

'Kevin mag dan die Ier aardig vinden, maar hij heeft míjn bloed in zijn aderen.'

'Als ik me goed herinner, hebben we kort na het proces van mevrouw Pope samen de mogelijkheid besproken dat u Kevins voogd zou worden. Bent u vergeten waarom uw advocaat u aanried uw plannen voor een strijd om het voogdijschap te laten varen?'

Even verscheen er een boosaardige glimlach op Seniors gezicht. 'U bedoelt uw bewering dat ik Otto Jarvis zou hebben omgekocht en iets te maken had met die Rodriguez, die die foto's van Sally en haar criminele vriendje had gemaakt? Misschien hebt u niet gehoord dat Otto Jarvis is overleden, aan een hartaanval naar ik meen. En Rodriguez is in een steegje doodgeschoten. Dat had iets te maken met een uit de hand gelopen drugstransactie. Dat houdt in dat u geen getuigen meer kunt laten opdraven die uw aantijgingen kunnen staven. Maar waarom brengt u Sally's proces ter sprake? Dat is toch allemaal oud nieuws?'

'Ik begrijp nog steeds niet wat ik hier kom doen.'

'U vertegenwoordigt de heer O'Connell, dus u bent in een uitstekende positie om hem te beïnvloeden. Ik wil Kevin adopteren. Hij zou mijn erfgenaam kunnen worden. U ziet toch ook wel in wat voor voordelen dat voor de jongen heeft? Ik wil dat u uw cliënt ertoe beweegt van de voogdij af te zien en mijn aanspraken steunt om tot Kevins pleegvader te worden benoemd.'

'Waarom zou ik dat doen?'

'Ik heb nu en dan behoefte aan een advocaat van uw kaliber, meneer Jaffe. Ik kan uiteraard niet u of uw kantoor inhuren terwijl u de heer O'Connell vertegenwoordigt, omdat er dan een belangenconflict zou ontstaan. Maar als deze kwestie snel en op een voor mij gunstige manier wordt opgelost is er van een conflict geen sprake meer en kan ik uw kantoor ruime voorschotten toespelen.'

Frank keek Senior met een strakke blik aan. Senior knipperde niet eens met zijn ogen.

'Ziet u niet in dat er iets verkeerds is aan het aanbod dat u mij zojuist hebt gedaan?'

'Helemaal niet.'

'Sommigen zouden het uit kunnen leggen als omkoperij.'

'Onzin. Ik heb er alleen maar voordeel bij als ik over de allerbeste advocaten kan beschikken.'

Frank glimlachte. 'Ik stel het compliment op prijs, meneer Pope, maar ik ga niet op uw aanbod in.'

'Dat is misschien niet verstandig. Als u me niet helpt, moet ik misschien de balie in kennis stellen van wat schokkende informatie die ik al een tijdje in mijn bezit heb. Ik zou het heel vervelend vinden als ik u niet in kon schakelen omdat u niet langer bevoegd bent uw beroep uit te oefenen.'

Alle tolerantie die Frank voor Popes onhandige omkooppoging had, verdween op slag. Frank keek zijn gastheer met een ijzige blik aan.

'En waarom zou ik geen advocaat meer kunnen zijn, meneer Pope?'

Senior haalde een foto uit zijn binnenzak, waarop Frank en Sally Pope 's avonds laat haar huis binnen gingen.

'De balie keurt het niet goed als een advocaat een verhouding met zijn cliënt heeft. Ik heb een groot aantal foto's waarop u samen met Arnies vrouw staat. Foto's die tijdens en na haar proces zijn genomen. En ik heb ook detectives in dienst die voor een tuchtcommissie kunnen verklaren dat u bij tal van gelegenheden het huis van mijn schoondochter in de kleine uurtjes van de ochtend hebt verlaten.'

Frank ging staan. 'Het zal u een heleboel moeite kosten om de balie ervan te overtuigen dat ik niet bij mevrouw Pope op bezoek was voor overleg over haar juridische zaken, maar ga uw gang maar. Ik heb nog nooit een cliënt verraden en ik ben beslist niet van plan om daar in deze zaak mee te beginnen.'

'U begaat een grote fout.'

'Nee, meneer Pope, u begaat een fout. Als u denkt dat u me dwars kunt zitten, moet u er geen moment van uitgaan dat ik u niet meteen terugpak.'

43

'Ik kan niet geloven dat ik dit doe,' zei Mike Greene toen hij kort na zeven uur 's avonds twee volle plunjezakken met Karl Burdetts dossiers uit de zaak-Pope en de zaak-Marsh Amanda's appartement binnen droeg. Amanda gaf hem een dikke zoen op zijn wang.

'Je bent een kanjer,' zei ze terwijl ze een van de zakken oppakte en ermee naar de woonkamer liep. Amanda's amoureuze verhouding met Mike Greene had moeizame perioden gekend, maar dat was altijd haar schuld geweest, met name nadat ze door de gebeurtenissen in de zaak-Cardoni getraumatiseerd was geraakt. Ze hield van Mike omdat hij zo consequent was. Hij stond altijd voor haar klaar en sprak nooit een oordeel over haar uit, zelfs niet toen ze op een dieptepunt zat.

'Ik had eerder willen komen, maar ik moest wachten tot iedereen naar huis was, zodat ze niet zouden zien dat ik die hele handel de deur uit smokkelde,' zei hij tegen Amanda terwijl hij zijn zak op de bank hees en hem openmaakte.

'Ik neem deze dossiers door en jij die van jou,' zei Amanda terwijl ze op de vloer ging zitten. 'En dan wisselen we.'

'Ik neem aan dat je koffie hebt gezet,' zei Mike terwijl hij mappen uit zijn plunjezak begon te halen, 'want we moeten dit vanavond allemaal doornemen, dan kan ik de dossiers morgenochtend terugbrengen voordat er iemand op kantoor komt.'

'Er staat verse koffie op het aanrecht. En er zijn donuts. Ik heb zelfs wat ahornrepen gekocht,' voegde ze eraan toe. Ahornrepen waren Mikes favoriete lekkernij.

'Er is meer nodig dan een ahornreep om weer bij mij in een goed blaadje te komen,' mopperde hij.

'Ik zal kijken wat ik kan doen, als we tenminste niet te moe zijn,' beloofde Amanda terwijl ze de dossiermappen voor zich op de vloer stapelde.

Bijna drie uur en verscheidene koppen koffie later waren Amanda en Mike zover dat ze van plaats konden wisselen.

'Heb jij in jouw dossiers of in Burdetts aantekeningen iets gevonden waar je wat aan had?' vroeg Mike.

'Nee,' zei ze teleurgesteld, 'maar ik ben wel iets tegengekomen wat ik niet begrijp.'

Amanda liep met een map naar de bank en ging naast Mike zitten. Hij sloeg de map open.

'Dit lijkt wel een hoofddossier,' zei Mike. 'Er zitten kopieën van de pleidooien en correspondentie in.'

'Dat dacht ik ook, maar wat is dit dan?' zei ze, naar een regel op de inhoudsopgave wijzend die aan de binnenkant was gehecht. 'Een groot deel van de inhoud is twaalf jaar geleden ingeboekt, maar moet je eens naar deze notitie kijken.' Ze wees naar de combinatie van cijfers en een letter: 1253X. 'Dat is van gisteren. Weet jij wat het betekent?'

'Natuurlijk. Washington County wilde een werkexemplaar van het dossier terwijl wij Karls oorspronkelijke dossier aan het doornemen waren. Dat cijfer geeft het aantal pagina's aan dat gekopieerd is. Het dossier beslaat iets meer dan twaalfhonderd pagina's.'

'Goed, dat had ik ook al bedacht. Maar kijk eens naar deze aantekening,' zei Amanda, naar een eerdere recente notitie wijzend: 1209X.

'Dat heeft waarschijnlijk betrekking op een andere kopie van het dossier,' zei Mike.

'Ja, maar zie je de datum en het tijdstip waarop de kopieën zijn gemaakt? Dat was op de middag van de dag dat ik naar Hillsboro ben geweest om Burdett te vertellen dat Charlie terugkwam naar Oregon om de aanklachten tegen hem onder ogen te zien.'

'Ik begrijp niet waar je heen wilt. Ik maak meestal een kopie van mijn dossiers om in stukken te verdelen als ik dossiers voor afzonderlijke getuigen ga aanleggen.'

'Als het kantoor al een duplicaat van het dossier had toen je erom vroeg, waarom hadden ze er dan nog een nodig?'

Mike fronste zijn voorhoofd.

'Op de dag dat ik Burdett vertelde dat Charlie terugkwam om terecht te staan heeft hij volgens mij een kopie van zijn volledige dossier gemaakt voor iemand die niet op het kantoor van de officier van justitie werkt.'

'Wie zou daar behoefte aan hebben?'

'Weet je nog dat ik je vertelde dat Burdett helemaal overstuur was toen Charlie door die sluipschutter werd beschoten?'

'Ja.'

'Ik denk dat Burdett misschien wel vermoord is omdat hij zijn conclusies had getrokken en erachter was gekomen dat Arnold Pope degene is achter de twee pogingen tot moord op Charlie en de moorden in het huis van Sally Pope.'

'Dat lijkt me wat vergezocht, Amanda.'

'Wie is, nu Gary Hass niet meer in beeld is, de enige die Charlie dood wil? Dat is Senior. Wraak is een voor de hand liggend motief voor de aanslag bij het gerechtsgebouw. Arnold Pope Senior kan Burdett opdracht hebben gegeven een kopie van het dossier van de zaak te maken, in de verwachting dat hij op zijn wenken zou worden bediend. Hij kan Burdett ook opdracht hebben gegeven om de man die hij voor de dood van zijn zoon verantwoordelijk hield vrij te laten, met het idee dat als hij niet meer in de gevangenis zat, een moordenaar hem onder vuur zou kunnen nemen.'

Mike keek bedenkelijk.

'Ik ben er zeker van dat iemand Sally Pope heeft gebruikt om Charlie uit zijn hotel te lokken, zodat hij alsnog vermoord kon worden nadat de eerste poging bij het gerechtsgebouw was mislukt,' ging Amanda verder. 'Als Charlies mysterieuze redder niet op het toneel was verschenen, zouden Sally én Charlie gestorven zijn. Pope is de enige die ik kan bedenken die hen allebei graag dood zou willen.'

Terwijl ze sprak, kwam heel even het beeld van Nathan Tuazama in haar op, maar ze besloot om die informatie voor zich te houden. Tuazama zou Charlie trouwens niet vermoorden voordat hij de diamanten in zijn bezit had.

'Nogmaals, dat lijkt me vergezocht, Amanda, en je hebt me geen enkel hard bewijs gegeven waar ik iets mee kan.'

'Je hebt gelijk wat het bewijs betreft, maar je zult moeten toegeven dat mijn redenering logisch is. Toen agent Cordova Burdett vertelde dat Gary Hass niet de sluipschutter kon zijn, drong het volgens mij tot Burdett door dat Pope achter de aanslag op Charlie bij het gerechtsgebouw zat. Stel dat hij Pope daarop aansprak? Stel dat Pope zich zorgen maakte dat Burdett iemand van zijn theorie op de hoogte zou brengen? Misschien heeft hij Burdett laten uitschakelen door dezelfde persoon die Sally heeft vermoord.'

'Dat zijn nogal wat veronderstellingen.'

'En denk ook eens aan Kevin.'

'Sally's zoon?'

'Waarom is hij niet dood, Mike? Arnold Pope Senior wordt geobsedeerd door het idee dat hij de voogdij over zijn kleinzoon krijgt. Degene die Sally heeft gedood heeft ook haar persoonlijk medewerker en haar hond vermoord, maar hij heeft Kevin niets gedaan. Volgens mij is Kevin nog in leven omdat Arnold Pope de moordenaar opdracht had gegeven ervoor te zorgen dat hij ongedeerd zou blijven.'

'Je hebt me heel wat stof tot nadenken gegeven,' zei Mike.

Er schoot Amanda nog iets anders te binnen: de foto die ze op het kantoor van de officier had gezien, waarop Karl Burdett en Tony Rose met jachtgeweren stonden afgebeeld.

'Ben je zover dat we kunnen ruilen?' vroeg Mike.

'Ja,' antwoordde ze. Ze werd nog steeds afgeleid door haar plotselinge ingeving. Ze besloot dat ze die voor zich zou houden tot ze er met Kate over had gesproken.

'Zullen we gewoon van plaats wisselen?' vroeg Mike.

'Dat lijkt me een goed idee.'

Mike ging op de vloer zitten en Amanda nam plaats op de bank. Om vijf voor half twaalf zat ze een stapel foto's door te nemen toen ze het origineel van de foto van Charlie Marsh en zijn gevolg bij het landhuis in Dunthorpe tegenkwam. Het was de foto waarvan Kate tegen haar had gezegd dat hij ontbrak. Ze pakte hem op en keek er aandachtig naar. Ze kende Mickey Keys en Charlie, maar het was interessant te zien hoe Delmar Epps eruitzag. Terwijl ze Epps bekeek, dwaalde haar blik naar diens middel. De lijfwacht had zijn jasje niet dichtgeknoopt. Hij zette net een stap en door de beweging van zijn lichaam was het jasje opengeslagen. Amanda hield de foto vlak voor haar ogen. Ja, ze kon de kolf van een revolver onderscheiden. Toen zag ze ook nog iets anders op de foto. Haar adem stokte in haar keel en ze wist nu waarom de foto ontbrak en wie hem had meegenomen. Toen Mike even niet keek, stopte Amanda de foto onder het kussen van de bank.

44

Mike en Amanda gingen even voor één uur naar bed. Voor de tweede achtereenvolgende nacht waren ze zo uitgeput dat ze niets anders konden doen dan slapen. Ze hadden alle twee schone kleren liggen in het appartement van de ander en Mike had zich om vijf uur in de ochtend gedoucht en geschoren, zodat hij zijn kantoor binnen kon komen zonder dat iemand de dossiers zou zien.

Nadat Mike vertrokken was, probeerde Amanda weer in slaap te komen, maar ze werd bestookt door vragen die de openbaringen van de afgelopen nacht hadden opgeworpen. Was Arnold Pope het meesterbrein achter de moorden? Was Tony Rose de sluipschutter? En dan was er nog de foto van de bijeenkomst in Dunthorpe. Daar kon Charlie haar bij helpen, dus nam Amanda een douche, kleedde zich aan en begaf zich naar het ziekenhuis.

Toen ze daar aankwam, zat Charlie rechtop in bed.

'Heb je gehoord wat er met Karl Burdett is gebeurd?'

'Het was op het nieuws, maar ze zeiden alleen maar dat hij was doodgeschoten en dat jij hem hebt gevonden. Hoe is dat gebeurd?'

Amanda vertelde Charlie over het telefoongesprek.

'Heb je enig idee waarom Burdett je wilde spreken?' vroeg Charlie toen Amanda klaar was met de samenvatting van de gebeurtenissen van die nacht.

'Dat zei hij niet.'

'Maar zei hij wel dat het over mij ging, over de zaak?'

Amanda knikte.

'Wat gaat er gebeuren nu Burdett dood is?'

'Je aanklacht loopt nog steeds. Er zal een waarnemend officier worden benoemd – waarschijnlijk Wanda Simmons, de substituut-officier – en er zal iemand worden aangewezen om als aanklager op te treden.'

'Word ik nog steeds vervolgd na alles wat er gebeurd is?'

'Werner Rollins heeft zijn verklaring ingetrokken, dus ze hebben geen enkel direct bewijs dat jij Pope hebt vermoord. Ik zal de officier ervan proberen te overtuigen dat er zo veel onbeantwoorde vragen zijn dat het niet meer dan billijk is dat de zaak geseponeerd wordt.'

'En al die lui die geprobeerd hebben mij te vermoorden? Zou dat ze niet aan het denken zetten dat ze misschien de verkeerde voorhebben?'

'Je staat terecht voor een moord die twaalf jaar geleden is gepleegd. Er is geen hard bewijs dat de recente reeks moorden iets met de moord op het congreslid te maken heeft.'

'Kom nou. Dat ligt toch voor de hand.'

'Het enige wat voor de hand ligt is dat jij door iemand achterna wordt gezeten. Dat kan zijn omdat ze denken dat jij Arnold Pope Junior hebt vermoord en ze wraak willen.'

'Heb je het nu over Arnies vader?'

Amanda knikte. 'Volgens mij is de mogelijkheid groot dat hij iemand heeft ingehuurd om jou te vermoorden.'

'Wie?'

'Daar wil ik het nu niet over hebben, maar ik heb de lijst van getuigen gezien die Pope bij de voogdijzaak wil laten opdraven, dus misschien weet ik na de hoorzitting meer.'

'Denk je dat er een verband is tussen de pogingen van Senior om de voogdij over Kevin in handen te krijgen, de moord op Junior en de pogingen om mij te vermoorden?'

'Dat zou kunnen, maar ik sta open voor alle suggesties. Kun jij bedenken of er behalve Senior nog iemand anders is die wil dat jij sterft?'

Charlie leek uiterst nerveus. 'Nee. Ik bedoel, Tuazama is er ook nog, maar, zoals ik al zei, ik denk niet dat hij me zou vermoorden voordat hij de diamanten heeft.'

'Dus je kunt niemand anders bedenken?'

'Nee.'

Amanda deed haar attachékoffertje open en haalde er een bruine envelop uit. In de envelop zat de foto die ze uit Karl Burdetts dossier had gepikt. Ze haalde hem eruit en legde hem op de deken van Charlies bed.

45

De edelachtbare Maria Gomez kwam de rechtszaal binnen en de partijen in de zaak betreffende Kevin Pope bleven staan tot ze was gaan zitten. Rechter Gomez was midden veertig. De gespierde juriste was één meter tachtig lang en had in de toernooien van de Ladies Professional Golf Association gespeeld tot ze de golfsport vaarwel had gezegd en rechten was gaan studeren. Na haar studie had ze haar prestatiedrang in de wereld van de advocatuur laten gelden. Ze was een van de meest vooraanstaande familierechtadvocaten in Oregon geweest tot de huidige gouverneur haar tot rechter had benoemd. Gomez was een no-nonsense rechter die bij haar zittingen graag voortvarend te werk ging en een hekel had aan advocaten die onvoorbereid waren of haar tijd verprutsten.

Aan een van de advocatentafels zat Andrew Curry naast Arnold Pope Senior. Curry was een kalende, broodmagere advocaat met afhangende schouders, die de bijnaam 'de Vampier' droeg, vanwege de meedogenloze manier waarop hij als advocaat te werk ging en vanwege een bloedeloos gezicht dat het gevolg was van de lange uren die hij binnenshuis doorbracht met het werken aan manieren om echtscheidings- en voogdijzaken voor zijn cliënten te winnen. Curry droeg zijn bijnaam met trots. Niemand mocht hem, maar iedereen beval hem aan aan een echtgenoot die wilde dat zijn of haar ex te gronde werd gericht en berooid en gedemoraliseerd uit een echtscheidingszaak tevoorschijn zou komen.

Frank Jaffe zat achter eenzelfde tafel aan de andere kant van het gangpad. Amanda zat naast haar vader zodat ze konden overleggen. Liam O'Connell zat naast Amanda. Kevin was niet aanwezig, omdat het bij hoorzittingen over voogdij vaak uitdraaide op karaktermoord en het beter was dat het kind, dat met een van de belasterde ouders zou moeten leven, de beschuldigingen van bevooroordeelde getuigen niet te horen kreeg.

'Laten we even kijken of ik de achtergrond van deze zaak goed heb begrepen, meneer Jaffe,' zei rechter Gomez. 'Sally Pope was Kevin Popes moeder en zijn vader was Arnold Pope Junior. De heer Pope is twaalf jaar geleden overleden en mevrouw Pope heeft, tot haar recente dood, haar zoon opgevoed. De heer O'Connell woonde tot de dood van mevrouw Pope ongeveer vijf jaar met haar en Kevin samen. In haar testament heeft mevrouw Pope de heer O'Connell als Kevins voogd aangewezen en de heer O'Connell heeft een verzoek bij mij ingediend om tot Kevins voogd te worden benoemd.'

'Dat is juist, edelachtbare,' zei Frank Jaffe. 'Ik wil voor alle zekerheid ook dat u ervan op de hoogte bent dat het de uitdrukkelijke wens van mevrouw Pope was dat, zoals ze in haar testament nadrukkelijk heeft vastgelegd, Arnold Pope Senior nooit de voogdij over Kevin mocht krijgen. Toen ze nog leefde wilde ze beslist niet dat de heer Pope Senior ooit nog contact met haar zoon zou hebben, en ze heeft dat in haar testament ook duidelijk tot uitdrukking gebracht.'

'Daarvan ben ik me bewust en ik zal de wensen van mevrouw Pope bij het nemen van mijn besluit ook ernstig in overweging nemen, maar ik acht me er niet aan gebonden. Mijn voornaamste zorg is wat het beste is voor het kind, Kevin Pope.'

De rechter richtte haar aandacht op Senior en zijn advocaat. 'Meneer Curry, uw cliënt heeft bezwaar aangetekend tegen het verzoek van de heer O'Connell om tot voogd te worden benoemd. Ik zal vandaag beslissen wie als Kevins tijdelijke voogd wordt aangewezen tot er een volledige hoorzitting kan worden gehouden. Heb ik dat juist?'

'Ja, edelachtbare.'

'Dan lijkt het mij dat de bewijslast bij de heer Pope ligt, omdat het testament het hof vraagt de heer O'Connell tot Kevins voogd te benoemen.'

Curry kwam zo snel overeind dat rechter Gomez de indruk kreeg dat een deel van de overgang van zitten naar staan haar was ontgaan. Het was of je naar een film keek waaruit een aantal beelden was weggesneden.

'Met alle respect, edelachtbare, maar ik ben het niet eens met uw standpunt. Wij zijn van mening dat het de taak van de heer O'Connell is het hof ervan te overtuigen dat hij tot Kevins voogd dient te worden benoemd. De wet van de staat Oregon erkent dat grootouders een aanzienlijk belang bij hun kleinkinderen hebben. De rechten van een sekspartner die geen bloedverwantschap met het kind heeft, dienen niet vóór die van een grootouder te gaan.

Bovendien maken wij bezwaar tegen het standpunt van de heer Jaffe dat mevrouw Popes rabiate en onterechte hekel aan mijn cliënt op enigerlei wijze van invloed dient te zijn op de beslissing van het hof.'

'Ik waardeer uw standpunt, meneer Curry. Misschien zit ik ernaast wat de bewijslast betreft. Als dat zo is, zal het hof van beroep me daarin corrigeren. Maar u hebt dit verzoek ingediend waarin het testament wordt aangevochten, dus ga ik ervan uit dat het uw taak is mij ervan te overtuigen dat de heer O'Connell niet tot Kevins tijdelijke voogd dient te worden benoemd. Bent u zover dat u uw eerste getuige kunt oproepen?'

Voordat de zitting voor de lunchpauze werd geschorst verklaarde een kinderpsychiater, die door Senior was ingeschakeld, dat Senior een uitstekende voogd voor Kevin zou zijn. Vervolgens riep Curry nog een aantal vooraanstaande ingezetenen van Oregon op, onder wie een van Oregons senatoren, die verklaarde dat hij ervan overtuigd was dat Arnold Pope Senior van zijn overleden zoon en zijn kleinzoon hield en een voortreffelijke voogd voor Kevin zou zijn. Tijdens het kruisverhoor stelde Frank Jaffe vast dat elk van de getuigen als gevolg van een financiële of persoonlijke relatie met Senior bevooroordeeld was. Hij dwong hen ook toe te geven dat ze niets wisten over Liam O'Connells geschiktheid om de jongen op te voeden.

Zodra de zitting na de lunchpauze werd voortgezet, verzocht rechter Gomez Curry zijn volgende getuige op te roepen. Tony Rose streek het colbert van zijn donkergrijze krijtstreepkostuum glad, trok zijn bruinzijden stropdas recht en liep naar de getuigenbank. Hij leek in alles op een geslaagde zakenman.

'Meneer Rose, wat is uw beroep?' vroeg Curry nadat de getuige de eed had afgelegd.

'Ik ben hoofddirecteur van Mercury Enterprises. Wij maken sportartikelen.'

'Uw bedrijf sponsort toch ook het Mercury-trainingsprogramma voor onze olympische atleten, als ik het wel heb?'

'Ja, meneer. Verscheidene Amerikaanse sporters hebben olympische medailles gewonnen nadat ze van onze trainingsfaciliteiten gebruik hadden gemaakt.'

'Kunt u de rechter iets vertellen over de wereldwijde activiteiten van Mercury?'

'Dat is niet nodig, meneer Curry,' zei rechter Gomez. 'Ik ben me er uitstekend van bewust wie de heer Rose is en wat Mercury doet. Ik betwijfel of er in Oregon, zo niet in heel de Verenigde Staten, iemand is die het Mercury-logo niet herkent.'

'Uitstekend, edelachtbare. Meneer Rose, kent u Arnold Pope Senior?'

'Jawel.'

'Hoe lang kent u hem al?'

'Al meer dan tien jaar.'

'Wat voor reputatie geniet de heer Pope in de zakenwereld van Oregon?'

'"Oregon" is, als u mij toestaat, in dit verband te beperkt. Ik meen te mogen zeggen dat hij bij iedereen in de Verenigde Staten bekendstaat vanwege zijn integriteit.'

'Hebt u ooit aanleiding gehad om met hem over Arnold Pope Junior te spreken?'

'Ja, meneer. Hij was kapot door het verlies van zijn zoon. Dat is hij trouwens nog steeds.'

'Heeft hij met u ooit over zijn kleinzoon, Kevin Pope, gesproken?'

'Ja, meneer. Ik vind het heel moeilijk om te zeggen wat hem meer heeft aangegrepen: de dood van zijn zoon of de beslissing van Sally Pope om het contact tussen de heer Pope en zijn kleinzoon te verbreken.'

'Bent u van mening dat de heer Pope een geschikte voogd voor zijn kleinzoon zou zijn?'

'Ongetwijfeld. Hij houdt heel veel van de jongen en hij zou hem al de voordelen van zijn naam en zijn positie mee kunnen geven.'

'Uw getuige, meneer Jaffe.'

'Edelachtbare, mijn collega zal het kruisverhoor van deze getuige op zich nemen.'

'Uitstekend. Mevrouw Jaffe,' zei rechter Gomez.

'Dank u, edelachtbare,' antwoordde Amanda voordat ze haar aandacht op Tony Rose richtte.

'Meneer Rose, in de brochure van uw bedrijf, in televisiereclames en advertenties in tijdschriften en op internet wordt u afgeschilderd als een sportman. Klopt dat?'

'Ja.'

'En was u, voordat u dienst nam in het leger, een van de beste tennissers van uw middelbare school?'

'Ja.'

'En was u goed genoeg om in het laatste jaar van uw studie aan de staatsuniversiteit van Ohio door te dringen tot de kwartfinales van het kampioenschap in divisie I van de National Collegiate Athletic Association?'

'Dat klopt.'

En bent u daarna twee jaar beroepstennisser geweest voordat u tennisleraar bij de Westmont-sociëteit werd?'

'Dat klopt ook.'

'Er zijn televisiespotjes voor Mercury Enterprises waarin u te zien bent terwijl u volleert met Gary Posner, de Wimbledon- en US Open-kampioen.'

'Ja, maar ik ben lang zo goed niet als er geen camera's lopen,' antwoordde Rose. Rechter Gomez glimlachte en verscheidene toeschouwers lachten.

'Zijn er niet ook spotjes waarin u te zien bent terwijl u in de wouden van Oregon aan het jagen en vissen bent?'

'Klopt.'

'Beoefent u die sporten graag?'

'Ja zeker.'

'Zijn tennissen, jagen en vissen niet typisch sporten waar jongens in de puberteit belangstelling voor hebben?'

'Sommige jongens wel, ja,' antwoordde Rose voorzichtig. Hij vermoedde dat het om een strikvraag ging.

'De heer Pope kan niet tennissen, ofwel?'

Rose aarzelde. Vervolgens zei hij: 'Nee.'

'En hij kan ook niet jagen of vissen of deelnemen aan enige inspannende activiteit omdat hij in de zeventig is en last heeft van een aantal lichamelijke ongemakken. Heb ik dat juist?'

'Bezwaar,' riep Curry. 'De heer Rose is geen arts.'

'Ik vraag de heer Rose om een verklaring over wat hij zelf heeft gezien,' wierp Amanda tegen. 'Een leek kan zo zien of iemand mank loopt of blind is.'

'Bezwaar afgewezen,' zei de rechter. 'U kunt deze vraag beantwoorden, meneer Rose.'

'De heer Pope is niet meer zo vief als toen ik hem leerde kennen.'

'Wanneer was dat? Wanneer hebt u de heer Pope leren kennen?'

Rose fronste zijn voorhoofd. 'Ik weet de datum niet precies.'

'Was het nadat zijn zoon vermoord werd?'

'Ja, dat is volgens mij correct.'

'En voordat u met Mercury begon?'

'Ja.'

'Dat is ongeveer twaalf jaar geleden, vlak na de moord op zijn zoon. Klopt dat?'

'Ja.'

'Heb ik het juist als ik zeg dat de heer Pope twaalf jaar geleden een topman in het bedrijfsleven was en u een werkloze tennisinstructeur?'

'Dat is juist,' gaf Rose toe.

'Hoe hebt u elkaar dan leren kennen? U bewoog zich nou niet bepaald in dezelfde sociale kringen.'

'Ik… Dat is een tijd geleden. Dat weet ik eigenlijk niet meer.'

'U kon het kennelijk goed met elkaar vinden, gezien het feit dat de heer Pope u het startkapitaal voor Mercury heeft verschaft.'

'Daar kan ik echt niet op ingaan. Wij zijn een particuliere onderneming en onze cijfers zijn niet openbaar.'

'Dat zal nu wel moeten, meneer Rose. U bevindt zich in een rechtszaal en u staat onder ede. Ik heb die vraag gesteld om aan te tonen dat er mogelijk een vooroordeel uwerzijds bestaat ten gunste van de partij die u heeft opgeroepen.'

'Bezwaar,' begon Curry.

'Nee, meneer Curry,' bepaalde de rechter. 'Mevrouw Jaffe is gerechtigd aan te tonen dat de getuige die u hebt opgeroepen bevooroordeeld kan zijn. Wilt u de vraag beantwoorden, meneer Rose?'

Rose leek zich allerminst op zijn gemak te voelen. Hij keek heel even naar Senior, maar de oude man keek dwars door hem heen.

'De heer Pope heeft me inderdaad geholpen om Mercury op te starten.'

'Heeft hij een meerderheidsbelang in het bedrijf?'

'Ja.'

'Dus u bent als hoofddirecteur van het bedrijf zijn ondergeschikte? Zou hij u kunnen ontslaan als hij dat wil?'

'Het gaat heel goed met het bedrijf en ik treed als woordvoerder ervan op. Daar heeft hij dus geen enkele reden voor.'

'Maar als hij het zou willen, zou hij u wel kunnen ontslaan?'

'Ik neem aan van wel.'

'Ging het bij de eerste investering van de heer Pope in Mercury om een aanzienlijk bedrag?' vroeg Amanda.

'Ja.'

'Heb ik het juist dat het, zonder een specifiek bedrag te noemen, bij de eerste investering van de heer Pope om een bedrag van zeven cijfers ging?'

'Ja. Dat lijkt me correct.'

'Wat was de reden voor de heer Pope om u zo veel geld te geven?'

'Mijn idee voor een bedrijf dat in sportartikelen handelde, sprak hem aan. Hij had een vooruitziende blik en was in staat om de mogelijkheden van het bedrijf te zien.'

'Ik heb me niet duidelijk uitgedrukt, meneer Rose. Ik bedoelde te zeggen: was het niet vreemd om, als hij echt van zijn zoon hield, zo veel geld aan de minnaar van de vrouw van die zoon te geven?'

Rose verschoot van kleur, maar wist zijn kalmte te bewaren. 'Daar ben ik niet trots op en dat heb ik ook tegen de heer Pope gezegd. Maar ik heb ook tegen hem gezegd dat mevrouw Pope mij had gevraagd zijn zoon te vermoorden en dat ik dat geweigerd had. Volgens mij stelde de heer Pope dat op prijs.'

'U bent de enige die beweert dat Sally Pope u heeft gevraagd haar man te vermoorden. Moeten we u op uw woord geloven?'

'Bezwaar, edelachtbare,' zei Curry. 'Deze vraag van mevrouw Jaffe heeft niets met de voogdijkwestie te maken.'

'Ik trek de vraag in, edelachtbare,' beloofde Amanda.

'U kunt nog wel even verdergaan,' bepaalde de rechter.

'Had de heer Pope niet een gruwelijke hekel aan zijn schoondochter?'

'Ze konden niet goed met elkaar opschieten.'

'Hij wilde toch dat ze voor de moord op zijn zoon geëxecuteerd zou worden?'

'Daar weet ik niets van.'

'Was uw verklaring niet het sterkste en meest in het oog springende bewijs dat mevrouw Pope rechtstreeks in verband bracht met de moord op haar man?'

'Daar ben ik niet zeker van. Ik ben niet op de hoogte van al de bewijzen die de aanklager had.'

'Was het startkapitaal voor Mercury een afkoopsom omdat u bij het proces van Sally Pope had gelogen?'

'Nee! Zeer zeker niet.'

'U zou er zeker voordeel bij hebben gehad als Sally Pope schuldig was bevonden. Heb ik dat juist?'

'Ik zie niet in hoe.'

'Daarmee zou namelijk wat de politie betrof de zaak zijn afgelopen. De autoriteiten zouden Charlie Marsh als de schutter hebben aangemerkt en mevrouw Pope als zijn medeplichtige. Ze zouden niet verder hebben gekeken.'

'Ik kan u even niet volgen.'

'Mag ik de getuige benaderen?' vroeg Amanda.

'Ga uw gang,' zei rechter Gomez.

Een advocaat die een kruisverhoor afneemt volgt bij het stellen van vragen vaak geen vaste lijn om zo de getuige uit balans te brengen. Amanda overhandigde Rose de foto waarop hij met Karl Burdett stond. Het was de foto die ze in het kantoor van Karl Burdett had zien hangen, waarop beiden met hun jachtgeweren stonden.

'Kent u deze foto?'

'Ja. Ik sta er samen met Karl Burdett op terwijl we aan het jagen zijn.'

'U bent een vrij goede schutter, niet?'

'Dat valt wel mee,' antwoordde Rose nerveus.

'Meneer Rose, u hoeft niet bescheiden te doen. U hebt in het leger het niveau van scherpschutter bereikt als ik het wel heb.'

'Dat klopt.'

'Dus u weet hoe u van grote afstand met een precisiegeweer een doel kunt raken?'

'Ja, maar dat is jaren geleden.'

'Bent u in de loop der jaren minder accuraat geworden?'

'Ik denk dat ik nu minder zuiver schiet dan toen ik in het leger zat.'

'Is dat de reden dat u Charlie Marsh niet hebt geraakt toen u hem bij het gerechtsgebouw probeerde te vermoorden?'

Rose keek geschokt. 'Dat heb ik niet gedaan!'

'Bezwaar,' bulderde Curry, zodat hij boven het geroezemoes in de rechtszaal uit kwam.

'U begeeft zich hier op glad ijs, mevrouw Jaffe,' zei rechter Gomez. 'Dit zijn heel ernstige beschuldigingen.'

'Ik zal hier niet verder op doorgaan, edelachtbare,' beloofde Amanda.

'U kunt verdergaan, maar zodra ik merk dat u naar antwoorden zit te vissen maak ik een eind aan dit verhoor.'

'Edelachtbare, de heer Rose kan daar zelf een eind aan maken door een beroep te doen op het Vijfde Amendement,' kaatste Amanda terug.

Rechter Gomez dacht even na over wat Amanda had gezegd en wendde zich vervolgens tot de getuige.

'Mevrouw Jaffe heeft gelijk, meneer Rose. Als u op enig moment van mening bent dat uw antwoord op mevrouw Jaffes vraag een bekentenis inhoudt van misdadig gedrag, is het u toegestaan een beroep te doen op de rechten die u in het Vijfde Amendement worden toegekend. U hoeft niet tegen uzelf te getuigen. Begrijpt u dat?'

'Jawel,' antwoordde Rose terwijl hij rechtop in de getuigenbank ging zitten en het jasje van zijn kostuum gladstreek. 'Maar ik heb niets te verbergen, edelachtbare.'

'Uitstekend. U mag verdergaan, mevrouw Jaffe.'

'Heeft de heer Pope u opdracht gegeven Charlie Marsh te vermoorden toen de heer Marsh na zijn hoorzitting over vrijlating op borgtocht het gerechtsgebouw verliet?'

'Nee.'

'Heeft hij gedreigd u uit uw functie bij Mercury Enterprises te ontzetten als u Charlie Marsh en Sally Pope niet zou vermoorden?'

'Nee.'

'Maar hield hij u wel op de hoogte over de zaak van de heer Marsh?'

'Nee, dat deed hij niet.'

'Herinnert u zich dat u op de dag vóór de heer Marsh naar Portland terugvloog met mijn detective, Kate Ross, hebt gesproken?'

'Ja.'

'Tegen het eind van dat gesprek vroeg ze u of u nog steeds boos op de heer Marsh was.'

'Dat klopt.'

'En toen zei u dat dat allemaal verleden tijd was en vroeg u haar of ze, als ze de heer Marsh de volgende dag zou spreken, tegen hem wilde zeggen dat u geen wrok meer tegen hem koesterde.'

'En?'

'Hoe wist u dat de heer Marsh de volgende dag naar Portland zou vliegen?'

'Dat... Dat weet ik niet.' Rose' ogen schoten zenuwachtig heen en weer. 'Misschien had ik dat op het nieuws gehoord.'

'De heer Marsh is met een privévliegtuig naar Portland gevlogen. Zijn aankomsttijd werd zorgvuldig geheimgehouden. De media kregen pas op de dag nadat mevrouw Ross met u had gesproken over de vlucht te horen. Dat was toen ze een tip kregen van een verslaggever van *World News*. Voordat de heer Marsh naar Portland vloog, verbleef hij in New York. Ik kan iedereen in New York laten oproepen die van het vluchtschema van de heer Marsh op de hoogte was, maar zij zullen allemaal onder ede verklaren dat zij die informatie niet aan u hebben gegeven.

Behalve mijn vader, Kate Ross en ik, was Karl Burdett de enige in Oregon die wist wanneer de heer Marsh zou arriveren. Als u op de hoogte was van de datum, kan die informatie alleen maar van de heer Burdett afkomstig zijn, of van iemand die het van hem had gehoord. Daarbij denk ik bijvoorbeeld aan zijn voornaamste geldschieter, Arnold Pope Senior, die intense belangstelling had voor de zaak van een man die naar verluidt zijn zoon had vermoord. Ik vraag u dus nogmaals: heeft Arnold Pope u ingelicht over de zaak van de heer Marsh?'

'Bezwaar,' riep Curry. 'Deze ondervraging gaat een kant op die helemaal niets met het onderwerp van deze zitting te maken heeft. Mevrouw Jaffe heeft niet ook maar het geringste bewijs om haar beschuldigingen te staven.'

'Als de heer Pope mocht denken dat de heer Rose zijn zoon heeft vermoord heb ik misschien een ooggetuige,' zei Amanda.

'Wát!' riep Rose.

'U hebt Kate Ross verteld dat u bij uw auto op het parkeerterrein van de Westmont stond toen Arnold Pope Junior werd vermoord, maar Ralph Day kan verklaren dat u tussen de menigte stond die toekeek terwijl Delmar Epps met een van de beveiligingsmensen vocht. Het wapen dat gebruikt is om het congreslid te vermoorden was een groot, log ding. De heer Epps droeg het gewoonlijk tussen zijn broekriem. Als de heer Epps het wapen bij zich had, en het toen hij aan het vechten was op de grond viel, kon u het oprapen.'

'Waarom zou ik Arnold Pope Junior hebben willen vermoorden? Ik kende hem niet eens.'

'Stel dat het niet uw bedoeling was hem te vermoorden? Stel dat het uw bedoeling was zijn vrouw, Sally Pope, te vermoorden? Zij had u de bons gegeven en kort voor de moord geweigerd met u te praten. Stel dat u op Sally Pope richtte en haar man bij vergissing hebt gedood? Als het zo gegaan is, zou u het wapen weg hebben kunnen smijten nadat u het congreslid had vermoord. Vervolgens kon u tegen de heer Pope liegen en hem vertellen dat u Sally Popes verzoek om haar man te vermoorden had geweigerd en had u ermee in kunnen stemmen een verklaring af te leggen tegen de vrouw die door de heer Pope werd gehaat. Als mevrouw Pope in de gevangenis belandde, zou de politie niet meer naar de moordenaar van het congreslid zoeken. En als de heer Pope de voogdij over zijn kleinzoon kreeg, zou er een heel vermogend iemand bij u in het krijt staan.'

'Bezwaar!' riep Curry. 'Dit is zuiver speculatie. Mevrouw Jaffe is bezig met de bewijsvoering voor een jury in een moordzaak. Ze wordt geacht vragen te stellen in een zaak over voogdij. Haar hele lijn van vragen stellen is hier niet ter zake.'

Terwijl Curry sprak, wierp Rose een snelle blik op Arnold Pope. De oude man zat voorover geleund. Zijn blik was onafgebroken op de getuige gericht. Er verschenen zweetdruppels op Rose' voorhoofd.

'Ik ben geneigd het daarmee eens te zijn, mevrouw Jaffe,' zei rechter Gomez. 'Uw beschuldigingen zijn heel ernstig en ik kan u niet toestaan ermee door te gaan tenzij u mij kunt verzekeren dat u over erg sterke bewijzen beschikt om ze te staven.'

'Mogen we een ogenblikje, edelachtbare?' vroeg Frank.

'Ga uw gang,' zei de rechter.

Frank boog zich naar zijn dochter toe zodat niemand hem kon horen.

'Amanda, heb je ook maar een greintje bewijs dat Rose Junior heeft vermoord?'

'Ik heb hem nergens van de moord op Pope beschuldigd. Ik heb alleen maar een heleboel vragen gesteld die begonnen met "stel dat".'

'Je kunt niet zomaar beschuldigingen van moord rondstrooien. Ik vind dat je met deze lijn van vragen stellen niet verder moet gaan.'

'Maak je geen zorgen, pap. Ik heb bereikt wat ik wilde bereiken.'

Amanda ging staan. 'Ik heb verder geen vragen voor de heer Rose,' zei ze tegen de rechter.

'Volgens mij is dit een goed moment om de zitting voor vandaag te schorsen,' zei rechter Gomez.

Amanda ging zitten en keek hoe Tony Rose zich de rechtszaal uit haastte. Vervolgens richtte ze haar aandacht op Arnold Pope, die met een blik van pure haat in zijn ogen naar de rug van de verdwijnende Rose keek. Een aantal rijen achter Senior ging een zwarte man staan die zich een weg baande naar de deur van de rechtszaal. Amanda's hart ging sneller kloppen, maar toen kalmeerde ze weer. Ze had gedacht dat de man Nathan Tuazama was, maar Tuazama droeg geen bril met schildpadmontuur.

'Denk je echt dat Rose Sally vermoord heeft?' vroeg Liam O'Connell terwijl de rechtszaal leegliep. Hij leek verbijsterd.

'Iemand wilde Charlie en Sally dood en die iemand heeft een heleboel moeite gedaan om dat voor elkaar te krijgen. De enige die ik kan bedenken die hen zo erg haatte, is Senior. Hij kon het niet zelf doen, maar hij zou Rose gedwongen kunnen hebben het karwei op te knappen. Als Rose bij Mercury Enterprises de deur uit getrapt zou worden, zou hij een fortuin verliezen, en hij is als scherpschutter bedreven genoeg om een poging te wagen Charlie bij het gerechtsgebouw te vermoorden.

Op de dag dat ik Karl Burdett vertelde dat Charlie naar Oregon terugkwam, heeft hij zijn dossier gekopieerd. Niemand op het kantoor van de officier weet iets over die kopie, dus aan wie zou hij die gegeven hebben? De enige die er zo veel belangstelling voor had, is Senior.'

'En heeft Pope volgens jou aan Rose verteld wanneer Marsh' vliegtuig aan zou komen?' vroeg O'Connell.

'Met wie zou Burdett anders hebben gesproken?'

'Gaat de politie Rose arresteren?'

'Nee, tenzij ze met meer bewijzen op de proppen komen,' zei Amanda terwijl ze haar laatste paperassen in haar attachékoffertje stopte en de rechtszaal verliet. 'Je kunt geen aanklacht indienen op grond van veronderstellingen.'

'Dat had je regelrecht uit *Perry Mason*,' zei Dennis Levy zodra Amanda de hal binnen kwam.

'Het enige verschil was dat Rose niet instortte en bekende. In het echte leven ontkennen getuigen alles, Dennis. Ontkennen, ontkennen en nog eens ontkennen, ongeacht hoeveel bewijzen je hun voorlegt.'

'Waarom heb je hem dan op die manier aan een kruisverhoor onderworpen?'

'Om bij de rechter twijfel te zaaien over Seniors geschiktheid als voogd en om een wig te drijven tussen Senior en Rose die misschien bij Charlies proces van nut kan zijn.'

'Wil je me een exclusief interview over de voogdijzaak geven? Als ik het nu opschrijf, kan ik mijn verhaal in de *World News*-aflevering van deze week krijgen.'

'Natuurlijk, Dennis,' zei Amanda zodra Liam en Frank buiten gehoorsafstand waren. 'Ik wilde toch al met je praten over die foto van de bijeenkomst in Dunthorpe.'

Dennis verbleekte. 'Welke foto?'

'Je moet geen spelletje met me spelen. Kate heeft hem gezien toen ze het dossier doornam, maar nadat jij het dossier had doorgenomen was hij weg. Ik weet wat erop staat. Ik heb het origineel gezien. Als je hem aan me teruggeeft, samen met de eventuele kopieën die je hebt gemaakt, zorg ik dat je rechtstreeks bij Charlies zaak betrokken blijft. Als je hem houdt, zal ik alles doen wat in mijn macht ligt om ervoor te zorgen dat iemand anders Charlies boek schrijft. Aan jou de keus.'

'Je kunt me niet bang maken,' zei Dennis, maar de trilling in zijn stem sprak zijn woorden tegen.

'Chantage is een zwaar misdrijf, Dennis.'

'Waar heb je het over?'

Amanda keek Levy doordringend aan. Er verschenen zweetdruppels op het voorhoofd van de verslaggever.

'Ik ga nu naar mijn kantoor. Als je weet wat je gaat doen, kunnen we praten. Je hebt iedereen verteld wat dat boek voor je carrière gaat doen, hoe beroemd je ermee gaat worden en hoeveel geld je ermee gaat verdienen. Doe dat dan op een eerlijke manier, Dennis, en geef die foto terug.'

Amanda draaide zich om en ging ervandoor. Dennis keek haar na. Plotseling drong het tot hem door dat hij stond te beven. Een paar meter verderop stond een bank. Hij moest gaan zitten. En daarna moest hij besluiten wat hij ging doen.

46

Tony Rose had ontzettend behoefte aan een gesprek met Arnold Pope, maar toen hij het gerechtsgebouw verliet, werd hij belaagd door verslaggevers, die hem de hele weg naar zijn auto achtervolgden. Rose kon maar net voorkomen dat hij de microfoon van een verslaggever vernielde toen hij het portier van zijn Ferrari dichtsloeg. Hij zat zich net af te vragen of hij achteruitrijdend zijn parkeerplek kon verlaten zonder iemand omver te rijden toen de verslaggevers er plotseling vandoor gingen. Rose keek door zijn achterruit en zag dat de horde verslaggevers naar het gerechtsgebouw rende om Pope en Derrick Barclay onder vuur te nemen.

Rose had geen idee wat er in Popes verwrongen geest omging, maar hij wist dat hij Senior moest zien te overtuigen van de waanzin van Jaffes beschuldigingen. Hij deed zijn ogen dicht en deed de ademhalingsoefeningen die hij vroeger gebruikte om op spannende momenten tijdens zijn tenniswedstrijden tot rust te komen.

Popes limousine stopte voor het gerechtsgebouw en Barclay hielp zijn werkgever met instappen. Waarschijnlijk gingen ze naar Popes landgoed. Rose overlegde juist met zichzelf of het verstandig was de limousine te volgen toen zijn mobieltje overging.

'Meneer Pope wil dat u vanavond om tien uur bij hem thuis komt,' zei Derrick Barclay op die hooghartige toon waar Rose de kriebels van kreeg.

'Hij denkt toch niet dat…' begon Rose, maar Barclay had al opgehangen.

Rose slikte moeizaam en reed achteruit zijn parkeerplek uit. Hij ging zo in zijn problemen op dat hij niet merkte dat Pierre Girards onopvallende bruine Toyota achter hem aan het parkeerterrein af reed.

Om klokslag tien uur parkeerde Tony Rose zijn Ferrari voor Arnold Popes landhuis. Hij was nog steeds ontdaan door de manier waarop Barclay hem had ontboden. Rose verdiende een heleboel geld, maar in de loop der jaren had hij ook heel wat uitgegeven. Zijn auto's en zijn huizen kostten een vermogen aan onderhoud en hij bevond zich voortdurend op de rand van een faillissement. Alleen zijn enorme salaris en overdreven gulle bonussen zorgden ervoor dat hij nog brood op de plank had. Daarom had hij er ook mee ingestemd om Charlie March en Sally Pope te vermoorden. Senior wist dat hij een scherpschutter was toen hij Rose had voorgesteld de moorden te plegen. Toen Rose tegenstribbelde, had Senior gedreigd dat hij hem bij Mercury zou ontslaan en hij had daar bij wijze van lokmiddel een als bonus voor zijn hoofddirecteurschap van Mercury vermomde afkoopsom van zeven cijfers tegenovergesteld.

Rose voelde zich nu hulpeloos. Wie wist wat Senior dacht na het geraaskal van O'Connells krankzinnige advocaat te hebben aangehoord? Als Pope alles geloofde wat Jaffe had gezegd zou hij hem misschien bij Mercury de deur uit trappen en dan was hij weer net zover als toen hij bij de Westmont werd ontslagen. En hij had niets wat hij als onderhandelingsmiddel kon gebruiken. Hij kon niet dreigen dat hij Pope van medeplichtigheid zou beschuldigen zonder zichzelf daarbij de das om te doen. De politie zou hem trouwens op zijn woord moeten geloven als hij iets over Popes betrokkenheid zei.

Toen Rose het niet langer uit kon stellen, stapte hij uit en liep naar de voordeur.

'Wat wil hij?' vroeg Rose aan Derrick Barclay toen Popes bediende hem voorging naar de achtervleugel van het huis.

'Dat zult u aan meneer Pope zelf moeten vragen.'

Het eerste wat Rose opviel toen Barclay de deur van de studeerkamer opendeed, was dat de zware gordijnen waren dichtgetrokken. Het enige licht kwam van het spaarlampje in Seniors bureaulamp, zodat Popes gelaatstrekken in duisternis waren gehuld.

'Kom verder,' beval Pope vanuit zijn stoel achter zijn bureau. Tony had een paar stappen de kamer in gezet toen hij de deur achter hem dicht hoorde gaan. Hij wilde zich omdraaien, maar zijn voeten raakten verstrikt in het stoflaken dat Barclay op verzoek van Pope op de vloer had uitgespreid. Toen Tony omlaag keek, drong het tot hem door dat elke vierkante centimeter van de prachtige hardhouten vloer ermee bedekt was.

'Dus jíj hebt mijn zoon vermoord,' zei Pope.

Rose' hoofd schoot omhoog. 'Nee, meneer Pope. U moet niet geloven wat die advocaat heeft gezegd. Ze probeerde alleen maar de rechter een vooroordeel aan te praten. Dat was onzin. Waarom zou ik Junior kwaad hebben willen doen?'

'Zodra ze het zei, wist ik dat het zo was. Ik heb die foto's naar Junior gestuurd om ervoor te zorgen dat hij een beetje ruggengraat zou tonen en zich van dat kreng zou ontdoen, maar ze kan de moord op Arnie niet hebben beraamd omdat ze niet wist dat hij naar de Westmont zou komen. En mijn onderzoekers hebben me verteld dat Marsh een lafaard is. Maar het pistool werd gevonden op de plaats waar hij stond. Hij had met Junior staan vechten en liep toen weg. Al die jaren was ik er zeker van dat Marsh Arnie had vermoord. Nu weet ik dat ik me daarin heb vergist.'

'Ik heb het niet gedaan. Ik zweer dat ik het niet gedaan heb.'

'Stond je tussen de menigte, zoals Jaffe zei?'

'Dat klopt.'

'Waarom heb je dan tegen Jaffes detective gelogen en gezegd dat je bij je auto stond?'

Rose begon te zweten. 'Omdat ik niet wilde dat ze zou weten dat ik bij Arnie in de buurt stond.'

'Geloof je nou echt dat jij de enige getuige was met wie Jaffe heeft gesproken? Drong het niet tot je door dat iemand anders je gezien kon hebben?'

'Toen Jaffes detective met me sprak, stond ik vreselijk onder druk. Dat was op de dag voordat Marsh naar Orgeon terugkwam. Ik probeerde te bedenken wat de beste manier was om hem uit te schakelen, precies zoals u wilde. Ik dacht niet helder na.'

'Is dat je excuus voor de moord op mijn zoon?'

'Die heb ik niet gepleegd. Ik zag dat Epps aan het vechten was en ik zag dat hij die bewaker een trap gaf. Als hij dat pistool bij zich had, moet het daarvoor op de grond gevallen zijn, want ik heb niet gezien dat er een pistool uit zijn broekriem stak en ik heb ook niet gezien dat er in de buurt van waar Epps aan het vechten was een pistool op de grond lag. U móét me geloven.'

'Dat doe ik niet,' zei Pope. 'En zelfs als ik het wel deed, ben jij de enige die mij met de moord op Sally en de aanslagen op Marsh in verband kan brengen.'

Plotseling drong het tot Tony door dat het laken op de vloer lag om te voorkomen dat hij bloedvlekken op Popes kostbare hardhouten vloer achterliet. Die gedachteflits viel samen met de lichtflits uit de loop van het pistool dat Derrick Barclay op zijn hoofd had gericht terwijl Tony door Senior werd afgeleid.

'Zorg dat zijn auto verdwijnt en ruim die rommel op, Derrick,' zei Pope zonder een spoor van emotie.

Derrick Barclay was veel sterker dan hij eruitzag, maar het viel toch niet mee om het in lakens gewikkelde lijk door het huis naar de achterdeur te slepen, waar een oude Cadillac stond te wachten. Tegen de tijd dat hij Rose in de achterbak had getild, stond hij hevig te zweten. Hij haalde een paar keer diep adem voordat hij achter het stuur ging zitten.

In situaties als deze is een houtbaron geweldig in het voordeel. Pope bezat uitgestrekte bosgebieden waar een lijk begraven kon worden. De kans dat het ooit gevonden zou worden was klein. Barclay had zich bij andere gelegenheden ontdaan van ongewenste artikelen als Tony Rose. Hij had midden in een heel oud bos een mooi plekje voor de dierbare overledenen ontdekt. Als er leven na de dood was, hoopte Barclay dat de slachtoffers van de heer Pope waardering zouden hebben voor zijn keus voor hun laatste rustplaats.

Barclay was van plan om, zodra hij zich van Rose had ontdaan, de creditcard van de overledene te gebruiken om een enkele reis naar Duitsland te boeken. Vervolgens zou hij Rose' auto op het langparkeerterrein bij het vliegveld van Portland achterlaten en met het openbaar vervoer terug naar de stad gaan. Als het een beetje meezat, zou de politie denken dat Rose in paniek was geraakt en het land uit was gevlucht.

Twee uur nadat hij Washington County had verlaten, sloeg Barclay een tweebaansweg af en reed een onverharde weg op die al jarenlang niet meer door houthakkers werd gebruikt. Twintig minuten later stopte hij bij een smal paadje waar iemand die niet wist dat het bestond voorbij zou lopen zonder het te zien. Barclay liep om de auto heen naar de kofferbak. Hij boog door de knieën, pakte het lichaam door het stoflaken heen beet en sleepte Rose de auto uit. Vervolgens hees hij het lijk in een brandweergreep op zijn schouder, pakte de schop die hij tegen de zijkant van de auto had gezet en liep het bos in.

Barclay had een klein eindje gelopen toen hij in het kreupelhout iets hoorde ritselen. Het gewicht van Rose' lichaam deed pijn aan zijn schouders en benen, maar toch stopte hij om te luisteren of hij niet door iemand werd achtervolgd. Toen hij niets hoorde, trok hij de conclusie dat het geluid door een dier was veroorzaakt. Vlak voordat hij zijn bestemming bereikte, dacht Barclay dat hij een twijgje hoorde knappen. Werd hij toch door iemand achtervolgd? Nee, dat was onmogelijk, want dan zou hij wel een auto op de niet vaak gebruikte landweggetjes zijn tegengekomen. Zijn schouders deden pijn en hij haastte zich verder zodat hij zich van zijn last kon ontdoen. Zodra het lichaam op de grond lag, strekte hij zijn rug en zijn schouders. Hij bleef even staan om weer te luisteren. De geluiden die hij gehoord meende te hebben boezemden hem nog steeds angst in. Behalve de wind en de bladeren die daardoor ritselden was alles stil.

Een graf graven was zwaar werk en hij had er al zijn aandacht bij nodig. Daardoor hoorde Barclay Quentin Randolph en zijn collega, Nathan Rask, pas toen ze bijna bij hem waren. De hulpsheriffs hadden gereageerd op een telefoontje naar de alarmcentrale, dat hun coördinator hun had doorgegeven. De beller had een vreemd accent, maar hij had heel gedetailleerde aanwijzingen gegeven hoe ze bij een terrein moesten komen waar, zo beweerde hij, iemand bezig was een lichaam te begraven. Quentin dacht dat het bericht misschien een grap was, maar het was een rustige avond en het telefoontje natrekken gaf hem iets te doen.

47

Wanda Simmons, de streng uitziende waarnemend officier van justitie van Washington County, had carrière gemaakt als aanklager. Ze had rood kroeshaar en liep altijd rond met een gekwelde uitdrukking op haar gezicht. Simmons, die buiten haar rechtszaken geen eigen leven had, droeg altijd dezelfde gekreukelde marineblauwe plooirokken en jasjes met daaronder dezelfde gekreukelde witte blouses. Amanda vermoedde dat Simmons alleen maar de tijd nam om zich aan te kleden omdat ze niet naakt de rechtszaal binnen mocht komen.

'Wie kan me vertellen wat de reden van deze geheime bijeenkomst is?' vroeg Marshall Berkowitz terwijl hij beurtelings van Simmons naar Amanda keek.

'Ik ga de zaak tegen de heer Marsh seponeren,' zei de officier van justitie tegen de rechter. 'Geen van beide partijen had behoefte aan een mediacircus.'

Berkowitz trok verbaasd zijn wenkbrauwen op toen Amanda instemmend knikte. Charlie Marsh, die door Amanda was geïnstrueerd om alleen iets te zeggen als zij hem daartoe opdracht gaf, zat zwijgend naast zijn advocaat.

'Kunt u me misschien zeggen waarom u seponeert?' vroeg de rechter.

'U weet dat Derrick Barclay, de medewerker van Arnold Pope Senior, gearresteerd werd terwijl hij Tony Rose begroef in een bos dat eigendom is van een van Popes bedrijven.'

De rechter knikte. De arrestatie van Arnold Pope en Derrick Barclay was in heel Washington County onderwerp van gesprek.

'Barclay heeft sinds zijn arrestatie meegewerkt en ons een heleboel verteld wat we niet wisten over Seniors betrokkenheid bij deze zaak. Twaalf jaar geleden heeft Senior Karl onder druk gezet om de heer

Marsh en zijn schoondochter te vervolgen. Karl was niet voornemens om mevrouw Pope aan te klagen tot Senior hem onder druk zette. Barclay zegt ook dat Pope wilde dat Rose vermoord werd omdat hij geloofde dat Rose zijn zoon had vermoord.

Ik heb kans gezien ons bewijsmateriaal te bestuderen en ik zie dat we een aantal serieuze problemen met de zaak hebben. Ik had geen idee hoe zwak de zaak ervoor stond tot ik na de moord op Karl het dossier doornam. Ons grootste probleem is dat Werner Rollins zijn verklaring dat hij gezien heeft dat de heer Marsh congreslid Pope neerschoot, heeft ingetrokken. Rollins was de enige getuige die verklaard heeft dat hij zag dat de heer Marsh het moordwapen in handen had. Rollins zegt tegen ons dat hij zei dat hij de heer Marsh het congreslid heeft zien vermoorden omdat Karl gedreigd had hem te vervolgen wegens de aanval op de veiligheidsmedewerker als hij dat niet zou doen. Zonder de verklaring van Rollins hebben we geen poot om op te staan. Iedereen, inclusief Tony Rose, kan het congreslid vermoord hebben. Nu Rose dood is, zullen we nooit weten of hij schuldig is, maar nu zijn de verdenkingen tegen hem even sterk als die tegen de heer Marsh en een aantal anderen die in de buurt van de heer Marsh stonden toen het dodelijke schot werd afgevuurd.

En dan is er nog het probleem met dat briefje en die foto's. Twaalf jaar geleden, toen Sally Pope werd vervolgd, ging de staat ervan uit dat mevrouw Pope en de heer Marsh het congreslid naar de Westmont hadden gelokt door hem een aantal compromitterende foto's te sturen, waarop ze samen stonden afgebeeld in posities die suggereerden dat ze minnaars waren, en een anoniem briefje waarin stond dat de heer Marsh en de vrouw van het congreslid bij de Westmont zouden zijn voor een bijeenkomst van de heer Marsh. Frank Jaffe is met bewijzen voor de dag gekomen dat Senior achter de foto's en het anonieme briefje zat waarmee Junior naar de Westmont werd gelokt.'

'Dat heb ik nooit geweten,' zei rechter Berkowitz.

'Het is ook niet algemeen bekend. Het bewijsmateriaal en de transcriptie van de hoorzitting waarin die informatie aan het daglicht kwam, zijn trouwens nooit openbaar gemaakt. Kort nadat ik de zaak van de heer Marsh te behandelen had gekregen, heeft Amanda me van het bewijsmateriaal op de hoogte gebracht.

Ik heb diep over deze kwestie nagedacht en ben tot de slotsom gekomen dat ik, als ik lid van de jury in de zaak van de heer Marsh was, gerede twijfel over zijn schuld zou hebben. Mijn gevoel zegt me dat ik hier niet in alle eer en geweten mee door kan gaan.'

'Ben ik nu vrij?' vroeg Charlie zodra hij en Amanda alleen in haar auto zaten.

'Het is voorbij, Charlie. Maar het is wel zo dat er bij een aanklacht wegens moord geen verjaringstermijn geldt. In theorie kun je opnieuw worden aangeklaagd als er nieuw bewijs zou opduiken dat belastend voor je is. Maar ik betwijfel of dat ooit zal gebeuren, omdat wij allebei weten wat er écht bij de Westmont is gebeurd.'

'Wat gaat er nu gebeuren?' vroeg Charlie.

'Als je zover bent, brengt het vliegtuig van Brice jou en Levy terug naar New York, zodat jullie aan het boek kunnen gaan werken.'

'Levy zal best kwaad zijn als hij hoort dat de zaak afgelopen is,' zei Charlie glimlachend. 'Hij rekende erop dat hij mijn proces en de spectaculaire vrijspraak voor het laatste hoofdstuk kon gebruiken.'

Charlies gevoel van geluk duurde tot de lift in de foyer van het hotel stopte en Nathan Tuazama naar binnen glipte.

'Goedenavond, Charlie,' zei Tuazama terwijl de stalen deuren Marsh en de moordenaar van de buitenwereld afsloten.

Charlies hart bonkte in zijn keel. De gebeurtenissen van die dag hadden hem zo afgeleid dat hij de Batangees helemaal was vergeten. Met Tuazama op een afstand ter grootte van een lemmet was Charlie te bang om iets te zeggen. Tuazama was zich van Charlies angst bewust toen hij op een knop drukte die de lift tussen twee verdiepingen tot stilstand bracht.

'Dacht je dat ik je vergeten was?'

'Wat wil je van me?'

'De diamanten. Die ga jij aan me geven.'

'Waarom zou ik dat doen?' vroeg Charlie met een niet erg overtuigend vertoon van bravoure.

'Als je ervoor kiest om ze te houden, Charlie, vermoord ik je. Ik neem aan dat dat een heel overtuigend argument is. Ik bel je morgen om je te vertellen waar je de steentjes heen moet brengen.'

Tuazama stelde de lift weer in werking. De deuren gingen open op de verdieping onder die van Charlie.

'Wacht,' zei Charlie.

'De tijd van wachten is voorbij,' zei Tuazama terwijl de deuren dichtgingen en hij uit het zicht verdween.

Charlie stond te beven toen hij de deur van zijn kamer op slot deed. Zodra hij zich geïnstalleerd had, belde hij Amanda en vroeg haar de diamanten de volgende morgen mee naar haar kantoor te nemen. Ze stelde geen vragen, omdat ze aannam dat Charlie de diamanten in New York bij zich wilde hebben. Ze was allang blij dat ze er op die manier vanaf kon komen.

Zodra Charlie het gesprek met Amanda had beëindigd, belde hij nog iemand op.

48

Een uur nadat Tuazama Charlie zijn instructies had gegeven, overhandigde Amanda de diamanten. Zodra Charlie ze in zijn bezit had, ging hij terug naar zijn hotelkamer en wachtte tot het middernacht zou zijn.

Washington Park is een bebost gebied van 52 hectare en bevat attracties als de dierentuin van Oregon, de Japanse tuin en de rozentuinen. Vanuit het park is het centrum van Portland vanaf de kant van de West Hills te zien. Overdag is het een feest van kleuren en een plek waar duizenden bezoekers zich kunnen vermaken. 's Nachts is het verlaten en is het een plek waar drugs verhandeld worden en geliefden elkaar ontmoeten. Nu en dan vindt er geweld plaats. Om middernacht is het geen plek voor een oppassende burger, maar het is wel een volmaakte plek om diamanten ter waarde van meerdere miljoenen dollars ongezien aan een ervaren moordenaar te overhandigen.

Toen Charlie zijn auto op het verlaten parkeerterrein bij de rozentuin neerzette en langs een in schaduwen gehuld pad naar het amfitheater liep, had hij geen idee waar Tuazama zich schuilhield, maar hij was er zeker van dat de Batangees dichtbij genoeg was om zijn bezit te beschermen tegen de rovers die 's nachts door het park zwierven.

's Zomers werden in het park concerten gegeven op een door bomen en struikgewas omgeven weiland. Het enige licht dat het grasveld op deze nacht verlichtte, kwam van een halve maan. Charlie stapte, zoals hem was opgedragen, de verhoging op die als toneel dienstdeed. Zijn hart bonkte in zijn borst. In een poging zijn ademhaling onder controle te krijgen deed hij even zijn ogen dicht. Toen hij ze weer open deed, stond Nathan Tuazama op een paar passen afstand.

'Ik heb ze bij me,' zei Charlie. Zijn stem trilde.

'Ik had niet anders verwacht,' zei Tuazama op gemeenzame toon.

Hij had twee stappen gezet toen er een man uit de ruimte tussen twee bomen vandaan stapte. Zijn eerste schot trof Tuazama in de borst. De Batangees struikelde achteruit en greep onder zijn jasje naar zijn pistool. Toen er twee andere mannen uit de schaduwen opdoken, werd hij door nog meer schoten in zijn rug getroffen. De opstandelingen hadden geluiddempers gebruikt, zodat de schoten alleen maar als een zuchtje in de nacht hadden geklonken. Tuazama viel op het gras en de drie mannen gingen om hem heen staan. Charlie liep naar hen toe.

'Hallo, Nathan,' zei Pierre Girard. Tuazama staarde hem aan, maar zei niets. Er liep een straaltje bloed uit zijn mond. 'Weet je nog wie ik ben? Ik ben de broer van Bernadette en het spijt me dat ik niet de tijd heb om jou te laten lijden op de manier waarop zij geleden moet hebben.'

Pierre wendde zich tot Charlie. 'Wil jij het karwei afmaken?' vroeg hij.

Charlie schudde zijn hoofd. Pierre wendde zich weer tot Tuazama en schoot hem tussen de ogen. Charlie sidderde. Hij was opgelucht dat Tuazama dood was, maar hij voelde geen enkele voldoening. De moord op Tuazama had Bernadette niet tot leven gebracht.

'Heb je de diamanten meegebracht?' vroeg Pierre.

Charlie overhandigde hem de doos.

'Dank je,' zei Pierre. 'We zullen je altijd dankbaar zijn voor de risico's die je voor ons hebt genomen.'

'Ik moet júllie bedanken, omdat jullie hier en in het huis van Sally Pope mijn leven hebben gered,' zei Charlie.

'We moesten je wel beschermen tot je ons de diamanten kon geven. We hebben ze nodig om de wapens te kopen waarmee Baptiste ten val zal worden gebracht.'

'Succes in Batanga.'

'Dank je, Charlie. We lopen met je mee naar je auto en dan moeten we ervandoor,' zei Pierre. 'Ik zal nooit vergeten wat je voor ons hebt gedaan.'

Charlie kreeg een brok in zijn keel. Er kwamen tranen in zijn ogen. 'Ik heb dit voor je zuster gedaan, Pierre. Voor Bernadette.'

EPILOOG

Moonbeam

Het rumoer van de luidruchtige menigte in de woonkamer van Martha Brice verdween toen Amanda Jaffe de schuifdeur naar het terras achter haar en Brice dichtdeed. Het was een koele nacht in Manhattan en een dreigende regenbui hield de gasten binnen. Het feestje was ter ere van de publicatie van *Thuiskomst vol geweld*. De recensies waren juichend geweest en er deden al geruchten over het boek de ronde waarin het de opvolger werd genoemd van *In koelen bloede* en *Helter skelter* samen.

Eerder die avond had Amanda gezien dat Dennis Levy een ongelooflijk mooi fotomodel probeerde te versieren, dat onlangs het omslag van een zustertijdschrift van *World News* had gesierd. Het leek of het meisje helemaal in de ban van Levy was, maar Amanda vermoedde dat ze alleen maar deed of ze hem interessant vond. Dennis was geïnterviewd door nationale televisieshows en er werd lovend over hem geschreven als de volgende grote schrijver van zijn generatie, wat betekende dat hij nu officieel rijk én beroemd was, maar roem en rijkdom konden geen wonderen verrichten. Ze konden van een lulhannes geen fatsoenlijk mens maken. Maar dat deed er uiteraard niet toe. Amanda was ervan overtuigd dat Levy voor de nacht voorbij was met het fotomodel in bed zou liggen. Een heel mooie vrouw was in staat ongunstige persoonlijkheidstrekjes te negeren als de beroemdheid in kwestie over genoeg geld beschikte.

En misschien had Dennis het ook wel verdiend dat hij vanavond met een fotomodel naar bed mocht. Het was zijn beloning voor juist handelen. Hij had op de ochtend na de hoorzitting over de voogdij de foto teruggebracht, ook al kon Amanda zien dat dat voor de jonge ver-

313

slaggever geen gemakkelijke beslissing was geweest. Maar het leek erop dat Levy's deugden vele malen waren beloond en nu was het Amanda's beurt om een goede daad te verrichten.

'Waar wilde u over praten? Waarom konden we dat niet binnen bespreken?' vroeg Martha Brice aan Amanda.

'Er zijn een paar dingen waar u even naar moet kijken en ik denk niet dat u het op prijs zou stellen als ik u die in het bijzijn van anderen liet zien.'

'Goed, maar schiet u alstublieft op met uw verhaal, dan kunnen we terug naar het feest. Het is hier buiten kil.'

'Uitstekend, Moonbeam.'

Amanda had een reactie verwacht en ze werd niet teleurgesteld. Alle kleur trok uit Brice' gezicht weg en ze staarde Amanda even aan voordat ze zich weer onder controle had.

'Moonbeam? Waarom noemt u me zo?'

'Is dat niet de naam die u voor uzelf had bedacht toen u Charlie Marsh van Yale naar Oregon bent gevolgd?'

Amanda haalde twee foto's uit haar handtas. De eerste was de foto van Charlies gevolg, die bij de bijeenkomst in Dunthorpe was genomen. Zodra Amanda hem aan Brice gaf, liet de redacteur haar schouders zakken.

'Ik ben niet kapot van dat kaalgeschoren hoofd,' zei Amanda.

'Hoe bent u aan die foto gekomen?'

'Hij zat in het dossier van de zaak van Sally Pope. Als Charlie niet terug was gekomen om terecht te staan zou niemand hem hebben gezien.'

'Wat zie ik er jong uit,' zei Brice, naar de foto starend.

'Hoe is het precies gegaan?'

'Hoe is wat precies gegaan?' vroeg Brice, op haar hoede.

'Laat ik u geruststellen: de autoriteiten zijn er min of meer van overtuigd dat Tony Rose Pope heeft vermoord, en ik heb geen enkele reden om hen op andere gedachten te brengen. Ik kan trouwens toch niet bewijzen dat u het congreslid hebt gedood en nu Charlies zaak geseponeerd is, heb ik er ook geen belang bij om met mijn theorie naar de politie te stappen.'

'En hoe zit het met Charlie?'

'Die houdt zijn mond, Delmar Epps is dood en Werner Rollins heeft u niet gezien. Ik weet niet wat Gary Hass gezien heeft, maar stel dat hij gezien heeft dat u Pope neerschoot, dan zou toch geen mens dat geloven. En als hij dat al gezien heeft, betwijfel ik of hij ooit verband zou leggen tussen de hippie die hij twaalf jaar geleden heel even in Oregon in het donker heeft gezien en de geslaagde zakenvrouw die de baas is bij *World News*.'

'Denkt u dat ik Arnold Pope heb vermoord?'

Amanda glimlachte. 'Niemand luistert naar ons gesprek en u hoeft niets toe te geven, als u zich daar zorgen over maakt.'

'Ik heb niets om me zorgen over te maken. Ik ben alleen nieuwsgierig waarom u denkt dat ik een moordenaar ben.'

'Het cruciale punt is steeds de revolver geweest. Als Delmar Epps hem bij zich had toen die vechtpartij begon, kan om het even wie Junior vermoord hebben, maar als Epps de revolver in de limousine had laten liggen, moet u de dader geweest zijn. U bent samen met Mickey Keys, Charlie en Delmar Epps in de limousine naar de Westmont gereden. Mickey Keys herinnert zich dat Epps tijdens de rit naar de sociëteit de revolver liet vallen. Keys kreeg zowat een beroerte omdat de loop naar hem wees toen de revolver de vloer van de auto raakte en hij dacht dat hij door een kogel geraakt zou worden. Hij raakte erg overstuur en ging vreselijk tegen Epps tekeer. Keys kan zich nog heel goed herinneren dat Epps daarna de revolver op een zitting in de limousine heeft gelegd, maar hij weet niet meer wat er daarna mee gebeurd is en verder is er niemand die kan zeggen wat er met de revolver gebeurd is nadat de limousine bij de Westmont stopte.

Keys kan het congreslid niet vermoord hebben omdat hij achter hem bij de ingang van de Westmont stond.

Epps is dood, dus hij kan ons niet vertellen of hij de revolver uit de auto heeft meegenomen, maar toen Gary Hass het portier van de limousine opendeed, handelde hij instinctief om Charlie te beschermen. Waarschijnlijk heeft hij de revolver op de zitting laten liggen.

Werner Rollins herinnert zich dat u bij Charlie, Gary Hass en Delmar stond toen Junior werd vermoord. Maar niemand heeft verteld waar u zich tussen de aankomst bij de sociëteit en het moment van de moord bevond.'

Amanda liet Martha Brice de andere foto zien die ze uit Portland had meegebracht. Het was een foto van de plaats van het misdrijf, die op de avond van de moord genomen was.

'Dit is de rotonde voor de ingang van de sociëteit.' Ze wees naar een deel van de foto. 'Iemand heeft de bloembedden aan de overkant vertrapt. Toen de limousine bij de hoofdingang van de Westmont stopte, liep de chauffeur om de auto heen om de deur aan de passagierskant te openen, maar Gary Hass was hem voor. Werner Rollins stond ook aan de passagierskant van de auto. Delmar Epps stapte aan de passagierskant uit toen Gary Hass het portier opendeed. Charlie en zijn agent stapten meteen na Epps aan de passagierskant uit. Niemand heeft u uit zien stappen. Ik denk dat dat komt doordat u aan de kant van de chauffeur uitstapte terwijl iedereen werd afgeleid door de opschudding aan de passagierskant. Ik denk dat u het bloembed hebt vertrapt toen u bij die vechtpartij wegliep.

Charlie heeft me verteld dat u zich zorgen maakte dat iemand hem bij zijn reclasseringsambtenaar zou aangeven wegens wapenbezit. Ik denk dat u de revolver hebt meegenomen om te voorkomen dat Charlie hem in handen kreeg, zodat hij geen moeilijkheden zou krijgen toen de vechtpartij tussen hem en het congreslid uitbrak. U bent samen met Charlie en Gary Hass naar de overkant van de rotonde gelopen. Toen zag u dat congreslid Pope Charlie bedreigde en naar hem toe rende. Ik denk dat u Pope hebt neergeschoten om Charlie te beschermen.'

'Dat is een interessante theorie,' zei Brice.

'Ik heb me altijd afgevraagd waarom Charlie uitgerekend met ú contact opnam toen hij geld nodig had om uit Batanga te vluchten.'

'Hij wist dat ik hem voor zijn verhaal zou betalen.'

'Dat is ook een mogelijkheid. Zodra hij dat vroeg, stuurde u hem vijfenzeventigduizend dollar. Dat is iets wat je zou doen als je bang was dat iemand een lang bewaard geheim naar buiten zou brengen. Maar, zoals ik al zei, u hoeft zich geen zorgen te maken. Charlie is niet van plan uw geheim in de openbaarheid te brengen. Hij wil het verleden achter zich laten. En het is niet aan mij om de moord op Arnold Pope Junior op te lossen. Toen Charlies zaak werd geseponeerd ben ik alle belangstelling voor wat er twaalf jaar geleden bij de Westmont-sociëteit is gebeurd, kwijtgeraakt.

In geen van de artikelen die over u zijn geschreven wordt uw kortstondige verdwijning uit Yale genoemd en ik neem aan dat maar weinigen op de hoogte zijn van uw avontuur in Oregon, zo iemand daar al iets over weet. De moord op Pope moet een behoorlijk ontnuchterende ervaring zijn geweest. Na uw terugkeer blonk u uit op de universiteit en u hebt een geslaagde carrière in de journalistiek opgebouwd. Nu Charlies zaak is afgesloten ben ik van plan deze foto's te vernietigen, omdat ik geen reden kan bedenken waarom ik het leven dat u voor uzelf hebt gecreëerd te gronde zou willen richten.'

Brice glimlachte. 'Zo ik daaraan getwijfeld mocht hebben, hebt u me er nu van overtuigd dat ik de juiste beslissing heb genomen toen ik tegen Charlie zei dat hij u moest inschakelen. U bent een heel pientere dame.'

Charlie Marsh keek door het grote raam naar Amanda Jaffe en Martha Brice. Hij wist waarom Amanda Martha mee naar buiten had genomen. Als Martha weer binnen kwam, zou hij tegen haar zeggen dat ze niets van hem te vrezen had.

Gedurende de afgelopen paar maanden had Charlie vaak over zijn leven nagedacht en was tot de slotsom gekomen dat hij op een kruispunt stond. De aanklacht wegens moord was ingetrokken en Amanda was met de belastingdienst overeengekomen dat ze verder geen werk zouden maken van eventueel nog bestaande federale aanspraken als hij zijn belastingschuld voldeed. Voor het eerst in jaren lag Charlie niet met de wet overhoop.

Twee weken geleden was een opstandelingenleger al vechtend Baptisteville binnengedrongen en was Jean-Claude naar Libië gevlucht. Charlie was bang geweest dat de president iemand op hem af zou sturen om de dood van Tuazama te wreken, maar er was niemand komen opdagen en op dit moment had Baptiste dringender zaken aan zijn hoofd.

Op papier stond Charlies leven er behoorlijk goed voor. Hij was van Baptiste verlost, de overheid zat hem niet meer dwars, hij was een beroemdheid en financieel zat hij op rozen. Met de royalty's van zijn boek en het bedrag dat nog steeds op zijn Zwitserse bankrekening stond, hoefde hij zich geen zorgen te maken, zelfs niet nadat hij zijn belastingschuld had afbetaald.

Charlie had zich fantastisch moeten voelen. Maar in plaats daarvan had hij het gevoel dat hij zonder veilige haven in zicht ronddobberde in een reddingsboot. Wat moest je doen als je alles had wat een mens normaal gesproken kan verlangen en dat niet genoeg was, omdat je de enige die je leven de moeite waard had gemaakt was kwijtgeraakt? De rijkdom en de roem waar Charlie tien jaar geleden in had gezwolgen lieten hem nu koud. En hij treurde nog steeds om Bernadette. Hij zou haar nooit vergeten en hij hoopte dat hij ooit iemand zou vinden van wie hij net zo veel zou kunnen houden als van haar. Hij wist nu tenminste dat hij tot liefde in staat was.

Charlie had het gevoel dat ze hem de kans hadden gegeven een nieuw begin te maken. Hij moest nu een plan voor de rest van zijn leven uitstippelen, maar dat had hij op dit moment niet. Hij nam zich voor daaraan te gaan werken, en deze keer zou het een goed plan zijn waar geen leugens en geweld aan te pas kwamen. Hij had geen idee hoe het plan eruit zou zien, maar hopelijk zou het licht dat, naar hij hoopte, binnen in hem scheen hem daarbij helpen.

EEN WOORD VAN DANK

Het schrijven van een roman is voor mij een kwestie van teamwerk. Als ik de verhaallijn op papier heb gezet, maak ik een lijst van de onderwerpen waar ik de hulp van een deskundige bij nodig heb. Ik wil Chic Preston, Steve Perry en Joe Copeland bedanken voor hun informatie over onderwerpen waar ik niets over wist. Omdat ik nog steeds een digibeet ben, hebben Carolyn Lindsey en Robin Haggard voor me op internet naar antwoorden op vragen gezocht.

Pam Webb, Jay Margulies, Karen Berry en Jerry Margolin hebben de kladversies van *Voortvluchtig* gelezen, en ik ben hun erkentelijk voor hun bijdragen en de tijd die ze eraan hebben besteed.

Als ik mijn kladversie gereed heb, stuur ik die naar mijn redacteur, die me op alle problemen met het boek wijst die me zijn ontgaan en manieren voorstelt hoe het verbeterd kan worden. Als u *Voortvluchtig* mooi vindt, moet u mijn redacteur, Sally Kim, bedanken omdat zij er een beter boek van heeft gemaakt dan ik haar heb gestuurd. Tevens dank aan Sally's onvermoeibare assistent, Maya Ziv, aan Heather Drucker en aan iedereen bij HarperCollins voor hun steun.

Er is ook een reden waarom ik in het dankwoord bij elke roman altijd mijn agent, Jean Naggar, en iedereen bij het Jean V. Naggar Literary Agency noem. Zij zijn gewoon de besten.

En de laatste, maar voor mij de belangrijkste, is Doreen, mijn muze, die me nog steeds inspireert om mijn uiterste best te doen.